郭昕 著

河南文艺出版社
·郑州·

图书在版编目(CIP)数据

驯风记/郭昕著. —郑州:河南文艺出版社,2016.12

ISBN 978-7-5559-0450-2

Ⅰ.①驯… Ⅱ.①郭… Ⅲ.①长篇小说-中国-当代 Ⅳ.①I247.5

中国版本图书馆 CIP 数据核字(2016)第 223004 号

出版发行 河南文艺出版社
本社地址 郑州市鑫苑路 18 号 11 栋
邮政编码 450011
售书热线 0371-65379196
承印单位 河南省瑞光印务股份有限公司
经销单位 新华书店
纸张规格 700 毫米×1000 毫米 1/16
印　　张 17.75
字　　数 241 000
版　　次 2016 年 12 月第 1 版
印　　次 2016 年 12 月第 1 次印刷
定　　价 32.00 元

目录

第一章
搓背的哲学

一、晕字的人

把骄傲藏在心里营养自己，把谦卑挂在脸上娱乐他人。发现这句话，来钱很兴奋。

那是秋天，是午后，阳光好，空气也很好，清清爽爽的，是可以让人愉快的好天气。不过，来钱并没有心情享受这样的好天气。吃过了饭，他拿着一沓子破报纸，坐在停车场的长椅子上发晕。他在为一句话发晕。他所供职的洗浴中心也不知道干什么用，布置了个活儿，很特殊，让每位员工交一个警句。交出来的，采用了，奖一百块钱；交不出的，罚一百块钱。那哪是什么警句啊，那是钱啊！山里的人出来掏力气打工，不就是换钱的嘛，这样一弄，洗浴中心就出了奇观:那些搓背的、捏脚的、美容美发的,争着抢着看书看报翻杂志,八仙过海般找句子。一向备受冷落的书报杂志成了热门的挣钱道具。

来钱是搓背工,虽然也读过几天书,但不认识几个字。他对泡在热水里的,蒸在蒸房里的,趴在搓背床上的,形形色色的男性肉体很熟悉,什么是警句,他还真不知道。

作为搓背工,来钱很自豪自己的手艺。肥的瘦的,长的短的,黑的白的,不管什么样的肉体,只要趴在搓背床上,交到他的手上,他都把人整得干净,摆治得舒服。这活儿,他拿手,在搓背师傅中,如果要排座次,他得坐头把交椅。但要在书报杂志中找出一句可以交差的话,这活儿却让他很为难。难,也得干。眼看别人都交差了,就剩他了,这个时候,就不是钱的事情,那关涉他来钱的面子,关涉他的能力与水平,如果完不成说不定会影响他在搓背师傅中的地位,这更是要命的事情。他也知道,在洗浴中心,有很多人像他一样不知警句是什么东西,他们能够交差,要么请了外人帮忙,要么用小恩小惠打通关节完成了任务。来钱也想找人帮忙,可想来想去,没有合适的人;也想像别人那样打通关节,可又怕给了人把柄。因了他的活儿好,在搓背师傅中,他是赚钱最多的人,也是在经理面前最有面子的人,是没有封号的把头。像他这样的人,遇到了难处,自然有人看笑话。面对困难,来钱决定自力更生。一连几天中午,他都忍着痛苦坐在停车场的长椅上翻那些破报纸、破杂志、破书本。也真是功夫不负有心人,发现那句话,他很兴奋,比发现了宝贝还兴奋。他觉得几天来所忍受的痛苦都值了,因为,那句话点亮了他。他的心顿时通透起来,仿佛世界上的万事万物都与自己发生了关系。他认定,那句话,不但能交掉差事,还能拿来指导自己的人生。那一刻,来钱一下子明白了什么是警句,能够指导人生的句子就是警句嘛。

一直以来,来钱都是一个有想法的人,是一个爱琢磨的人。但凡遇事,他都喜欢弄个明白。像在银行里存钱一样,他的脑子里存了许多想法,那些想法指导着他的人生。他知道,在这个世界上,不管大人物还是小人物,有理论有实践的人才能活得有光彩有滋味。脑子里一团糨糊，胡乱活着的人，也往往把日子过成乱麻，没有几个能活出好来。当然，他也知道，自己是小人物，在这世界上像一粒尘埃无足轻重，但他是一个有追求的人，是一个努力生活的发光体。在他的心里面，那些有钱有势的人也算不了什么，脱光了也不过是团肉。这些年来，他经手的人可谓品类繁杂、高低不一，什么样的都有，有官场的，有企业的，还有混社会的。官场里的，不但有乡镇场的乡长镇长场长科长局长，还有市里的大大小小一干人等，其间，他服务过的最大的官是市长刘湘民。企业里的就更多了，有中小公司的部门经理总经理，厂矿的厂长矿长，还有大公司的董事长，代表人物是地产老板杨斌与罗家辉，这两个人是蜜如地产圈子的两大巨头。混社会的有一般的社会闲人二流子懒汉，自然也少不了流氓地痞，最高级别的是坐过九次牢的马三。洗浴中心嘛，进来的都是客，只要有钱，都可以充大爷。

来钱发现，很多所谓的大人物，一旦光屁股趴在搓背床上，也就和众生平等了。来钱想想，都是爹妈给的结构，如果不一样反倒不正常了。

一个搓背工，慢慢，把人生悟到了哲学的境界。

来钱是“在水伊方”的搓背工。“在水伊方”是刘湘民当上市长以后给蜜如市引进的第一个项目，也是蜜如城里面第一个上档次的洗浴中心。

“在水伊方”开业以前，蜜如城里那些大大小小洗浴的地方，充其量只能叫澡堂子，人身上脏了，将就着冲冲洗洗，根本谈不上什么享受。那时，蜜如市要争创全国文明卫生城市，有人大代表上万言书，建议政府先身体后精神，先解决老百姓的洗浴问题，再去抓精神文明。万言书说得在理，又是人大代表提的，就拿到了市政府的办公会上议。问题上了市长办公会。市长说，身体问题与精神文明问题都很重要，要两手抓，一齐抓。不过，他没有说两手都要硬。他把身体问题也就是老百姓的洗浴问题交给了刘湘民。那时刘湘民还是副市长，充其量是个大丫鬟，没有话语权，不当什么家，自然也办不了什么大事。市长这样做，等于把人大代表的万言书给挂了，而让刘湘民堵了枪眼。他看着市长拿他当道具的得意样，恨不得上去扇他几个耳光。不过，他没有那样做，他是一个已经完成官场修养的人，深谙戒急用忍之道。如果说市政府是一个人的话，那么市长就是头，其他的副市长都是眼耳鼻舌手等搭配的器官。头怎么动，作为搭配的器官，就要跟着怎么动。作为一个副手，他怎会破坏这个游戏规则？他装作若无其事的样子，赔着笑脸表态，要千方百计完成大班长交给的任务。会后，刘湘民还真把这件事记在了心里，一记就是三年，他当上市长之后的第一件事就是引进了高档的洗浴中心"在水伊方"，以解决全城百姓的身体清洁问题，也算是硬气起来的搭配器官报复了过气的头。

"在水伊方"来了，人们才明白什么是真正的洗浴，什么是真正的享受，才明白洗浴与洗澡原来有着本质的区别。蜜如不大，但能人很多，什么类型的都有，有善于搞总结的就总结出了洗澡与洗浴的区别，且上升到了理论水平，人不得不信服。总结说，洗澡是自己摆弄自己，洗浴是把自己交给别人摆弄。洗澡是用自己的手摆弄自己，谈不上舒服与享受；洗浴是把自己的身体交给专业人员摆弄，怎么摆弄、摆弄哪些个部位是可以有要求的，是必须摆弄舒服的，不摆弄舒服是可以拒绝付款的。"在水伊方"最大的好处就是把进门的客人摆弄得舒服，摆弄得人像做神仙样舒服。人都像神仙样舒服了，花俩小钱又算得了什么呢？这样，"在水伊方"就成了会下金蛋的老母鸡。

赚钱的生意，跟风。"在水伊方"开业后，蜜如城里又生出了几家上档次的洗浴中心，有"人间天上"，有"花枝俏"。名字都起得很花哨，但论起赚钱能力，没有一家比得上"在水伊方"。

"在水伊方"生意好，追究原因，除了服务好，还真的与有市长刘湘民的扶持有关。市长引进的企业，那就是"大哥大"。在洗浴行业，"在水伊方"占了老大的地位，别人再弄，无论弄得多么高档豪华，那也只能排在后面做"小弟"。再加上"在水伊方"是市长刘湘民定点洗浴的地方，这直接拉动了"在水伊方"的营业额。想一想，花点小钱，就能与市长同泡一池热水了，那是多美的事啊！许多人到"在水伊方"洗洗涮涮，都仿佛有当市长的感觉了。

不过，也不是谁都能到“在水伊方”洗浴的。“在水伊方”的大门，金碧辉煌，腰里没几个钱，从那门前过心里都虚呢。能到“在水伊方”享受生活的，都是这个城里要里子有里子、要面子有面子的人，都是兜里有钱的主儿。有钱有地位的人到“在水伊方”活自己，来钱作为“在水伊方”搓背最好的师傅，跟蜜如许多人物便有了身体上的亲密接触。

来钱姓马，家在蜜如山里面。父亲早早就死了，家里最重要的是母亲和一群羊。他还有一个哥哥，名叫富贵，母亲供他上完高中他就自己做主改名叫马立。洋气是洋气，听起来很陌生。

富贵上学上到了北京城，在国家机关上班，而来钱是一个大字不识一箩筐的山里农民。

来钱不念书不是家里不让他念书，是他不想念，他看见字就晕。老师在黑板上一写字他就得往外跑，不然头晕。老师拦住他，写个大大的“1”字，问他是什么字。他明明认得，但为了快点跑开，便坏笑着说：“是棍。”老师写个“牛”字，再问，他就双手抱着头，一直摇。老师骂：“你就是头笨牛。”笨牛就笨牛，来钱才不把老师的话放在心里，老师只要不管他，只要不头晕，他想怎样就怎样，就是快乐的生活了。十年树木，百年树人。老师对学生的未来是负责的，老师抱着挽救祖国未来的信念费尽心血教育来钱，但最终发现不管自己如何以一颗仁爱之心关怀这个孩子，都不会结出什么好果子来，老师就不在他身上费劲了。说来也奇怪，来钱虽然晕字，但也算是个人才，他的眼力、听力与记忆力都好，对于图画更是过目不忘，但凡听过的话，他能过个十年八年都不忘。

混到小学毕业，能解决基本的生活问题了，来钱就不愿意在学校里受那份罪了。在山里，像他这样的孩子很多，老早退学回到家里，待到了十八九岁找个媳妇，守着浅山薄田混生活过日子。有点想法的就跟人打工，赚点小钱，给日子增添点滋味。来钱外出打工，有了点奇遇，跟人学了点本事，虽说搓背也得出力吧，但也算成了个手艺人。

来钱从山里面出来，混到蜜如城里也有一个过程。他先在山里，后到了县里，最后抵达蜜如，按部就班也演绎了人生三部曲。

实际上，来钱也懒，只要能活着，他很愿意做一个随波逐流的人，他不是那种为了理想生活能拼命的人，他从来不愿意逼自己。从学校回到家里，来钱和其他年轻人一样继续发育，其他人生活在山里面，他也觉得自己应该生活在山里面。到了年纪，一些人找了女人，他也觉得自己该找个女人。如果不是被外部的环境逼着，来钱根本就没想过改变自己的生活方式。来钱家里先前有一块地，他春天种种秋天收收，日子也就无声无息地过去了。可突然他身外的世界变化了，他也只得跟着变。为了改变蜜如山的贫困面貌，蜜如山镇政府为了镇上的百姓过上像蜜一样的生活，积极地响应上级政府号召，发展旅游文化产业。旅游文化产业不但听着好，做好了更是坐地收钱的活儿，像水蜜桃一样诱人。不过，这个行业的水也深，想做好不容易，那不是光有人有钱就能做好的事。操作得不好，任有多少钱投进去，响都不响，是个无底洞。专家总结了，旅游文化产业要做好得咬住六个字：吃住行游购娱。六个字就是六个行当，这六个行当做好了，巧妙地融合在一起，才是旅游文化产业。足可见旅游文化产业的门槛很高。这六个行当，每个行当都需要专家进行专业研究与设计。在这六个行当中，住虽然排在第二位，但很为重要，一个地方就算建好了，住不下人，就意味着不会产生持续性消费，就很难赚钱。为了赚钱，为了把坐地收钱的产业做好，蜜如山镇政府决定先建宾馆，而且是建高端、大气、上档次的别墅式宾馆。建这样的别墅式宾馆需要大量土地，蜜如山政府就把征地工作当作政府的头等大事来抓，这样一抓，来钱家里的地就被抓走了。没了地，来钱的心也就空了，生活变得没有着落。

树挪死，人挪活。山里人虽然封闭，见识短些，但也不甘心让尿给憋死。没了地，山里人就纷纷往山外挪，挪着挪着就挪出了各种各样的名堂：有打工的，有开小卖店的，有卖菜的……五行八作的都有了。有劳动就有收获，有了钱人就舍得包装自己，人靠衣裳马靠鞍嘛，光鲜的衣服一上身，很多人就变得有模有样了。这让来钱很受教育，他也把眼光投向了山外的世界。山大，山外的世界更大，在山里，不会挣钱的男人连根草都不如，他也不想做这样的男人。想到北京的哥，他想让娘说话，让哥给找个活儿。娘说："钱啊，虽说你们都是妈生的，但各有各命。你出去讨生活娘不拦着，但找你哥，我不赞成。这人啊，谁能管谁一辈子啊。"娘的话对来钱是一个很大的刺激，他决定自己去闯。临行喝娘一碗羊奶，他壮着胆子出山了。

他不敢走远，起初也就到县城里。县城小，挣钱的机会也少，他混了一年多，干过几个行业，可也就落个温饱，这让他很失望。他又把标准调了调，试着往远处走，就走到了蜜如城里。蜜如城是那里最大的城了，到那里，他的心里就有点儿感觉了。找到了点儿感觉他就不敢再往远处走了。再走远了，怕那点儿感觉再丢了。就这样，他就在蜜如城里混，人家上北京、下广州，不管挣了多大的钱，他都不眼气，他就待在蜜如城里，好像那个城就是他全部的指望。

马来钱到城里了。马来钱大字不识几个，但凡跟字有关系的活儿他都干不了，可他又没有什么技术，他也只能靠卖力气挣钱。他干过建筑工地的小工，在汽车站卸过货，给家属院送过煤球，烧过锅炉，可是每个行业都累得慌，也挣不了几个钱。为了谋生活，为了多挣钱，让自己过得好点，他就思谋着学个技术。他想学修车，可是学费太贵了。人出来混社会是想挣钱的，学修车要先给培训学校交钱，这个技术对他来说太奢侈了。经过痛苦的思考，他放弃了。后来，在人力市场上，他认识了一个人，叫二毛，也是山里人，虽然不在一个村，但相邻着，也是老乡。经过几番交谈，两个人就成了朋友。

二毛能吃苦，早早地就到了蜜如打工，他做过许多行业，都没有挣啥钱，白辛苦。来钱经历过的事情，他大都经历过，足可以做来钱的指导老师。后来，他摸住了搓背的活儿，才觉着好，才开始落着钱。二毛在一家很平常的洗澡堂里做搓背工，只做了两年，就回家盖了新房子。盖了新房子，就有不少女孩子愿意跟他好，他挑着找，就挑到了一个叫桃枝的姑娘。桃枝的家里条件很好，父亲是一个包工头，有些钱。这样桃枝找男人也就有了难度，高门头攀不上人家，低矮户自己瞧不上。一耽搁就成了大龄剩女，眼看人家十七嫁人，十八当妈，自己二十五六了仍然待字闺中，自己心里急，家里人急，亲戚朋友也急。一圈子人都要急出病了。二毛能在城里挣钱，也是能人了，人一介绍，桃枝觉得好，二毛也觉得好，两好就搁成了一好，事就成了。桃枝高高瘦瘦的，很干净，也很好看，她想，跟了二毛，既解决了终身大事，又有机会出山过一过城里的生活，两全其美。经了三媒六证，又加了两情相悦，两个人就确定了恋爱关系。二毛再到蜜如，桃枝就跟了来。二毛答应她，再挣了钱就跟她结婚，把所有的亲戚朋友都请上，在蜜如的大酒店里摆上酒席风风光光地大操大办。如果有余钱，两个人再到省城、到北京去逛逛大世界。二毛的许诺虽然带有哄骗的味道，但那也是一种理想，那些话让桃枝很激动，长到二十多岁了，第一次有男人给她说那么煽情的话，那些话烘得她心里热乎乎的，她情不自禁就送上几个热吻以资鼓励。如果在山里，没有结婚的青年男女有一些举止是会被人传为笑话的，但一到城里就等于领了许可证，一切都可以阳光作业了。

来钱认识二毛以后，觉得搓背是个随身带的技术，不错，就跟二毛学习搓背。师傅领进门，修行靠个人。来钱虽然没文化，但悟性好，没多久他就学会了基本技术，也能在一般的澡堂子混饭吃了。也许是命好，“在水伊方”开业招聘，他报了名，也没有打通什么关节，他竟然通过了考试，顺顺利利到“在水伊方”当上了搓背工。二毛也报了名，他是搓背老手，通过考试是没有问题的，可偏偏桃枝家有事，他就陪着桃枝回了山里。来钱进了高档的洗浴中心工作，二毛还待在原来的澡堂里混事，也算为爱情付出了代价。

一般人搓背，是按照流程流水作业。客人来了，用毛巾清洁面部后，以揉搓的方法把人身体各个部位清理干净，打上香波、盐、牛奶等引导客人去清洗就算完成了整个工序。来钱觉得搓背绝不是件简单的事情。开始，他也像其他人那样去做，可没有人点他的号，生意很淡，一天干下来也挣不了几个钱。

“在水伊方”定期有培训，参加培训不用交钱，只上课就可以了。学本事的事，大家都愿意。修脚、美容、美发、美甲、护理等几乎所有工种轮了个遍，搓背培训还没有排上日程，搓背的师傅就提意见了，他们觉得受了歧视。一个人有意见不是事,但大家都有意见,就引起了洗浴中心重视。经过商议,洗浴中心决定找专家给搓背工上上课。有人给经理建议:“扬州搓背天下闻名,要找就找个扬州师傅来教,也让大家心服口服。”这建议提得好,经理就同意了。没过几天,搓背的师傅就接到了通知,要上课了。培训很正规,洗浴中心专门向市委党校借了间教室,派辆中巴车把搓背师傅拉了去。因为去的地方是党校,在车上,师傅们还都紧着,再加上经理同在车上,个个屁都不放一个,但一下车就散了形。进了教室,有吸烟的,有剪指甲的,还有说小话的,议论着要讲课的人是何等角色。还有的,更隐秘,小场地议论着洗浴中心里的姑娘,哪个水灵,哪个说话中听,哪个跟哪个是相好的关系。经理进来了,大家都噤了声,屋里安静了下来。跟着经理的,是一个中年男人,瘦瘦小小的,搭眼一看就知是南方人。本想经理定请来个能人,谁想其貌不扬,都生出了轻视之心。经理也是瘦瘦的,皮包着骨头,上了台,尖着嗓子介绍:“这位师傅是地地道道的扬州人,是黄知白董事长专程请来的,也姓黄,大家就叫他黄师傅吧。以后呢,他就是洗浴部的副经理,今天的课就由他讲。大家欢迎。”

本来呢,大家想找个师傅,让人传些本事,好多挣些钱。没想,本事还没学呢,洗浴中心又给找了个爹。大家就有情绪了,欢迎的掌声稀稀落落地响了几下,课就开讲了。课才开讲,经理的手机就及时地响了。经理接了手机,打断了一下黄师傅,他说:“黄师傅,我有些事要忙,就先走了。”黄师傅说:“你去忙,你去忙。我这里好对付。”走时,经理也不忘警告一下台下的听众:“大家要好好听,我是要抽考的,抽着谁都要给我说说心得体会。到时候讲不出个所以然来,那我是不愿意的。”经理拍拍屁股就走了。他才出门,就有不服气的搞起了模仿秀,一位有些资历的搓背师傅学着经理的腔调说:“大家听好了,要抽考的,抽着谁是要说说心得体会的。”众人听了,笑得肚子疼。经理是洗浴中心的文化人,很多事都离不开他的脑子。他也想着法子折磨这些搓背的老粗们。所以,搓背的师傅当面无不服他的水平,但在私下里,却又是另外的待遇了。

搓背师傅平时闲散惯了,本来也没有把黄师傅放在眼里,经理一走,大家的懒散劲就又上来了。有的开始吸烟,有的剪指甲,还有的故意抬高屁股放响屁。听有屁响,大家就笑,笑声比屁声还响亮。扬州师傅并不气恼,大家闹大家的,他讲他的,好像在下面坐着的只是些桌子板凳。时间到了,他也就不讲了。他一止了,大家才发现,他讲了什么都没听清楚。想到经理要抽查,又都起了担心,还真怕有点啥事。领头的师傅问:"黄师傅,你是专家,你说说,你都讲了点啥?"扬州师傅听出来了,领头师傅不服他,要挑刺。他就对领头的师傅讲:"没讲啥,没讲啥。说实话吧,扬州搓背其实也没什么绝活儿,就是家伙好,要专门定制。"领头的师傅说:"那就让公司给大家换呗,听啥课啊。"有人接着领头师傅的话头说:"就是,就是,有投入才有产出嘛。"大家就集体决定给公司提意见,定制扬州搓背专用的家伙什,这样,培训课也算有了收获。

家伙什换了,大家好像长了水平,顾客呢,也仿佛多了些新鲜感,搓背的价钱也就上去了。价钱提高了,搓背师傅的提成也就多了。实际上,洗浴部的一切都是外甥打灯笼——照旧(舅)。在搓背师傅中只有来钱看出了门道,他觉得扬州师傅的肚子里有水。扬州师傅给人搓背时从来不用搓澡巾,而是把毛巾往手上一缠,像长在手上一样,不管怎样搓,都不会掉。毛巾多软啊,客户感觉舒服啊。来钱觉得这就是本事。他想了很多办法跟扬州师傅套近乎,想把扬州师傅的能耐套出来。扬州师傅起初绷着张脸不搭理来钱。可是来钱有耐心,他软磨硬泡缠上了扬州师傅,有时候,还给扬州师傅买包烟抽。一天夜里,都收工了,洗澡池子里没有了人,扬州师傅叫住了睡眼惺忪的来钱:"来钱师傅,你跟我来一下。"来钱见是扬州师傅叫,激灵一下就起了精神头。

来钱跟扬州师傅到水里泡了泡,又到蒸房里蒸了蒸,身上流热汗了,两个人就出来了。扬州师傅说:"来钱,你先给我搓搓。"来钱就小心地给扬州师傅搓了。搓完了,来钱问:"师傅,咋样?"扬州师傅学着来钱的腔调说:"不咋样。"扬州师傅说得来钱的脸红布样,他不敢再言语。扬州师傅说:"趴下,我来伺候伺候你。"来钱就趴在了铺着白毛棉毯的搓背床上。扬州师傅就动手了。扬州师傅一动手,来钱就觉得身上很舒服。来钱美得直想哭,也就是个搓背，怎么就那么美呢？让人如在云上飞。完了，扬州师傅问："怎么样?"来钱说："得劲，美。"扬州师傅说："想不想学?"来钱说："想，太想了。学会了我就能挣大钱了。"扬州师傅笑了："傻小子，你说得太对了。"

就这样，扬州师傅收来钱做了徒弟。来钱就开始跟扬州师傅学习搓背了。扬州搓背，是有书本出版传承于世的。据扬州师傅介绍，扬州搓背来源于中医的推拿理论，讲究不急不躁，柔中带刚，刚柔相济，运掌若行云流水。轻则快，重则慢，轻而不浮，沉而不滞。有一天夜里，月亮弯在天边，有风，隐隐约约有些凉。干完了活儿，两个人都有些饿，还有些馋酒。离洗浴中心不远，有个小夜市，两个人一商量便出来了。到地方找了个摊位坐定，点一盘花生、一盘涮牛肚，要了一瓶光肚子烧酒，两个人就吃上了，喝上了。几杯酒下肚，扬州师傅给来钱讲了搓背的要诀。扬州师傅说："人上一百，形形色色，人体各有不同，给不同的人搓背也要讲究不同的方法。"来钱说："如何不同法?"扬州师傅说："搓背要领主要看汗毛，汗毛长而密，搓背手法要向下用力，压迫肌肉促使血液加快，促进新陈代谢，顺人体经络走向用力，达到舒筋通络之效果。那天我给你搓背就采用了这种方法。这种方法汲取了太极拳法之意，融合了中医推拿的精髓，手轻劲匀，手体兼顾，讲究四轻四重四周到。"来钱想，搓个背也有这么多讲究。他给扬州师傅倒了杯酒，自己也端起了酒杯说："师傅，我先喝，表个心意，再敬你。"扬州师傅说："一起，一起。给你说这些，是我们俩有缘分。以后，我再来这里，也图有个人招待不是。"来钱说："我若有钱挣，不会少师傅的吃喝。"扬州师傅说："有这句话，够了。"他接着给来钱讲了何为"四轻四重四周到"。扬州师傅说："轻者，喉乳肋小腿；重者，背膀臀大腿；周到者，手夹脚丫腿根腋下。以掌搓、鱼际、指搓三大手法，行：机处于外，巧生于内，手随心转，法由手出。搓背搓到这个地步，不管是谁都会感觉到身上的毛巾如清风拂面，尘垢如风卷残云，周身舒泰，如在天上人间。"来钱听着，心潮澎湃，拿起酒瓶子，灌了自己一大口，喘着粗气说："师傅，你这本事，我死都得学会。"扬州师傅说："功夫不亏人，哪里就到了要死要活的地步？我给你带了张图，你今儿个听我讲完,按照图上所标的位置一点一点地琢磨,要不了三个月,你就是这个城里面顶尖的搓背师傅。”扬州师傅把那张图亮了出来,来钱一看,有些眼熟,好像在哪里见过。扬州师傅说:“和这差不多的图,很多中医按摩店里都有,但那只是普通的人体结构图。我这张图是在人体结构图的基础上专门为搓背画的图,我称为‘搓背图’。这张‘搓背图’我带在身上五年了,它养了我五年的生活,如今我把它送给你。”来钱接过“搓背图”,感动得泪眼婆娑,多余的话已是说不出了,只是喃喃道:“师傅啊,这辈子,我只能记着你的恩德了。”

那天夜里,来钱喝大了。回到洗浴中心的住处,发现同住的人都进入了梦乡,有的还说着梦话。他踮着脚走到自己的床铺边,抻了抻被子,钻进去就睡着了。一觉醒来,屋子里空着,他有些纳闷,心想,平常不是这样的啊,人都去哪儿了?忽然,外面传来一阵喧哗声。他忙跑出去看。只见停车场上停了一辆警车,有两个人押着一个人正往车边走。来钱一眼看出,那人正是扬州师傅。“黄师傅。”他喊了一声上前冲了几步,“这是怎么回事啊?”“边儿上去,边儿上去。”还没到跟前,他就被一个警察给拦住了。“好好学,好好干活儿,多挣钱。有空了记着去看我。”扬州师傅淡淡一笑,好像没事人一样进了那车里。警察也进了车里,车冒了冒烟就走了。洗浴中心经理出来冲看热闹的人嚷:“回去,回去,干活儿去。”停车场上就空了。没多久,扬州师傅的事情就上了报纸、电视,一个外乡人就成了蜜如人的口头新闻联播。原来,他以前是南方一家公司的老板,为做项目集资三亿元,结果项目失败,钱打了水漂,他也就惹上了事。他更名改姓,隐匿在民间。他很聪明,不往北京上海广州深圳那些繁华都市去,只在一些管理相对松懈的小城里苟且打漂。这样的日子过了五年,熬不住了,想想,以前过的是要风得风要雨得雨的快意人生,现在要做一个苟且偷生的人下之人,这样的生活过一时可以,但是要过一辈子,痛苦啊!还不如认罪伏法呢,想明白了,就出首了。来钱弄清楚了事情的原委,也明白了扬州师傅为什么会收他当徒弟,教他本事了:他是想在自首以后有个人照应他的生活。来钱是个知恩图报的人,但凡有时间,就去蜜如看守所探望黄师傅。

二、在水伊方

坐而论道，眼高手低是个毛病，若是做事，则又变成好事。什么是眼高，换句话说是审美水平。手低，也就是动手能力差点。动手能力差，找好手干就行了。这个世界上，五行八作的，就是要有想事的，有做事的，才算得上圆满。不怕做不到，就怕想不到。只要有事干，满世界都是好把式。在蜜如，刘湘民本就是个眼界高的主儿，当上副市长就开始不把什么人、什么事放在心上了，当上市长后，抬望眼，整个密如城都空了。

当副市长时，自已是这个城的人物，是唤风唤雨的大人物，不过，他从没有做主人的感觉。他盼望着做主人的那一天。从副市长到市长的路看起来不长，但走起来很难，不过，他从来没放弃过。当上市长，做主人的心态一下就出来了。他觉得这城是自己的城，一城人的生计与万般事情都与自己有关系了。

当上市长，主持过政府的第一次会，坐车上街，突然觉着看哪儿都碍眼：桥不是桥，路不是路。山不是山，水不是水。到处都脏兮兮的，到处都是障碍物。自己都是市长了，心里就有想做点什么的冲动。觉得不做点什么就对不起市长这两个字。可是从哪里开始做起呢？他就去请教了一位老领导。那一位老领导叫皇甫枫，矮矮的个子，炮弹一样精神。皇甫枫是挺他的人，也是可以说点心里话的人。在蜜如还是地区的时候，皇甫枫做过行署专员，伺候过两任地委书记。一任在他的鼎力支持下当了副省长，最后在省政协副主席的位置上退了休。一任呢，跟他的关系不咸不淡，结果犯了事进了大牢，病死在了狱中。蜜如撤区设市，他做了蜜如市第一任政协主席，书写了蜜如政治的一个篇章。他在那个位置上干到年龄到了，才德高望重地退了下来。皇甫枫是个戏迷，除了听戏，就一门心思地发挥余热。新任市长找上了门，他当然得热心了。余热不献给这样的人献给谁？皇甫枫给他出了个主意，让他从洗浴行业开始做事。皇甫枫说："你以前只管一两个行业，不觉得这城市脏、乱、差。当了市长，就不一样了。当市长是管全面工作的,当然看哪里都觉得不顺眼了。当市长要谋篇布局,推着城市向好的方向发展。改变城市面貌首先要改变人的精神面貌,改变人的精神面貌最便捷的方法就是给这个城市引进一家高档的洗浴会所。欲净心灵先净身体嘛。”皇甫枫知道人大代表上万言书的事,也知道刘湘民在那事上受的窘,他想解开新任市长心里的疙瘩。刘湘民懂皇甫枫的话,也正应了他的心思,他笑道:“当市长了,不做点事,也没有什么意思。”皇甫枫听了,也笑了,笑得眼睛都湿了,说:“趁着年轻,想做事,就做一点儿,年纪一大,没那个心力了,就算想,也做不成。”刘湘民说:“你是老领导,有经验,这件事,我听你的,先从洗浴业做起。”皇甫枫一听,心花怒放,觉得自己又回到权力宝座上一样,他有些激动地说:“湘民啊,你要这么说,我给你介绍个人你去见见,说不定能给你投点钱。这个行当,不起眼,但要是做起来,还真得几个钱花。”皇甫枫翻了翻电话号码本,给他抄了个号。

那人叫黄知白,在北京的洗浴业做,以前名不见经传,但在业内混得久了,就有些知名度了。商业领域,不管哪个行业,按照定律是各领风骚三五年。和他同一时间起步的,大都被淘汰了,他呢,任凭风浪起,稳坐洗浴台,也算混出了道行,算得上人物。

蜜如,一座在各方面都很落后的城市,招商引资,难。但是难也得做,谁让他是市长呢?上任头一年,他带着招商局的王局长全国到处跑。王局长当过乡长,是从小卖蒸馍,啥事都经过的人。他能言能语,眼色也活,是个会伺候人的万金油。刘湘民得了皇甫枫的介绍,带着王局长去了三次北京,才算见着黄知白。见过了,很有点失望,眼前的黄知白头大如斗,下肢麻痹,须坐轮椅才行。投资一个洗浴中心,没有两三千万元根本不行。这么个残疾人,有那么多钱吗?

黄知白仿佛洞悉了刘湘民的心思。在一个美貌女子的帮助下,他移动到了距离刘湘民很近的地方,眯着眼睛看刘湘民,刘湘民不知道他要做什么。他呢,并不跟刘湘民谈正事,而是把话题扯到了那美貌女子身上。

“刘市长，你看这个美女怎么样？我介绍一下，她叫王明君，她还有一位姐姐叫王昭君，是大汉朝的皇上都喜欢的女人。”黄知白也不笑，一本正经地说着风骚话。

“好，好。”刘湘民敷衍道。他看出来了，眼前这个长相奇奇怪怪的人，玩世不恭，不是好对付的主儿，他须拿出点儿本事才行。

“你们谈事，扯我干吗？”那叫王明君的美貌女子说。

“不扯你，你可以扯我啊，我愿意被扯。”黄知白调笑道。

“正经点行不？你坏也不能当着人家刘市长的面坏啊。再说了，皇甫老人家介绍来的，不看僧面看佛面嘛。”王明君撒着娇，训她的老板。

“好，好，听你的。现在流行秘书管董事长，刘市长，你不要见笑啊。”黄知白冲刘湘民笑了笑。

“你们聊你们的，我去陪王局长喝茶。”王明君说完出去了。

王明君离开了，是谈正事的时候了。可两个人保持着沉默。刘湘民想，自己毕竟是市长，不能把市长这两个字撂到地上当球踢，自己肯定不能先开口。招商引资嘛，认钱不认人，张三李四都可以。自己打心里没有把黄知白当盘菜，其实他心里明白黄知白也没拿自己当盘菜。约了三次才见不说，见了，又当着自己的面跟女秘书调情，怎么想都让人心里不舒服。

还是黄知白先开了口，人家毕竟是市长，又有过硬的介绍人，做生意，是可以玩点花招，给人点印象，但也要适可而止，不能把事情办砸了。他对刘湘民说：“刘市长，你既然来了，就是我的客人。你的来意，有人都跟我说了。我有两个条件，你要是答应了我，我马上给你指定的账户汇上三千万，然后我们再谈项目落地的事情。”刘湘民心头一震，心想，还是北京的水深，一个其貌不扬的残疾人出手就是三千万，如果不能把这三千万搬到蜜如城里去，岂不成了笑话，自己给自己都交代不过去。他要想办法把这个人的三千万从兜里掏出来。他微微笑着对黄知白说：“黄总，不知道你那两个条件是什么？我们市政府出台有很多招商引资的优惠政策，你尽管说出来，我们可以对号入座。别说两个条件，就算十个二十个条件，只要符合优惠政策，我都可以答应你。”黄知白一听，哈哈大笑：“刘市长，不要拿我当三岁的小孩耍好吗？政府的优惠政策也就能骗骗那些小商小贩。但凡是老手，谁信那啊，谁不知道很多地方政府是开门迎客，关门打狗。没有过硬的关系，谁敢给一个陌生的地方投钱啊。我跟皇甫专员是老朋友了，有他介绍，我才敢见你。不然，你是个大市长，有些事，你说出了口，我是应还是不应？没有这层关系，就算我们俩混熟了，想让我掏钱，没有三个回合谈判也是不可能的事。”听了黄知白这番话，刘湘民明白，这个人真的是不同凡响，便生了要结交的心，他说：“黄总是个痛快人，请讲你那两个条件。”黄知白说：“我这两个条件只跟你自己有关。我听说刘市长书法了得，围棋也下得好。正好，我也是个棋篓子，你陪我下一盘，然后给项目写个名，这事就算定了。”刘湘民听了，当下心中踌躇，下盘棋是小事，输赢无关紧要，但作为市长给洗浴中心写名字也太埋汰人了。黄知白见状，知他有顾虑，便说：“刘市长，看来你对我的企业还是所知甚少。我的企业核心价值观是‘在水伊方，一方净土’。就像古代的青楼艺人，手拿琵琶，可以唱曲给你听，但身子是不卖的。‘在水伊方’不管开到哪里，只卖技术卖服务，不搞那些花花草草的事情，那事就算有，也跟我没关系。”刘湘民听了，悬着的心放到肚子里，说：“我先把字写了，再下棋。”黄知白说：“刘市长这样的朋友，我交了。有你的字镇着，我不知道要省多少心呢。”他按下办公桌上电话的免提键，把王明君叫了进来。他给王明君耳语了一番，王明君就又出去了。字写过，两个人开始下棋，一盘棋没下完，王明君又进来了，她对黄知白说：“黄总，你安排的财务已经办过了。”这个时候，刘湘民的手机上收到了信息，招商局王局长告诉他，黄知白已经把三千万打到了蜜如市一家银行的账上。王局长不失时机地赞许了市长的办事效率。虽然是拍马屁，但刘湘民心里很受用，这件事做得顺利，让他找到了感觉。三个月后，“在水伊方”就在蜜如开业了。一开业，就火了。蜜如人以前只知洗澡，哪知洗浴。只知洗澡落个净身子，哪知洗浴可以打牛奶、硫黄，可以享受采耳、足疗等让人飘飘欲仙的项目。“请客吃饭不如洗洗涮涮”，这是“在水伊方”的广告语。火车站，长途汽车站，人流密集的地方轰炸样布满了“在水伊方”的户外宣传，蜜如人民对这句话入脑入心，很快就妇孺皆知。很多人办事不再请客送礼，而是到“在水伊方”洗浴。在这种情况下，“在水伊方”的生意甚是火爆。那些散在蜜如城里的洗澡堂子的生意就淡了，老板使出不少花招都派不上用场。生意场上，讲究你走你的阳关道，我过我的独木桥，都要过得去，有人好，有人过不去，就会出事端。那些小澡堂的生意一淡，“在水伊方”的麻烦也就来了。

“在水伊方”开在了蜜如城，老板黄知白请了职业经理人看着，自己一年也就来个三四趟，看看账就走。起初，蜜如城里的人并不知道“在水伊方”的底细，只传是个瘸子使阴招降住了市长才得以开门迎业，那让人眼红的钱财才流水样从四面八方汇聚而来。经商是苦差事，赚钱却是好事。钱这东西，大家都有或者都没有不会有啥事，但有的人多，有的人少，那就保不准出点儿啥事了。中国人，不患寡而患不均。蜜如的钱，让“在水伊方”赚了，老板还是个外地人，是个瘸子，这让蜜如许多人感到不忿。特别是那些个靠小澡堂吃饭的老板，已经到了咬牙切齿的地步。于是有些人聚在一起没白没黑地商量着如何对付“在水伊方”，就有人想到了马三。马三是郊区农村的混混儿，一直是一个人吃饱全家不饿，三十大几了，连个老婆都没有讨上。为了生存，他做着拿人钱财替人消灾的活计。干这活儿，红的白的是家常便饭，也就少不了跟公安局打交道。他进过几次大号，据说每次进去都遭罪，不过他从没有服软。这样的人在民间，很多人认，也有人愿意拿钱让他办些疑难杂事。眼看着“在水伊方”断了很多人的财路，干小澡堂生意的老板都想弄事，便找上了他。马三是个只认钱不认人的主儿，只要有钱，没有他不敢接的活儿。见人来请，他眼皮子眨都不眨，说：“只要有钱。一个外来的和尚，撵了他不就成了？”此话一出，群情激昂，以为找到了能给自己撑腰的主儿，纷纷表示可以出钱。有人说：“只要赶跑了‘在水伊方’，蜜如城里的澡堂老板哪怕把马三爷养起来都成。”有人接着说：“只要有人给撑着腰，每个月出点钱不算个啥事。”眨眼工夫，马三被人捧成了爷。只不过是几句虚话撑着，马三还以为自己真成了爷，便担起了赶跑“在水伊方”的重任。在江湖上混过的人都知道，打蛇打头，擒贼擒王，马三也算江湖上的高手，自然知道这里面的道道，他接了大家的活儿就开始摸“在水伊方”的底细，摸了个把月，才把一些事弄清楚了。弄清楚了，他就后悔了，以前只是听说市长刘湘民是“在水伊方”的后台，他认为是吹牛，市长是多大的官啊，能给一个洗浴中心当后台？没想到真的是，他就有些怕。他想，要真是惹毛了市长，收拾自己不过是小菜一碟，就算捏死自己也像捏死只蚂蚁一样容易。他把那些小老板召集到了一起，给大家挑明了，事情难办；已经出的一部分钱，肯定是不退的。小老板们蒙了。开弓没有回头箭，这事哪能半途而废呢？小老板们就商议了下，攒出了个意见。他们选了一位生意做得大些，在街面上有些面子的给马三商量，只要事情办下，加一倍的钱。一听加钱，马三的心又活泛了，自己拿着脑袋玩社会不就是为俩钱吗？再者说了，他也要顾及自己的江湖地位，已经接了的活儿，如果不干了，小老板们人多嘴杂，传什么的都会有，那以后就没法在地面上混了。于是，在大家的撺掇下，事情重新定了下来。想到事大，而且复杂，不是一个人能办得了的，马三就招了兵买了马，与一干人等喝了血酒，定下了办事的章程。入伙的人都觉得马三接的是一票大活儿，值得冒险。而且要干就干个轰轰烈烈，就算死了，也不觉得冤得慌。

黄知白喜欢在夏秋交季的时候到蜜如来。这个时间的蜜如，风轻阳光暖，养人。除了看企业的经营状况，黄知白更喜欢在蜜如山里待上几天，吃吃野味，晒晒太阳，吹吹山野村风，待身子滋润透了，再出山到其他地方看看生意。洗浴是享受的事，但凡是个人都想的事。一招鲜，吃遍天，像他这样的人，哪里有关系，就把“在水伊方”开到哪里。别说是蜜如，就是广州、深圳也都有他的生意。无非是，在小城市弄大店，在大城市开小店，以服务为手段，以赚钱为目的。这是他已经玩熟的套路。

“在水伊方”开业的第三年，夏秋交季，黄知白一到蜜如就被马三给盯上了。在车站，司机就在外面的停车场上等，身穿牛仔裤、披散着长发的女秘书王明君推着他出了站台，才到了广场上，马三就带人围了上来。

“你是‘在水伊方’的黄老板吧？”马三说。

“我是。你，你是什么人？”

黄知白知道要出事，但他是见过世面的人，心里惊，而面上表现得很镇定。王明君一个小女子，平日里温室里的花一样养着，哪里见过这样的阵势，早已是吓得花容失色。

“行不更名，坐不改姓。我叫马三。”马三说。

“你拦住我的路，有什么事吗？”黄知白说。

“黄老板，今儿个见着了，也是我们俩有缘分。有句话告诉你一声，蜜如的庙小，容不下你这尊大神。你给我个面子，带着你的人回北京去。在北京，你怎么折腾都跟我马三没有关系。”马三的话软中有硬，他想吓住这个远路来的神仙，自己的目的，是把事办了，把钱挣了，不是打人杀人。就像《三国演义》中当阳桥上猛张飞大喝一声吓退曹兵，他也能把黄知白给吓退了，那就省老鼻子劲了。

“看来你是受人之托啊。我如果不走呢？”黄知白心里的火气也上来了。在生意场上，打打杀杀是常事，想赚钱有些时候会挨打受气，这样的事他经见也不是一次两次了，如果被几句话吓住，那他也不会混到今天这个份儿上。可自从有了钱，成了大老板，就少有人在他面前说过分的话了。他来这个城市，是看老专员皇甫枫与市长刘湘民的面子，有他们两个人撑着腰，不管是当官的还是经商的，但凡认识他的人说话都和和气气的，一个江湖混混儿让他走他就走，那岂不是天方夜谭？那他以后还怎么在江湖上走动？

“不走，恐怕你得受点皮肉之苦了。不然，我也没法给雇主交代。”马三阴冷地笑道。

“那你就不怕坐牢？”黄知白也威胁起了马三。

“坐牢？那地方就是我的家，粗略算算我都去过九次了，再去一次，十全十美。你别拿我当三岁的小孩，黄老板。”马三不笑了，他只想过有钱人怕死怕事，没想到黄知白还真的很难对付。

“好得很，反正我也是个残疾人，就不怕再少点啥，要杀要剐随你的便。不过，我也把句话放这儿，你只要打不死我，那你以后也不要后悔。你现在要是在我面前消失了，我只当什么也没有发生过。”一个针尖，一个麦芒，黄知白算给马三对上了。

“让我消失，那是不可能的。弟兄们，给我上，出了事算我一个人的。”马三叫道。

“慢着——”黄知白也叫了一声。

“怎么着？听喝了？”马三说。

“放我到地上，莫打坏了我的轮椅，贵得很。”黄知白说。

“大难临头了，还敢贫嘴。给我上。”马三说。

见马三招呼，那些人便准备动手。见那些人要动手，女秘书王明君上前抱住了黄知白。那是她老板，保护他是自己的任务。

马三见状，嚷道：“不打女人，不要打女人，打女人的不是男人，好好收拾那个瘸子。”

王明君便被推到了一边，黄知白被扔到了水泥地上。一通乱拳乱脚，黄知白鼻嘴便出了血。

“三哥，见好就收了吧，不敢出人命。”人群中，有人冲马三喊。马三就让众人止了。

“黄老板，你受委屈了。这些人，我是头，你要想报复的话，就冲我马三来。”马三踢了黄知白一脚说。

黄知白低着头，牙咬得咯咯响，不言语。

马三说：“趁早收拾家伙什，滚回北京去吧。”

“三哥，走吧。不然有人报警就麻烦了。”

有人催马三，马三就带着人走了。

“报警吧！”王明君上前抱住黄知白哭了起来。

“报警？你没脑子啊。你把我当成什么人了？你给皇甫枫那个老东西打个电话，给他实话实说，我看刘湘民怎么收场。在这么个小地方挨顿打，我就白挨了？”黄知白坐地上不起来。

“那我扶你起来。你这人，都什么时候了，你都想什么啊？”王明君对黄知白是又心疼，又生气。

“你赶快打电话，我还没到起来的时候。到我该起来的时候，我自然就起来了。”黄知白说。

“你看你一脸的血，我给你擦擦。”在一起的时间长了，王明君对眼前这个男人还是有感情的。

“要你管，你能管得了？要你打电话你就打电话吧。”黄知白生气了，他的声音高了八度。在商场上打拼得久了，他的心里早有一套结构。他不做折本的生意。如今，他要拿这一顿打做一做文章。

服从领导听从指挥是秘书的职责，王明君打通了蜜如市老专员皇甫枫的电话。皇甫枫刚小睡起来，正坐在屋里眯着眼睛听《打渔杀家》。那是他百听不厌的保留曲目。听见电话响，心里虽然有点烦，但他还是接了。接了电话，一听是女人的声音，他有了精神，当那女人报了家门，告知了事端，他就睁大了眼睛。光天化日的，一个北京来的老板在蜜如火车站被人打了，而且，这个老板是他介绍来蜜如投资的，这不是打他的老脸嘛，简直是没有王法了。

“小王秘书，你好好照顾小黄老板，我来处理这件事情。你对小黄说，我虽然不在位了，但我还不老，还能说得动话不是？”皇甫枫在电话里表达了对不幸事件的愤怒以及对受伤害者的同情，当然，还有对处理这一突发事件的自信。

“那让你费心了，我们等你电话。”王明君抽抽搭搭地诉说了一遍事情的经过，听了皇甫枫的话，她心神稍定。

皇甫枫马上给市长刘湘民打了个电话。

“刘市长啊，出了个事，人家找着了我，想了想，我得给你汇报一下。”皇甫枫的话里带着复杂的情绪。

刘湘民正带着一班子局长、主任开会呢。

“老专员，有什么事你只管吩咐，可不敢这样给我说话，我可是受不了。”刘湘民谦逊地说。他虽然已经坐稳了蜜如的江山，但人家毕竟是老领导，曾经威风八面，自己还得过人家的指点呢。

皇甫枫就把事情给他说了，最后一句话他使出了气势，几乎是通牒了，他说：“湘民啊，人家浑身是血还在火车站广场上呢，我是不在其位不谋其政，不能去现场。你是市长，怎么处理你看着办吧。”

刘湘民听了，苦笑着说：“皇甫专员，你等会儿啊，我现在就去现场看望黄知白董事长，一定把事情处理好。”

挂掉电话，他望了望他的下属们，下属们不知道发生了什么事，还以为谁被“双规”了，都不敢吭声。他怪怪地笑了一声，对那些局长、主任说：“走吧，伙计们，我们换个地方，都跟我去火车站开个现场会。”

蜜如市市长刘湘民带着蜜如市公安局长、卫生局长、环保局长、交通委主任、建设委主任等头头脑脑的来到了火车站广场。

一大帮人来了，黄知白仍然坐在地上不起来。

王明君说：“老板，刘市长来了。”

黄知白低着头说：“嗯！”

王明君说：“老板，蜜如市各个局委的一把手都到了。”

黄知白还是低着头说：“嗯！”

刘湘民伏下身子，赔着笑说：“黄老板，是我这个当市长的无能啊，在我这一亩三分地上让你受这么大委屈。”

黄知白抬起头，抹了抹鼻子，抹出一团污血，又挤出一丝笑容说：“刘市长，生意场上，挨顿打受点伤不算个啥，惊动了你的大驾，是我的罪过啊。”

“黄老板，说那干啥，走，有啥事咱们回去说。”他伸手想扶黄知白。

“刘市长，你看这又是土又是血的，千万不敢脏了你的手。”黄知白把刘湘民伸出的手给推开了。

刘湘民没想到黄知白会这样，还有，他说的话也很伤人，刘湘民觉得很没有面子。刘湘民直起身子阴着脸在那班局长、主任面前走了一圈，他要找回自己的面子。不，要找回蜜如市市长的面子。他走到谁跟前，谁都不禁打个寒战。他走到谁跟前，谁都跟犯了错似的耷拉下脑袋。

“我这个当市长的无能啊，连一个投资商都保护不了。在蜜如这屁大的地儿上让人打一顿，这怎么说话呢？”刘湘民望着齐刷刷站着的一群头头脑脑说。

市长的自我检讨，太狠了，话说得让人接不住，现场那么多人，没有一个人敢吭声。这时候，有看热闹的想围上来，早被公安局长叫来的警察给拦住了。

“你们说说，这蜜如还要不要发展？”刘湘民问。

“要。得发展。”大家异口同声地表态。

“蜜如要怎么发展啊？”刘湘民把目光投向了建委主任。

“蜜如要修高楼，要修公路，要建机场。”建委主任是紧跟刘湘民的人，是刘湘民说什么，他就做什么的人。

“说得好。蜜如要搞这些硬件建设，钱从哪儿来？你们谁会造钱啊，不得请有钱人来投资啊。可人家来了，蜜如就这样对待人家吗？”刘湘民压低了声音说。

“不能，得给黄老板个公道。”交通委主任是从县里一步一步升上来的，但凡有事，看清形势了，他会不失时机地做好顺水推舟的工作。

“蜜如小澡堂的卫生要不要抓啊？”刘湘民压着心头的火气说，他已经知道了事发的真正原因，他要给卫生局长施加点压力。

“刘市长，我马上布置下去。对全市小澡堂卫生条件进行大检查，保证不留死角。”卫生局长是军人出身，他习惯性地打了个立正。

“蜜如的环境要不要治理啊？”刘湘民阴着脸说。

“治，治，我们马上治，不准乱排乱放。”环保局长是五十岁的老男人了，喝酒喝伤了，腰早就弯了。他点着头，哈着腰，也表了态。

“那蜜如的治安呢，要不要抓？”刘湘民盯着公安局长说。

“抓，抓。这件事要限期破案。”公安局长眼里冒出了火，他明白，这件事如果处理不好，他头上的乌纱帽很可能就没有了。刘湘民虽然是市长，不直接管官帽子，但很多人知道他早把市委书记架空了。拿掉他一个公安局长，刘湘民是有这个能力的。

“对马三这样的人，该抓的要抓，该杀的，要杀。这些个混混儿，简直是在对抗政府。”教训过那些个局长、主任，他说起话又透出了狠劲，甚至有些张狂。

“是，刘市长，你就等好吧。我不把这些个坏分子的威风打掉，你就把我这公安局长的帽子给打掉。”

公安局长是从特种部队里下来的，缉过私，禁过毒，亲手开枪打死过人。到了地方，做了公安局长，平时是个人见人怕的狠角色，在他的职权范围里说一不二，但这个时候，他也只能唯唯诺诺地给市长打包票。

“你们各忙各的去吧。”刘湘民挥了挥手，大家像得了大赦令一样，散了。

“黄老板，我开这个现场会你还满意吧？”刘湘民蹲下身子，要去扶黄知白，可还是被黄知白拒绝了。

“刘市长，哪里能让你扶我，明君，扶我起来说话。”黄知白一声唤，女秘书王明君才大梦初醒样机械地把黄知白的轮椅推了过来。

“这样吧，王秘书，你带着黄老板去医院好好检查一下，我们也是老熟人了，有什么事你可以直接打我电话。我还有事，就先走了。对了，黄知白，你在洗浴中心给我搞个单间，让我也好好享受享受你的‘在水伊方’。”刘湘民像布置作业，故意把话说得很轻松，那是他缓解事态的方法，也是给“在水伊方”一个待遇。

“好，没问题。小事一桩。”黄知白也知趣，事情到这个地步，他已经没什么好委屈的了。

“准备好文房四宝，我还要写写字。走了啊。”刘湘民拍了拍黄知白的肩膀，他知道，这个家伙没什么大碍。

那年冬天，为争创全国文明卫生城市，蜜如市展开了轰轰烈烈的大检查活动，那些卫生不达标的小澡堂、肮里肮脏的小饭店通通被关了门。为争创全省治安模范城，蜜如市开展了严打活动，很多涉黄、涉黑人员被抓、被关，以马三为首的涉黑团伙也被公安局长派出的强大阵容连窝端掉。抓捕马三黑恶团伙的行动，蜜如电视台在建台史上第一次采取了现场直播的方式进行报道，让整个蜜如都为之震惊。马三被捕以后，公安局、检察院、法院三家执法机关联合流水作业，判处马三无期徒刑。马三进了监狱，黄知白送了个喜庆的花篮祝贺他开始新的生活，那些曾经给他表过忠心的小澡堂老板一个都没有去看他。马三就像一粒尘埃，落在蜜如的大街上，洒水车过去，就消失在空气里。没有多久，蜜如的民间就把他给忘掉了。

三、奢侈的睡眠

正如扬州师傅所说，来钱一旦掌握了“搓背图”就能成为一个出色的搓背师。来钱没有学识，但是个听话的孩子，他用心钻研，再加上每天都有接触人体的机会，没有费多少时间就把“搓背图”弄懂了。弄懂了，再加上实践，他的本事也就出来了，他就成了搓背师中最优秀的了。因为他的技术好，才指定他做了市长刘湘民的技师。

一个城市，复杂的事情很多，很多都需要市长拿主意、拍板才能推进。天天都有很多事在脑子里转，刘湘民觉得自己的脑子像机器样转，感觉到热，感觉到空，感觉到累，想睡时却又睡不着。睡眠对于刘湘民来说成了奢侈的事情，能睡着觉对他来说是莫大的幸福。

一个城市的当家人睡不着觉是大事情，为了市长能够睡着觉，很多人费尽了心机，生了无数的法子。许多方法试过了，可没有用，不管在多么舒服的条件下，明明困得不行，躺下了，怎么努力也睡不着，痛苦。有时候，睁着眼看天花板，想死的心都有。黄知白知道了，专程到市政府拜访了刘湘民。

“黄大老板，你找我，有何贵干？你这个人，我算了解了，从不做亏本的生意。”刘湘民让通讯员给黄知白倒了杯白开水，知道黄知白不是省油的灯，他先防了一手。

“市长大人，我们是朋友嘛，你不要把人都想歪了。我这次找你，与生意没有关系。我主要为你的睡觉问题而来。你这么一个大市长，睡不好觉怎么得了？”黄知白喝了一口白开水，开始说话。

“莫非你有什么好法子？”刘湘民见黄知白为了这事而来，有些感动。

“不是什么法子，而是有个人，搓背搓得好，你试试，保准你能睡着觉。”黄知白说。

“什么人？”刘湘民问。

“是‘在水伊方’一个搓背师傅，技术好得很，你让他服务服务，说不定就有奇效。”黄知白说。

“好，听你的，去试试。”刘湘民听黄知白说得很神，自己也觉得靠谱，就决定往“在水伊方”走一遭。

刘湘民到了“在水伊方”，黄知白就专门让人安排来钱给刘湘民搓背。在来钱师傅的服务下，他竟然在两分钟内就睡着了。后来又试了几次，每次都能睡着。刘湘民知道，来钱的服务可以当他的催眠剂用。睡不着的时候，他就想起了来钱。想起来钱，他就让司机开车到“在水伊方”享受一下来钱的服务。有时候，实在没有时间去“在水伊方”了，便让人去接了来钱在别处摆弄。不过，离开了“在水伊方”，在其他地方摆弄的效果并不好，有时能睡着，有时睡不着。看来，要治毛病，除了技术要好，环境也很重要。刘湘民就只能定时定点地去“在水伊方”享受来钱师傅的搓背服务。

来钱做了市长的搓背师以后身价倍增。很多人到“在水伊方”以后都点名让来钱师傅服务，来钱成了洗浴中心的红人。但来钱的服务也不是谁都能享受到的，洗浴中心规定，来钱只服务两种人：贵人与富人，贵人实际上就是官人。像刘湘民那样手里有权力的人。富人中，地产商杨斌与罗家辉都是“在水伊方”的常客。他们除了享受“在水伊方”的服务，还有一种心理在，仿佛在这里有跟市长攀上关系的可能。做生意的人,能跟市长攀上关系就等于抱住了财神爷。到了那个地步,拿项目、赚大钱都是迟早的事情,都是很容易的事情。像杨斌与罗家辉那样的人,是不会放过任何一个机会的。不但不放过跟市长接触的机会,还要制造一些机会。所以,他们都需要来钱师傅的服务。

刘湘民喜欢在夜里十点以后光顾"在水伊方",到了点儿上,只要在城里,他就会推掉其他事情,带了大眼镜秘书一起去。不管什么时候到,都有人候着,搓背师傅就是来钱。市长来,是为了解决他的睡眠问题。市长是管着大事的人,是大人物,当然市长的事情也就是大事情。来钱把市长的睡眠问题解决了,他一个小人物的分量也就增加了许多。"在水伊方"本就是一个大企业,解决了市长的睡眠问题以后就升级为市重点保护企业。

每次来,刘湘民泡个澡,在来钱师傅搓背过程中小睡一会儿,然后就去专门为他准备的房间里写字。写得身心愉快了,再去处理其他的事情。

起初,来钱并不知道刘湘民是市长。但他知道服务的是一个特殊客户。因为每一次搓背时,刘湘民的身边都有一个戴着大眼镜的年轻人穿着大裤头,手里拿着手机,围着他转。如果不是贵重人物,怎么会有专人伺候呢?洗浴中心的经理也专门安排过他,这个客户要求什么样的服务就提供什么样的服务,还不让打听客户的底细,更不让传播服务的细节。洗浴中心经理伺候这个人都跟伺候个爷一样,那他还是一般的客户?故而,每次刘湘民来,他都很用心,比给那些腰缠万贯的人服务还要用心。记得第一次,他给这个客户搓背时,没两分钟,他发现那人竟然睡着了。他怕人着凉,想叫醒他,没想被那个戴大眼镜的年轻人给拦住了。大眼镜说:"你只管搓你的,慢一些,轻一些就行了。"他听了那个大眼镜的话,就接着搓。一个钟头过去了,他想停下,大眼镜说:"你只管搓,他什么时候醒,让你停,你再停。"因为有洗浴中心经理的交代,他便听从大眼镜的话,接着搓。他搓得很辛苦,刘湘民睡得很幸福。市长的幸福就建立在一个搓背工的辛苦劳动之上了。不过,发工资的时候,来钱发现,他的工资比别人多了近一倍。那个时候,来钱觉得他所有的付出都是值得的。

当搓背工，不分白天黑夜地待在湿漉漉的水房里，只见灯光不见阳光，不就为能挣钱吗？干这等出力的活儿，挣钱越多就越有幸福感。拿到钱，干活儿时的辛苦也就忘了。

时间长了，市长的幸福堆积得多了，就想回报一下来钱。有一次，刘湘民问来钱当搓背工累不累，好不好，有没有什么事要办。来钱说："当搓背工累是累点，不过像我们这样的人没什么文化，只要挣钱，不怕累。要真的有什么事，一定找你帮忙。我知道，你是个贵人呢。"刘湘民听了，很乐，说："好，说得好。你有什么事可以去找这里的经理。"来钱说："我是这里搓背技术最好的师傅，是最能给这里挣钱的人，我能有啥事找经理，都是他找我。"刘湘民一听，更乐了，觉得来钱很好玩，说："好，好，有事让他们找你。做人做到你这个份儿上真是好。"来钱说："可不，我哥读书读到北京城，都当大专家了，我觉得还没有我过得好呢。"来钱一岔话题，刘湘民就不给他聊了。

来钱很晚才知道刘湘民的真实身份，而且是通过服务几个有钱的客户知道的。在那些有钱人中，杨斌与罗家辉也是来钱固定的客户。胖子杨斌很难侍候，每次都是要求这要求那的，让人很不耐烦。倒是罗家辉很好打发，怎么摆弄都没有意见。两个人有一个共同点：每次让来钱服务时都会围绕着刘湘民套来钱的话。因为有人安排过，来钱总是以沉默来对付这两个说话可疑的人。有一次，罗家辉点来钱搓背，看身边没有人了，他装作若无其事的样子说："来钱师傅，听说刘市长每次来也让你搓背？"来钱说："来的都是客，不知道你说的是谁。"罗家辉说："搓完背就上楼去写字的那个。哎，来钱师傅，你能不能想办法给我弄几张他的字？我这个人，没有别的爱好，就爱点艺术，我出钱，只要拿得到，一张一万，你想想办法。"来钱一听，有些心动了。钱谁不喜欢，就那么一张纸片片，一张一万，弄个十张八张的，不就发财了吗？不过，他不明白罗家辉要刘湘民的字干什么，不敢轻易答应，又不能随便回绝，只能搪塞道："好，好。我想想办法，现在谁跟钱有仇啊。"可是这样的事情，来钱真的办不来。原来，刘湘民上楼后写的字，一张也不让留，更不送人。每次写完都由大眼镜秘书负责烧掉。来钱把这个消息告诉罗家辉以后,罗家辉淡淡地说:“原来是这样啊,那就算了。”以后再来洗澡,他仍然点来钱为其搓背,不过就不再套来钱的话了。

罗家辉点来钱搓背,杨斌也点来钱搓背。两个有钱人有时候会撞车,每次撞上,当班经理都如遇上世界末日。两人是同行,是大冤家,大小事都互不相让。不过,杨斌喜欢洗脚,罗家辉喜欢采耳。两个人撞车了,如果来钱给杨斌先搓上了,经理就安排采耳师傅给罗家辉采耳。如果来钱给罗家辉搓上了,经理就安排一个小妹给杨斌洗脚,尽可能地把时间错开。时间一长,两个人心照不宣。每次罗家辉到“在水伊方”时,采耳的时间长了,便会给采耳的师傅说:“是不是那个胖子点来钱师傅钟了?”采耳的师傅不敢言语,只是赔着笑脸采耳。杨斌来了,如果洗脚的小妹一直给他洗,他便会不耐烦地叫:“让来钱师傅给那个瘦竹竿随便搓巴搓巴就行了。”洗脚的小妹也只得赔着笑,把时间尽量拉长一些。可就是这样的两个人有一天好像成了亲兄弟,竟然一起勾肩搭背地来“在水伊方”了。开始,当班经理见了,不知道他们是怎么回事,一时间不知如何安排。杨斌对当班的经理说:“哎,当班的,开间双人房,今天的账算到我身上。”罗家辉说:“哎,杨总,这点小意思,毛毛雨啦,记我卡上了。”当班经理听了,松了口气,就安排服务生开了间双人房。两个人进了房间,换过衣服,便一起去泡大池子。泡完了,又一起到蒸房里蒸。当班经理安排来钱跟另一位搓背水平也很高的师傅候在蒸房外。两个人一见,相互让开了,罗家辉说:“杨总,我把来钱师傅让给你了。”杨斌说:“哪里,你用来钱师傅,我让其他的师傅搓,都一样的。”罗家辉说:“那让他们再安排其他人吧,我们都不用来钱师傅了。”杨斌说:“这样好,让来钱师傅歇歇。”商量定了,两个人就出来了。罗家辉说:“来钱师傅,你就歇歇吧。不过,钱不少你的,我们今儿个搓背出双倍的价钱。”来钱有些纳闷,不知道这两个有钱人葫芦里卖的什么药。来钱与二毛住在一起,他把见闻给二毛说了。二毛说:“你管人家的事干啥?你想办法把我也弄进去,让我多挣点钱,这样我也好给桃枝一个交代。”来钱搓背,先前是跟二毛学的,没想遇到扬州师傅学了绝活儿,搓背水平就超过了二毛。这事来钱没有跟二毛说过,二毛不知道是怎么回事,总觉着来钱应该讲点良心,不能搞教会徒弟饿死师傅那一套,来钱进"在水伊方"赚钱了,也应该帮他一把。都是来自山里的兄弟,有钱一起赚。"在水伊方"是个好地方,来钱当然也想介绍二毛进去,不过试了几次,都没有成功。来钱使了劲,事没成,二毛却觉得是来钱存心不让他进去,对来钱有了成见。故而,两个人虽然住在一起,但面和心不和,有些话就说不到一起了。来钱心里存不住事,但凡有点啥,总想找个人倒倒,得个判断。两个有钱人和好本身就是大新闻,这里面一定有事。来钱去看扬州师傅,就把这件事给他也说了。扬州师傅的案子一直没有进展。案子推进不了,他就一直在蜜如看守所里关着,也多亏有来钱隔三岔五地来,给他送些吃的用的,才不致受苦。来钱的表现让扬州师傅的心里感到很温暖。来钱把两个地产商的事情说了,他淡淡地笑了笑,一时间没有言语。他曾经是商场中人,从表象探实相的功夫是很深厚的,虽只是听来钱说那么两句,已经对事情有了个大概的判断,见来钱很好奇,便说:"这里面有文章。"来钱不懂,问:"有啥文章?"扬州师傅说:"大人物的小事情也是大事情,他们和好意味着他们有事情要合作,要合作的事情可能跟他们两个人的利益相关。有钱人的事,非险即凶,你不要夹到中间去,你只管做好你的事就行了。"来钱听了扬州师傅的话,说:"我只是好奇,你不也曾经是有钱人嘛,知道有钱人是怎么弄事的,我给你说说,也就图个嘴上快活。我一个搓背的,才不去操心那些个蛋事呢。"来钱嘴上这么说,心里却放不下,他觉得那两个有钱人都不太正常。万一他们干犯法的事怎么办?如果自己知道他们犯法又不举报,会不会受连累呢?这一些,由不得来钱不想。

"师傅,你的事怎么样了?"来钱问扬州师傅。

"我的事情比较复杂,律师已经在努力了,他们说尽可能把案子移交到扬州审。那里毕竟是老家,最起码也多些人照应不是?耗在这里,累了你。"扬州师傅说。

“你说的是哪里的话，你是我师傅，没有你我哪里学得赚钱的本事。照应你是应当应分的，你不敢给我客气。只盼着你能好就行。”来钱说。

“好好，兄弟，感激的话我不说了。死生由命，人不能给命抗，一切都看事态的进展吧。”扬州师傅说。

“哎，这都是什么事啊，你这么好个人怎么也能摊上官司？你要是好好的，该多好。”来钱感叹。不过，反过来想想，黄师傅要是好好的，那是一个富贵人，不落了难，怎么跟自己相识，有这样一番交情呢？

就是这样，看扬州师傅的次数多了，来钱竟然学会了想事。特别是口袋里有了点钱以后，他更喜欢想事，有一天，他想到了自己的名字，家里人怎么就给他起了这么一个名字呢？不过，作为一个山里的孩子，他觉得这个名字也很好。他想，一个人活在世界上，不管干什么，只要来钱就好。有伟人曾经说过，社会只有分工不同，没有高低贵贱之分，干什么都是为人民服务。他觉得那伟人说的是真理。对于他来说，至少有一大半话是真理。最少，人活着得有点钱，那钱在中国就叫人民币。为了拥有一点人民币，人就必须得干点啥，那就是为人民服务了。有了点钱，他的想法也多了，他买了新手机，专门给北京工作的哥哥，那个小时候叫马富贵，长大了自己改名叫马立的哥哥打了个电话。他在电话里说，不管什么时候，回蜜如了，就跟他联系。打过了电话，不放心，他又发了条短信，把自己的手机号发到哥的手机上。对于这个生活在北京的哥，他心里始终没有底。他觉得哥冷，是那种从心里冷到面上的人。小时候，在山里面的哥哥是很温暖的人啊，为什么到大地方就变了呢？这个问题，他一直想不通。娘在北京住的时候，他去过哥那里，哥也带他去玩过。哥带他去看过水立方，看过鸟巢，看过他单位附近的大笨钟。这些东西蜜如城里都没有，是稀罕玩意儿，但这些都不是他最愿意看的东西。他最想看的是长城。万里长城万里长，长城外面是故乡。他看过几部电影里都有长城的影像，他对长城充满了幻想。天下英雄一大片，不到长城非好汉。作为一个男人，有时候，他也有当英雄好汉的心，这是他对长城有好感的重要原因。到北京，他最想到长城上看一看北国风光,其他的地方去不去都行,看不看都可以。但是哥说:“几块烂砖片,没啥好看的。”说完就忙他的去了,把他客客气气地丢给了娘,好像他是块没有用的破布。哥的这种做派让他很生气。他心想,再怎么样,也是一个娘肚子里钻出来的兄弟,就算再忙,当弟弟的去了,陪几天有什么大不了的。他心里有气,在北京没住几天就回了。他经常在心里想,哥什么时候回蜜如了,他就带他去把城里最好吃的东西都吃一个遍,绝对不让他埋单。他要让哥看看,他这个当弟弟的也是个有本事的人,不能让他隔着门缝子把人看扁了。

第二章
出北京记

一、北京时间

“北京时间，二十点整。”

大笨钟传出一个女人优雅的声音。

距离建筑研究所不远，有一处老教堂，不传教了，但建筑在，因有特色，便改成了旅游景区，平日里，红男绿女老老少少的，来来往往，煞是热闹。若法国巴黎的埃菲尔铁塔样，大笨钟也算北京某个区域的标志性建筑吧。异国样式的大笨钟播报着北京时间，指引着许多人的时间向度；老教堂呢，则是许多人的精神寄托。二者相辅相成，真正的西方为体、中方为用。那优雅的女声呢，就不只是少许人熟知的声音了，那是中国人都熟悉的声音。那声音不只大笨钟里有，收音机里有，电视机里有，就连人们使用的智能手机里也有，那个声音不知道让多少中国男人心动呢。那声音也让马立的心里舒服，那也是马立喜欢听的一个声音。马立之所以喜欢听，是因为那个声音是北京人生活的一部分，而他早已是北京人了，过的是北京生活，故而那个声音也是他生活的一部分。可是过着北京生活的马立遇上了一个难题，让他很是难堪。他的心情很不好。心情不好，他听着那个声音就没有以往那样悦耳了。

所有的烦恼来自当初的一个决定，那个决定把他带到一场竞选的是非之中，他在那场竞选中一败涂地。

他所供职的单位，建筑研究所所长的位置空出来后，他参加了竞聘。他以为可以胜出，但失败了。如果他是一个普通的竞选者，失败也就失败了，也是日常生活的一处败笔，没什么大不了的。可他是马立，是在全国都有影响力的建筑学专家，他失败了就意味着专业失败了，就意味着这一个讲究专业水平的单位跟其他单位没有什么两样，都摆脱不了外行领导内行的命运。作为他个人，从他内心深处来讲，他并不想参加什么所长竞争，他对做官没有多少欲望，可就因为专业能力强，他被人哄上了台，一时之间又昏了头，结果被人架空玩了一把。这样的事情，在社会上司空见惯，阳谋阴谋的，水深着哩。马立不知道个中的利害，一直认为是自己的学识与能耐被领导认可了，真正得到基层群众的拥护了，自己不参加竞选就是辜负大家的好意了。参选以后，一切如雾里看花，他的心里出现了幻觉，觉得自己真的可以成为一个行业的领导人物。可是一脚踏空，他倒下了，他失败了，而且败得一塌糊涂。在众人面前，他装作若无其事，可是心里痛苦不堪。他仿佛被人打了闷棍，眼睛直冒金星。作为行业学术带头人，一时之间，他不知道接下来怎么办才好。

北京时间二十点整，也就是中国人晚上的八点钟，是中国人的黄金时间。这是一段自由的时间，已经不上班了，可是许多人还没赶到家，夜生活还没有开始。

是夏天，很热的夏天，空气中充斥着烦躁的气息。不管在哪里，一动，人的身体都有一种不适的感觉。不管在什么环境下，只要一开口，人心里都有一种凝滞的感觉。

夜来了，不管是步行的还是骑车的，不管是坐地铁的还是乘公交车的，当然，还包括开私家车的，在北京时间的支配下，都急着往家里赶，都急急忙忙地走在路上。

忙了一天，也累了一天，有些人是急盼着回家的。家之所以叫家，是因为那里能让疲劳的身体得以休息，能让疲惫的心灵得到滋润。如果家里有人做好吃的在等着自己，或者回去以后自己准备好吃的喝的等着另一个人，那种幸福就更是用语言难以形容了。这样的夜是幸福的夜，不像白天，简直是煎熬。在如此之大的城市里，白天，说白了，人就是孙子，得熬着时辰把上司的训话听完，得熬着时间听同事把牢骚发完，得熬着时光把无聊的工作做完。那种种不同的熬，熬得人心情急躁，熬得人心绪紊乱，熬得人心思麻木。熬得白天的时间一点一滴地过完了，结束了，人的心一下子就松下来了。

转换场景，那种家里没有人等的人，那种不需要等别人的人，那种并不急着回家的人也着急离开工作的场所，他们会换上另外一种扮相，奔向另外一个场所，开始另外一种生活。

对于大都市中的人来说，夜就是福，一切故事，一切有关情与爱的事，一切有关情感与欲望的故事都在夜里长出枝枝丫丫，开出花花朵朵。

一切故事，一切有关泪与笑的事，一切有关爱与恨的事都在城市的夜里发酵变质，依次上演。

北京的黄昏，到处是着急赶路的人。

下班以后，马立并没有像往常一样选择坐公交车或者打车往家走，他选择了步行。相对于那些急匆匆的人，他的行动是迟缓的，他的步伐是沉重的。这个时候的马立身体是疲倦的，心灵也是疲倦的。他的身与心都需要很好的调整与休息。可是这一切他都顾不上，相对于乱成一团麻的思想，他的身心之累都成了小问题。如何把乱成一团麻的思想梳理整齐、归置好是他当下要做的事情。

走到农展桥上，看着桥下如水的车流，他心中生起一跃而下的念头。可那只是一种念头，几秒钟就消失了。他只是碰到了困难，人生并没有走进死胡同，他没有必要去玩死亡游戏。再说了，他很珍惜来之不易的幸福生活，他也没有玩死亡游戏的勇气。马立就是这样一个人，他是一个想方设法要把生活过好的人，要把好生活过下去的人。

在某种意义上，他已经是公众人物了。可是在他心里，他并没有把自己当成什么了不起的人物。他没有什么野心，一个山里娃，念书念到了北京，生活在了北京，还能有什么野心。

他常常想，自己如果生活在山里，也就是一个娃。山里的娃多了，学剃头的，学修鞋的，学垒墙的……五行八作的，弄啥的都有，他也不算个啥。自己的弟弟来钱不就是一个搓背工，前些日子，他还给自己发过短信，看了看，没什么当紧的事，自己一忙就没有回复，随手就删掉了。兄弟两个人，虽然是一个妈生的，可也有着不同的命运。弟弟来钱只能生活在老家那块地面上，而自己混到了北京城。在北京城生活了，在北京娶老婆了，自己也就成一个人物了。最起码，在山里面提起，响得像一面大锣一样。

响得像大锣一样的马立在大学里就是一个用功的学生，进了单位无论做什么样的事情，他也一样很拼命。他有一句话很多人都知道，在复杂的世界里，一个人努力不一定成功，但不努力一定不会成功。他的这句话激励了很多人，当然也激励着他自己。因为努力，他有“建筑行业活词典”之美誉。建筑学方面的问题，只要有人有疑问求教于他，他都会给出一个让人满意的答案。

在中国，各种门类的专家大都过着与马立相差不大的生活。他们定期或者不定期地在各种学术期刊发表论文，用于年终的考评，考评的结果决定着他们能得到何种等级的奖励，得到何种等级的奖励决定着专家家庭过年过节的生活质量，家里的生活质量反过来又决定着专家们在家庭生活中能否得到尊重，是否掌握领导权。这样的专家每年都要出席五花八门的论坛或会议，他们一个一个都想在五花八门的论坛或会议上充当主角或者配角，获得全部或者部分话语权。那全部或者部分的话语权决定着他们车马费的数量。

马立心里透亮，他明白在北京这样的城市里，他不能跟人比钱啊，权啊，势力啊什么的。他只能凭自己的专业技能生活。不过，他也不愿意跟人比。一个人，到什么山唱什么歌，到什么样的地位就享受什么样的生活，不可以有什么妄想。他知道，北京人分为很多种，有原住民，有外省人，也有来自世界各地的外国人。五花八门的人，见了面，客客气气地，好像也没有什么三六九等之分。但在骨子里，北京人就是北京人，人家从小生活在一起，一起上小学，散了，到老都是小学同学，但凡有事，人家说，去找谁谁，他是我小学同学，都好一辈子了，这点破事，他办也得办，不办也得办。得，不用花钱费力气，事呢，也就办了。一起上中学的，散了，什么时候人家都是中学同学。比起小学同学，中学同学在感情的认知度上更上一层楼，如果找谁办个什么事，就更是方便。去找了，三言两语的，不但事办了，人家还得倒贴些好烟、好酒、好茶，显得关系铁，也落得自己有能力、会来事。这只是同学。还有同事，那是血浓于水的关系，相互之间有点事，低头不见抬头见的，不办都没法子见面。还有亲戚，那是打断骨头连着筋的关系。有点事，面都不用见，打个电话说说，事也就办了。还有一些人，更特殊，是发小，那是小时候光屁股一起玩，长大了还光着屁股一起玩的人。那是比石头还硬的关系，办起事来，比自己的事都上心，哪怕自己舍点东西花点钱也愿意。这样的北京城，各个的地面上，如同有一张张情感地图，密密麻麻地写着各种各样的关系，动一下，其他的就跟着动。你如果乱动，更麻烦了，其他的都会站出来反对你。所以，你不能乱动。

像他这样的人，只能算外来户，算是来北京讨生活的人。虽然也奋斗到了北京，但所有的关系是上学上出来的，是上班上出来的，是参加各种会议认识的，是吃饭吃出来的，这样的关系，口头上铁，表面上看起来也铁，但实际上很松散。这种关系是功利关系，人家用得着你，也让你用一下，人家用不着你，你也不要想着用人家。弄明白了这些，马立觉得，过好自己的生活比什么都重要。所以,其他专家怎么生活,他也怎么生活,他不想跟别人有什么不同。可是这样的生活也不是他想过就过得安稳的。他读书多,经见的事情多,做学问有思路,写论文有方法,这就显得比其他专家高明。再加上,他肯用功,对热点难点问题研究得深入、透彻,又能拿捏得住,论文就做得花团锦簇。编辑都喜欢他的稿子,所以,他的编辑关系也就多。一般专家往往会为发表论文发愁,而他的稿子根本不愁没有去处。一个专家能轻而易举地在各种各样的学术刊物上发表论文,那他就是个人物。除了国内的学术刊物,国外个别的学术刊物上也经常发表他的论文。这样,他不但在国内拥有比较重要的学术地位,在国际上也仿佛有影响力了。不但请他讲课做策划的企业多,偶尔,还会有一两个级别较高的领导向他咨询专业问题,这样一来,他的权威也就出来了,他几乎成了明星一样的专家。

不是谁都可以成为专家,不是谁都可以成为明星一样的专家的。这样的专家,比普通的专家值钱。与马立相仿,有位专家,已经退休了,因为接连参加电视台的谈话节目而成了公众人物,仿若在一夜之间变成了另外一个人。他自觉地把自己的身价往上调了几个档次,但凡出席什么论坛会议之类,坐飞机都要求坐头等舱。有一次,他向人感叹:“当了半辈子的专家,不知道电视这样厉害,一下子把一个人变成了另外一个人,半辈子挣的钱还没有出名以后一年挣得多。”他的话有几分炫耀。不过,他炫耀的对象不对。那人也是一个专家,听了这话,心里发酸,说:“电视这东西就是厉害,就算是条狗,天天在上面晃,也变成名狗了。别说是人了,别说是像你这样的大专家了。”此话一出,那专家大怒,恶语相向,不是有人劝住,就打起来了。马立就是这样一个经常在电视以及其他传播媒体上露脸的人,他也是一个被业界熟知的专家,自然而然,他也会把自己放在社会天平上,不断称着自己的分量,根据行情调整自己的价格。

但凡是专家,不管是在生活中还是在工作中,都喜欢突然而至的奖赏,喜欢突然而至的幸福。马立也一样,他也喜欢突然而至的奖赏,喜欢突然而至的幸福。当然,他更盼望生活长期的恩赐。所以,他不会因为生活中出现了一点意外,而去践行那种以毁灭生命为代价才能维护的所谓真理。在他的心中,真理只是片面的深刻、偶然的存在,就像天上的云,风一吹,就散了。他觉得爱真理不如爱自己,自己才是真实的存在。所以,当他站在农展桥上产生轻生意念以后,他迅速抬起了头,他要收起那种念想。那是一种很可怕的意念,那是只有笨蛋傻瓜才去做的事情。几秒钟,只用了几秒钟,他心中那种可怕的意念就消失了。随之而来,他的心中浮起了惠特曼的诗:

现在你敢吗

啊,灵魂

我们一起走向那无人去过的地区

那里既没有立足之地

也没有可以通行的道路

他想着惠特曼的诗,思索着自己将要走的路,他的思想开始了漫游。

在很小的时候,他就结识了诗歌。在中外如繁星一样的大诗人、名诗人中,他喜欢惠特曼。他喜欢惠特曼的诗是因为惠特曼的诗影响了美国,影响了世界,其中一句诗更影响了他。惠特曼说:“人体好就好在它是肉。”那句诗让少年的他产生了很多幻想。那些幻想无限美好。那时候,他的生命充斥着无穷的欲望,那些欲望让他的精神天天打架,肉体也备受折磨。是惠特曼的那句诗让他与自己年轻的生命握手言和。正因为拥有了这种层次的生命,他的人生才在不同的阶段都散发出特殊的魅力,产生绵绵无尽的力量。

就像病人离不开药片一样,惠特曼的诗是他的生活之药、生命之药、灵魂之药。每当他走到人生的拐点上,他首先做的事情就是用诗歌让浮躁的心灵安静下来。头脑一冲动,智力就下降。这是他总结出的一个处世结论。这个结论也成了他在这个世界上谋求生存与发展的葵花宝典。他没有显赫的出身,也没有过硬的关系,他能在北京立住脚、站住位,除了拥有较为过硬的学术能力,更为重要的是拥有智力出众的大脑。当他遇到来自外界的挑战,不管是什么事,他都能沉着应对。当他碰上来自内心的挑战,他也有诸多应对的办法。他读过瑞士心理学家荣格的许多心理学著作,了解中国古书《慧命经》的妙处,他明白遇事沉着冷静的道理,他尝过三思而后行的好处。

实际上,在这个社会上 ,一个人的名气大了,占的地方也就大了,来自四面八方明枪暗箭的袭击自然也就多了。人在江湖飘,谁能不挨刀。以前,他很不明白这个道理,他觉得生活在一个文明圈子里的人不应该像江湖中人那样动辄打打杀杀。后来,受的伤多了,他才弄明白,只要是有人群的地方,就是江湖。世俗江湖有它的一套世俗法则,文明江湖也有一套运行的法则。在北京打拼十几年,虽说有了名,有了地位,但受的伤也不计其数。

有一次,他把这一切讲给一个地位比较高的专家,想求得一些真经。那个专家早已是沧海桑田,可能被他感动了吧,面对一个眼睛里还有迷惑的年轻人,觉得有指导的义务,便产生了说话的欲望。他充满善意地笑着说:“小伙子,你遇见点事,根本不算什么。年轻人在社会上混,受点打击也没有什么。作为一个知识人,要承担一定的社会责任,更要有应对世界的能力。这个世界上的争斗各种各样,人对人,最多是咬。就像狗咬狗一样,咬得再狠,也就一嘴毛。就算流点血,也没有什么大不了的,擦一擦,让时间疗疗伤也就行了。但反过来说,一个人也不能怕争斗。从另一个层面上讲,争斗是社会进化的动力。要迎面而上,不要躲避。”

听了那个老专家的话,他沉默了很长时间。有时候,他躺到床上辗转反侧,睡不着觉。他思绪万千,头脑中升起了千万种念头。后来,那千万种念头化作一种想法,就是想尽种种方法丰富自己的内在世界,扩容智力空间,提高处理问题的水平。也只有这样,他才能有效地保护自己。人活在这个世界上,其他什么事都不重要,保护好自己是最重要的事情。一个人只有先好好地活下来,才有机会去做好自己想做的事情。

二、学术的对面

一个篱笆三个桩，一个好汉三个帮。在这个世界上，不管你是谁，不管你有多大本事，要想混点事，没有帮手寸步难行。《三国演义》中，刘备想弄点事还带着编筐的关羽、卖肉的张飞呢，还搞个“桃园三结义”的仪式呢。作为一个在学术界靠写文字与话语讨生活的人，马立当然也不是单兵作战，他也有两位帮手，一位是结构力学专家王千一，一位是混凝土专家李百了。马立经常开他们的玩笑，说两个人一个是千里挑一，一个是一了百了。话说得如此恶毒，换了别人这样说话，两个人肯定会翻脸。可马立这样说，他们并不以为意，反倒觉着亲切，谁让他们是一个利益共同体呢。不管王千一在结构力学理论方面研究得多么透彻，也不管李百了的混凝土配方如何科学，没有马立这个建筑学专家的提携，他们都很难出人头地，混得有个人样。

王千一与李百了都是年过半百的人了。在马立到建筑研究所上班以前，他们已经在这个单位上班十几年了。可因为学术方向过于专业，没有人关注他们，也没有人提携他们。他们也只是披着专家外衣一天一天地混着日子，一谈学术成就自己就先脸红，因为他们从没有在像样的学术期刊上发表过文章。当专家，比水平，首先比理论水平，没有论文，很容易被认为是伪专家。两个人的日子过得没有光亮，总觉得人生没有多少机会了。

两个人在单位没有地位，基本上没有学术会议或者学术论坛请他们，除了固定工资，没有什么额外收入。没有额外收入，在家里就不招人待见。王千一的老婆是农村人。本来她是在乡下养猪的命，跟上个专家来到了北京城，天天除了做饭洗衣服，就没别的事了。窝在家里面，身上脏了痒了，想洗热水洗热水，想洗冷水洗冷水。眼睛困了，想睡软床睡软床，想睡硬床睡硬床。按照道理讲是要知足的，可因为家里经济上不宽裕，手紧，想买些好穿戴买不了，就经常跟王千一抱怨嫁错了人。王千一很苦闷，心想，一个农妇，不理解自己也就罢了,还给自己气受,觉得一肚子的书都白读了,还不如那些无识无知混在菜市场卖菜的男人。李百了倒是找了一个土著媳妇,可是日子呢,也过得不自在。本想着读书进北京城了,有班上了,跳过龙门了,找个北京姑娘真真正正地翻了身,可没想到因为挣钱少被那北京媳妇死死地踏在了脚下,弄得身体不自由,心灵不自在。媳妇在离家不远的一个街角开了一爿熟食店,李百了一下班就得去帮忙,不小心就搞一手一脸的猪油。就算这样还经常被媳妇骂,骂他笨得像一头猪,什么都干不好,日子过得没有尊严。两个人不管是谁,在家里待不住了,便会约对方出来,找个小酒馆喝上两杯,以发泄心中的情绪。有一天,两个人都跟媳妇发生了口角,便相约着到了一个小酒馆里。几杯热酒下肚,都生出了万般感慨。

王千一说:“百了兄,你说,咱们俩,论专业水平,应该也是个顶个的,不差啊,这日子怎么就过得如此不堪呢?”

李百了说:“千一兄啊,你比我幸福啊,好歹嫂子跟你是一块地里蹦出来的,你们也只是斗斗嘴,心还贴到一块儿,不像我们家里那位,就算睡在一张床上都做着不一样的梦。有时候,简直就是一只母老虎,动不动就拿出要吃人的样子。要不是看在有孩子的分儿上,我真的想一了百了啊。”

王千一说:“这样的日子什么时候是个头啊?”

李百了说:“有谁能拉咱们一把就好了。”

王千一听了此话说:“百了兄,你说得有道理,我们两个水平都不差,就缺人带一带。因为我们研究的学问太偏门了,只是其他学问的配菜。咱得想个法让人把咱们给配上。”

李百了说:“你说得太对了,咱们就是配菜,没有主菜上不了桌席。不过,有油水的地方人家都把得挺严实的,咱连个投名状都没有,也入不了伙啊。再说了,就算有投名状,咱们两个都是要面子的人,这么多年都过去了,再去拿热脸贴人家的冷屁股,人家怎么看咱们呢?”

王千一说:“你说得对。不过,咱们把问题找出来了,就不怕没有机会。咱们就等等看。"

等着等着,熬着熬着,两个人的机会就来了。马立一到研究所上班,两个人的眼睛就亮了。两个人都盯上了这个年轻人。有一天,李百了与王千一又到一起就着小菜喝小酒,自然而然就聊起了单位新来的这个年轻人。

王千一说:"我看了这个年轻人的简历,是个人才,百里挑一的人才。"

李百了说:"我读过他的论文,有才,真有才。不是百里挑一,是千里挑一,万里挑一。"

王千一说:"要不,我们捧捧他?"

李百了说:"不是我们捧他,是我们傍他。万一他成了精呢,那对我们就有好处。"

王千一说:"那是,反正也没有好人家跟,听你的,就跟他吧,就傍他吧。"

大主意拿定,两个人就靠近了马立,想方设法地对马立好。马立初到研究所,人头生,正需要扯点关系,正需要有人帮衬呢,两个老专家对他好,好比瞌睡了,想睡呢,就有人给递上了枕头,递上了又软又暖的大枕头,他很愉快就接住了。没多久,两老一新的利益结构就形成了。

两个老专家也真的是对他好,比对自己媳妇都好,天天嘘寒问暖,生活上缺啥少啥,很快就帮他解决了。这样一来二去的,弄得马立的心里一热一热的。三个人成了忘年交。关系铁了,就开始互相帮忙了。马立指导着他们两个人写论文,再加上他编辑朋友多,路子熟,没费多大劲就把他们的论文发表在学术刊物上了。外人可不知道其中的诀窍,还以为两个人先前是低调,不是不能发表论文,而是过于清高,不愿意去弄那些个俗事。想弄了,一弄就弄得很好。老专家嘛,他们发表的论文单位自然得当作业绩了。有了业绩,到年底,两个人的年终奖就比以前多了。两个人得到了好处,就更贴马立了。马立的名声大,请他参加论坛的人多,有些时候,他也拉上王千一与李百了,两个人便开始有片面的话语权了。虽说他们的话没有几个人听得懂,但因为有话语权了,饭局上也排了他们的位置,也给他们安排红包了。参加活动多了,两个人在单位的分量也就重了。收入一多，在家里的地位不知不觉就提高了。王千一的媳妇买衣服、买化妆品也敢买牌子货了，她也不报怨王千一什么了。李百了的地位上升得就更是快了，不管熟食店里的生意有多忙，媳妇也不让他下手帮忙了。对他，像变了个人样，人前人后地，变着法子表扬。熟食店一有客户，她就唠叨："我们家老李，写的稿子印在报纸杂志上了，人还上了电视呢。"那话说了，好像给熟食店做广告，好像能提高营业额一样。有知些底细的人打趣："不让你们家老李切肉了？"人这样说，媳妇就不好意思了，忙着解释，忙着掩饰："他那哪是切肉的手，那是写文章的手。老辈人说了，会写文章的人都是天上的文曲星下凡，现在不时兴那样说了，但是老理不会变，我们家老李他就不是凡人，当然不能让他再干凡人干的事了。"这样的话都出来了，李百了听了，心里虽瘆得慌，但关系着自己的利益，也不去驳斥。

世界上有一种人，替别人操心，为自己而活。王千一与李百了大概都是这样的人。马立本来很安逸地生活着，可是两个人都想让他上层楼再上层楼。多多少少，两个人都有一些私心在，想让自己的生活水涨船高。马立也不负众望，没有几年就成了所里的学术带头人。可是两个人竟然觉得马立在政治上也有进步的机会，当研究所老所长退休以后，刚好流行竞聘风，上级单位也让研究所实行竞聘上岗，两个人便鼓动马立参加竞聘。

为了达到目的，两个人还神秘兮兮地把马立约到单位外面的一个咖啡厅里，像搞地下工作一样做他的思想工作。

马立明了他们的意思以后，说："这样的事情，最好不要去蹚浑水。"王千一不乐意了，说："这怎么是蹚浑水呢？这是一件伟大的事情，如果你成为行业的领导，那么对于这个行业是一件好事。"李百了随声附和："是，个人的利益是小事，行业的事情是大事，你得看大局，为了这个行业的健康发展，你也得去努力一把。想一想你要当上所长，得有多少人看见光明啊。"虚荣之心人皆有之，马立自然也不例外，两个老专家你一言我一语，几个回合下来，他的心也就动了。马立说："参加容易，弄不成怎么办？"王千一说："这种事情，把握住两点:一是领导,二是民意。领导的工作你自己去做一下,我们两个尽心尽力地为你去拉票。我想,群众的眼睛是雪亮的,群众也想让一个有学术地位的人占据领导岗位的。这样,你好,我好,大家好。”马立架不住两个人的热情了,说:“那就试试。”李百了说:“怎么能说试试,要有信心。”这样,马立就上了两个人的道。

摆弄文章,发表演讲,不管是写还是说,那都是业务范围内的事情,都是学术上的事,都是马立手拿把攥的事。但是真要参加竞聘,那就是玩政治了,那是学术范围外的事,那是学术对面的事,这些事,马立还真的是外行。他根本不知道怎么下手。看着竞选的文件公布了,贴到研究所报栏里了,引着很多人上班下班情不自禁地看上几眼,勾引着人在食堂里吃饭时议论几声,但马立还是不知道如何把这件事情进行下去。见马立没有动静,王千一与李百了又把他约了出去。

王千一说:“我说小马啊,这可是千年不遇的好机会,过了这个村就没有这个店了,你得行动啊。”

李百了说:“群众工作我们俩可是做到了前面,就看你的了。”

马立说:“两位前辈,我就不是做官的材料,我们还是不弄了吧?”

王千一说:“你看,说好了的事,怎么能变卦呢?”

李百了说:“王侯将相宁有种乎,没有谁天生是做官的命。这桩事千万不能变。”

马立说:“可我不知道怎么摆弄啊。”

王千一说:“送礼,先送礼,再报送材料。”

马立说:“送礼,给谁送啊?”

李百了说:“哎呀,很简单,谁当家给谁送嘛,这事是部里主管领导当家,就给部里主管领导送。”

王千一说:“对,就给主管领导送。先送一万,蹚蹚路子。”

李百了说:“我们商量好了,送礼的钱,我们俩一个人五千,先给你对出来。”

王千一说：“这件事，就这样定了。”

李百了拿出一个红包就硬塞到了马立的手里。这样一弄，马立就没有退路了。

为了达到自己的目的给人送钱是犯错误的事情，若不按照王千一与李百了的意思办，又对不起人家的好心，马立很矛盾。挣扎了很久，马立想，人家连礼钱都给对出来了，自己还有什么好说的？他狠狠心，决定试一试。一天，研究所要给部主管领导汇报季度课题进展情况，马立便把一万块钱塞到了档案袋里。开完会，马立单独到了主管领导的办公室里。主管领导说：“马立同志，你还有什么情况，好好地给我聊一下。”

马立就坐到了领导办公桌前的椅子上了，可他脑子里突然就一片空白，不知道说什么好。

主管领导说：“小马同志，你不要紧张，作为研究所学术带头人，你有什么就说什么，我不是一个守旧的人，什么事，你只要说得有道理，我会听的。”

主管领导的话等于给马立做了下伸展运动，他紧着的神经松了下来。

马立稳了稳神说：“领导，那我就说了。”

主管领导说：“说，你说。”

主管领导还给马立让了一根烟，马立接了，并没有点火，他说：“领导，我想竞聘研究所的所长。”

马立话一出口，主管领导愣了一下，不过，他只是愣了一下而已，很快便回过神来说：“好事，啊，这是好事啊。研究所所长的职位是面向全系统公开竞聘的，你当然可以参加，像你这样的专家有优势。”

马立说：“领导，我只是想试试，有你这句话，成不成我也就安心了。”

主管领导说：“参加，参加，像你这样的专家骨干力量，参加竞岗是好事。”

马立拿出那个档案袋放在桌上说：“领导，研究所课题季度进展报告我就放这儿了，你有空了就看一看。”

主管领导说:“好,好,你搞的东西,我看不看都放心。”

马立的心里一颤说:“要看,要看,一定要看。领导,你先忙着,我就不打扰了。”

主管领导说:“慢走,你慢走,我不送你了。”

马立出了主管领导的门,一路逃回了研究所。长这么大,自己还是第一次干这样的事。想着使的是人家的钱,要对人有个交代,他就约王千一与李百了见面。

三个人见了面,王千一问:“送了?”

马立说:“送了。”

李百了问:“他怎么说?”

马立说:“支持我参加竞聘,说像我这样的专家应该参加。”

王千一说:“有戏。”

李百了说:“那我们就等结果吧。”

马立说:“等,等结果吧。”

三个人各自怀着一肚子的希望等结果,可结果一出来,都傻了眼。当上所长的,不是马立,而是一个叫司建高的人。那是一个不学无术的人,在他们的心目中那人简直是一个无赖。那人是马立的同学,跟马立一同来的建筑研究所,平日里除了拍马吃喝混日子,没见他在什么重要的期刊上发表过文章,也很少参加专业的研讨会。他们都弄不明白,事情怎么会这样呢?事情应该向他们设计好的方向发展才对啊。建筑研究所这么专业、这么权威的机构怎么能让一个无赖的外行领导呢?不管是王千一还是李百了,在他们的心目中,马立代表着光明,司建高则是黑暗,现在是黑暗胜利了,他们的世界一下子暗了下来。

三、旧时光

一个面具

一个她自己的永久的而自然的伪装者

掩蔽着她的面孔

掩蔽着她的形态

每时每刻都在变化，更改

即使她睡着了也不让她自在

马立在读过惠特曼诗集中那首《戴假面具者》以后，仿佛领悟到了这个世界上的一些秘密。虽然，那些所谓的秘密只是世界上所有秘密的一小部分，是冰山的小小一角。但是通过这些领悟，他的思想就进入了另一重境界。他认识到这个世界就是由一重一重的秘密构成，谁发现了世界上的一重秘密，谁的人生也就上了一层台阶，心里也就明亮一些，看待世界的眼光也就不一样。

通过惠特曼的《戴假面具者》，马立对这个世界有所发现以后，他的心灵与思想也就发生了一些隐秘的变化。

为什么诗歌能消化他心中的郁悒，让他从痛苦之中解脱出来？从惠特曼的诗歌中，他明白，那一句一句的诗里也藏着秘密，那一本一本的书里藏着更多的秘密。这样一来，读书人就成了这世界上的大秘密。读书人，看起来不管多平常，多么不打眼，都是这个世界上不可忽视的人，不可小看的人。他们是可以把复杂问题简单化，也可以把简单问题复杂化的人。一些读书人是胸怀天下的，世界有多大，他们心中的秘密就有多大。他们为这个世界设置各式各样的路径，他们心中的秘密就是化解身外万千秘密的武器。

他从小就恋上了书。他从小恋上书并不是天生就知道读书的功用。他不知道读书能让他成长为心里面能生长起无数秘密的人。那时候只因为生活太过穷苦与无聊，他拿书作为打发时光的工具。正是这样的无意之举与无意之好成就了他以后的光辉岁月。

在艰苦的岁月里，马立同学认知了诗歌。那时候，他还是乡中学一名普通的中学生。之所以说他普通，是因他跟其他的中学生没有任何区别。跟其他人一样的苦，一样的累，一样的迷茫，一样在忍受着青春期的煎熬。

那时候，从家到乡中学要走一条长长的山路。山路很窄，坎坎坷坷，有很多的碎石，走上去硌得人脚疼。脚受不了，鞋更受不了。脚受不了，只是疼；鞋受不了，会烂。鞋一烂，脚更受罪。能否穿一双好鞋牵涉着一个孩子的面子与尊严。所以，他常常脱了鞋走在那条山路上，到学校门口，再把鞋穿上，把脚打扮得很周正。其实脚在鞋里烂着，走路时，没感觉，一闲下来，像有芒刺扎着，生生地疼。

人来到这个世界上都想过上幸福的生活。他当然也不例外。他虽然不明白幸福的生活是什么样子，但他眼前所过的生活让他十分痛苦。他不想过这种痛苦的生活，他想过得与众不同，他想过上幸福生活。天天上学，天天背书、写作业不就是为了出人头地吗？不就是为了过得跟其他的人不一样吗？可是什么样的生活才是幸福生活呢？他不知道，所以他拼命地寻找。他想找一个榜样以供学习。他找了个遍，山里所有人的生活都不是他想要的生活。这时候，他有一个感觉，他觉得他要的生活只属于他自己，没有样板可以参考。在沉寂的山中，在深沉的夜里，星星闪闪地亮，他觉得他的生活就在夜空之中，就在某一颗明亮的星星上面挂着，只要爬得高，就能够得着。他想要的生活就在他的心里，他自己才是他自己的榜样。

母亲知道他的心思后发出了悲怆的呼喊："我的儿啊，你是心比天高，只怕是命比纸薄啊。"

在夜里，在他出生的那个院子里，在他长大成人的那个院子里，他放纵地发出响亮的笑声。那笑声让他的母亲心惊肉跳、坐卧不宁。从小到大一直很乖的儿子让她很是惊诧。她不明白，一向让她熟悉的儿子怎么突然就变得陌生起来了。她认定儿子一定是看那些书中了毒，精神上出了毛病。笑声停止了，儿子又安静了下来。当儿子安静下来以后，她又觉得儿子很正常，儿子还是那个儿子，不再有什么异常。可是母亲的心里仍然是不安宁的，儿子两种不同的表现让她忐忑不安。她的心里一片茫然，只是觉得要为儿子做点什么才能安心。

那个时候，他是想控制自己的，他不想让母亲为自己担惊受怕。可是他失控了。他怎么会失控呢？多少年以后，他才明白，控制不但是一种能力，更是一门学问。他明白这个道理的时候，已经是一位大学生了。那时候，他不知道已经读过多少经典图书了，那些书加在一起三辆牛车也拉不下啊，那得有多少道理综合在一起，进入了他的记忆，植入了他的身体，甚至成为他血液的一部分。也正因此，他拥有了发现秘密的能力。当一些秘密被他发现以后，他才明白，当年当着母亲的面他为什么会发笑。当时，他是笑自己卑微的命运，他的笑是对自己的出身进行的无情嘲讽。

他觉得，一个人，只要不服从命运的安排，内心就会不断焕发出无休无止的力量。那无休无止的力量就会推动着那个人不断地朝人生的山顶攀爬。直到达到顶峰，直到阅尽人间美妙情事，直到享受了人生无穷乐趣才肯罢休。

可是在那时的环境里，无论他是笑还是哭，等待他的仍然是一眼看不到尽头的沉闷岁月。奋斗过了，仍然没有希望，只有一颗心是骚动的、不安的。在沉闷的日子，拥有一颗骚动的心是危险的。就像年迈的瞎子骑着一匹瞎眼的老马，夜半时分走在深渊的边缘，随时都会被无情的夜吞没，被无情的大水淹没。这个时候，有人给他送来了惠特曼的诗集。那无疑是有人在黑夜里给他点燃了希望的灯。

给他送书的人是一个情窦初开的少女。与其说她送给他的是一本惠特曼的诗集，不如说是一个美妙的爱情信号。

那是一个喜欢穿红色上衣的姑娘。那是一个出身干部家庭的女孩，因为父亲到当地政府任职，她跟了来在山里的中学上学。对于封闭的大山而言，她就像一股清新的风，带给人耳目一新的感觉。

她带来许多大家都没有见过的东西，好看的衣服，好用的文具，还有许多大家从来没有读过的书。她像一个博爱主义者，喜欢送人东西，把东西送给她认为需要送的人。她把一本惠特曼诗集送给了他。他哪里知道啊，惠特曼是一个能让人产生欲望、产生能量、产生思想的诗人。

在一豆灯火下，惠特曼的诗让他的内心充满了灵光。他一读起那些诗，好像鲜花在春天的阳光里开放，如同树叶在细雨中沐浴，身体都会产生一种通透的感觉。

读完惠特曼的诗集，他像吸毒一样爱上了读书。如果说以前读书只为打发无聊的时光，当那个女孩出现以后，他读书则开始有意地汲取营养。那个女孩让他知道了山外面的世界很精彩。他希望用书搭建起一座彩桥，帮助他走出让人窒息的大山。

读书多了，一个人的精神也会产生依赖性。没有书，人无论做什么事都没有劲，只有不停地读下去，他的心灵才会得到安慰，才有生活下去的动力。为了读书，他一次一次去找那红衣少女。红衣少女对他有求必应，从来没有让他失望过。她每周回校都会带一本书给他，有时是世界文学名著，有时是通俗读物，而有时只是政策读本。她告诉他，那些书都是她爸爸书架上的书，有一些她读过，知道是什么书；而有一些她根本读不懂，也不知道是什么书；更多的，她觉得枯燥无味，不愿意读。可是他不管是谁的书，是什么样的书，不管读得懂多少，能够吸收多少营养，他逮住一本都抓紧时间如饥似渴地阅读。时间久了，他成了头脑复杂的人，成了夜里睡不着觉的人。在睡不着的夜里，有千万种想法在他的脑袋里跑马。他想那些书中的人物与故事，他更想那个给他送书的红衣少女。

他知道，他不仅喜欢上了那些书，也喜欢上了那个红衣少女。他喜欢她身上清新的气味，有时候他觉得他并不是为了读书才去接近她，而只是为了闻闻她身上的气味。他不知道那个红衣少女喜不喜欢他。他也没有勇气去当面向她表白点什么。这样的喜欢是典型的单相思。这件事情传到山村里以后，刮起了一阵龙卷风，乡里乡亲，老老少少见了面都谈论这个孩子。大家一致认为这个孩子完了。一个读书的孩子，如果被杂书所惑，被女孩子过早地吸引，他还有什么力气走出大山？走不出大山，那他就改变不了命运。一个无法改变自己命运的孩子又失掉了在山里谋生的能力，那不就是毁掉了吗？

一个求学上进的孩子怎么可以同时中两种毒呢？中了读杂书的毒，想想法是可以改掉的。比如把人关起来，像戒毒一样去戒书，或者干脆一把火把书烧掉。戒掉了书，孩子还是一个好孩子。退一万步讲，就算戒不掉书，那也是一个人的事情。小时候让人觉得是不务正业的事情，随着时间的流逝，长大以后可能也不算什么大毛病了。时间这东西很厉害，可以改变很多东西。在时间面前，读书的毛病根本算不了什么。可是所谓的爱情呢？那可不是一个人的事情。在一定意义上，那也不是两个人的事情。那是两个家庭的事情，是两个家族的事情，是要接受一群人检阅的事情，那是一件大事情。

这样的事不但关系着年轻男女的幸福问题，而且关系着家庭的发展问题。谈个情说个爱是一男一女的事情，是需要男女相互配合的事情。但是结婚生子就是两个人的事情，是家庭与家族的大事情。所以，面对一系列有时简单有时复杂的事情，男女联姻也就成了一门学问，一门没有教材但人类又要不断学习的学问。在这样一门学问里，最讲究的是门当户对。门当户对的婚姻大都是幸福的婚姻，最起码，是让人们看起来幸福的婚姻。门不当户不对的婚姻就复杂了，在一些人的眼里，门不当户不对的婚姻就是一瓶子毒药。这样的毒药，不知道毒死了山里多少痴情男女。在母亲的眼里，儿子过早地喜欢上一个不该喜欢的女孩，已经在面对这样一瓶子毒药了。山里人不明白爱情是什么东西。但是山里人明白什么东西能碰，什么东西不能碰；什么东西碰了没害，什么东西碰了有害。而这个孩子恰恰在碰他不能碰的东西，恰恰在碰那有害的东西。山里的人大都是纯朴善良的人，为那个孩子好，为了那个孩子的家庭好，许多人好心好意地上门劝说，要家里人想办法把已经在悬崖上的孩子拉回来。看着一个一个好心人上门来，当妈的再也坐不住了。她必须有所行动了。她要行动起来去做点什么，不然，一场风暴就起来了。那一场风暴不但会毁掉她心爱的孩子，甚至会把一个家都毁掉的。这样的事情在山里发生也不是一起两起了，她可不想让那样悲惨的事情出现在她的家里。她把小儿子来钱叫到了身边，给他布置了一个重要的任务。在她的心目中，那是比天还大的任务。她要让来钱去学校把哥哥富贵叫回家来,她已经拿定了主意,孩子只要回来了,她就可以做她应该做的事情了。她给来钱下了死命令,说:“来钱,你去学校把你哥哥叫回来。不管用什么办法,都得把他叫回来了。叫不回你哥哥,你也不要回来了。我这个当妈的只当没生过你们这两个孩子。”当妈的说出了这样绝情的话,让来钱感受到了那任务的分量。一边是母亲,一边是哥哥,既要完成母亲的任务,又不能得罪哥哥,这对于来钱来说无疑是一项艰巨的任务。接受这一任务以后,他心思深重地去了学校。

来钱是在一个阳光明媚的上午来到学校的。已经快到放学的时间了,几乎所有学生的心思都不在听讲上了,几乎所有人的眼睛都疲惫而饥渴,跑马样四处观望。马富贵也是身在教室里心在教室外面了,所以,他也像其他人一样不停地向教室外观望。这个时候,他看到了弟弟来钱在学校的操场上走来走去。来钱是不轻易到学校找他的,他来一定是有什么事。所以,一下课,他就直奔操场去见来钱。

“来钱,你怎么来了?”他问弟弟。

“哥,你下午回家一趟吧。”来钱像玩一样跟他说。

“怎么了,有什么事情吗?我下午还有课要上呢。”他说。

“不是我的意思,是妈的意思。她让你回去,她说有事情找你。”来钱的神情很诡异,他不想让哥哥知道得太具体,如果哥哥不回去,他就无法交差。但是如果让哥哥知道了母亲的意图,哥哥是肯定不会回去的。

“是什么事?我还有课呢。”他说。

“你回去就知道了。是妈的意思。反正我把话带到了,你看着办吧。”来钱将了哥哥一军。

他不语了。母亲跟来钱一定是交代过什么话了,不然,来钱不会什么也不跟他说。从小来钱就是一个忠厚的孩子,不管是谁的话儿,只要他认为对,就会听。不管是谁的活儿,他只要接了就对谁忠诚。特别是妈的话,对于他来说就是真理了。母亲交代的事,他更得想方设法办好。虽然他跟富贵是亲兄弟,但他听的是母亲的话，接的是母亲的活儿，他自然就要对母亲绝对忠诚。马富贵知道，想从来钱的口中套出来有价值的话显然是不可能的，但他如果不回，就是不孝。看来，他只能回，不管发生什么事他只能直面应对。想到这儿，他就答应跟来钱一起回家。

回到家，他才知道，母亲请了山里最厉害的神仙给他看命。母亲要用这种方式帮他戒除已经生长在身体内的两种毒。

在他的记忆中，母亲曾无数次地寻找不同的算命先生给他算命。开始，他不明白母亲用意何在，只是觉得母亲有望子成龙的心思。后来，他才明白了母亲的真正用心。母亲不是关心他能不能出人头地，而是关心他能不能像其他人一样过正常的生活。在母亲的心目中，喜欢读杂书是不务正业的行为，是一种危险的爱好。她需要她的儿子正正经经地读书，正正经经地上学，儿子走出大山当然好，走不出大山，只要身体正常，不胡思乱想，能够娶媳妇生孩子她也就心满意足了。她的小儿子只上完小学就不上了，已经有人提亲了，而且不止一家。可是作为老大，没有一个人上门来提亲。儿子是恋爱了，可在她看来，儿子是在害病，害单相思，而且是害不切实际的单相思。这样的单相思是会出事的，是会要儿子的命的。

在得知儿子这种情况以后，她整夜整夜地睡不着觉。有一天夜里，她做了一个梦，梦见在云端，有一个白胡子老头把她的大儿子带走了。那个白胡子老头说："你儿子是天上的星星变的，现在还要回到天上去。"她急了，跑着去追，可是无论怎么追，她都追不上。她只有不停地哭，把眼泪都哭干了。醒了，才知道是一个梦。可她不觉得那仅仅是梦而已，在她的心目中，梦在天天都在过的日子里是有所指的，她觉得那是神仙在提醒她要行动起来去救自己的儿子。可是她也很清楚，已经读书明理的儿子听不进去她的话了。她需要找一个帮手助她一臂之力，这样才有可能让她的儿子重新回到正常的生活轨道上。她想到了山里的算命先儿。在她所生活的山里有许多算命先儿，人们习惯地叫他们神仙，其中最有神力的算命先儿姓程，山里人称呼他程大仙。她就找到了程大仙，许诺了两倍的课金，让他出马去降服那个不听话的小妖孽。

程大仙原本是山中的一个鳏汉。四十岁那年，他上山里采药，一去就是三年。三年后他再回到村里就变了一个样子，神神道道的，好像不是以前的那个人了。他告诉人家，在山里，他迷路了，回不了头，只好胡乱地走。走着走着他就进了一条沟，沟里有水，那水白花花地流。他一边走，一边四下里张望，在一处沟沿上，有一座小木屋突然出现在他的眼前。小木屋前，架着一个药锅子，有一个留着长胡须的老头在熬药。那老头高高的个子，须发皆白。

当时，他的肚子饿得咕噜咕噜响，看见了人家，他就上前讨吃的。老头见他讨吃的，说话的口气很是不近情理。他说："要吃的没有，只有药。要吃，可以给你一碗。"

人饿了，连草根树皮都是会吃的。人饿极了，不管什么，只要是能吃的都是会吃的，哪怕是药，是苦口的药也是会吃的。他那时候已经饿极了，已经有死亡临近的感觉，给他药，他怎么可能不吃？

可能是太饿了，他吃下去，并没有感觉到苦。他吃过以后，肚子很快不叫了，反而觉得很舒服。肚子舒服以后，他觉得身体其他部位也起了变化，耳朵好像能听到远方鸟叫虫鸣的声音，眼睛也仿佛能看到云彩之上不停变幻的影子。

老人告诉他，他吃的是神药。有缘的人吃过这种药以后会拥有一定的神力，那种神力会改变他的生活。老人很孤独，他想让吃过神药的年轻人留下来陪着他修行。可是他不想留在山里，不想过孤独寂寞的生活，更不想在大山里了却一生。他告诉老人，自己尘缘未尽，想继续寻找回家的路。他就向老人告了别。临别时，老人给了他一个药方，说既然见面就有一定的缘分，在以后的日子他会用得着这个药方。

告别老人以后，他又走了一段路，他突然觉得老人很神奇，他再回去找，就再也找不到了。

从此，他做了一个为人断前世今生、问功名利禄的大仙。

母亲虽然用心良苦，可是她的大儿子已经知道这个世界上的一点秘密了，已经明白一个人的前途不能靠神仙皇帝，不能靠祖上传承，只能靠自己去拼的道理了。虽然爱拼不一定会赢，但是不拼一定不会赢。所以，在已经了悟部分人生真谛的孩子面前，大仙的到来引起了他极度的反感，他本能地把神仙当作了一个对手来看待。

在蜜如山里，程大仙给成千上万的人看过。在蜜如山人的心目中，他就是一个神，就是一个传说。可是这个神被一个读书少年三言两语赶下了神坛，他的传说在一个少年巧妙的攻击之下如肥皂泡一样破碎在风中。

"你是程神仙吗?"当他弄明白了母亲的意图以后，他决意反抗。他知道，一个人既然被人奉作神仙就有被奉作神仙的道理。在这个人面前，如果不反抗，自己就会被他制住，去做一个乖孩子，自己的命运就要由人安排，自己就身不由己了。所以，他要先发制人。

"你这个孩子，怎么能这样没有礼貌?"母亲呵斥从学校赶回来的大儿子。

"是的，我是程神仙。"程大仙在山里做神仙的时间长了，腰缠万贯的人，身居高位的人，见得多了，没有几个不听从他摆布的，他哪里会把一个没有经过世事的孩子放在眼里。

"既然是神仙，那么人世间的事情你应该都知道吧。那么我问你，你知道陶渊明这个人吗？你读过《桃花源记》吗?"他没有看母亲愤怒的眼睛，他的对手是眼前的神仙，而不是母亲。他只要努力把神仙打倒就行了。他不想伤害母亲，但他也不想让母亲干涉他的行为。他已经长大了，早已明白自由的重要性了。他要努力走出大山，去寻找属于自己的生活。

"陶渊明?《桃花源记》?"程大仙心里犯起了嘀咕，他的确不知道陶渊明是哪乡哪镇的，也不知道"桃花源"是谁家的自留地，他不明白眼前这个少年的葫芦里卖的是什么药。

"你肯定是没有读过了。那我就给你背一遍吧。"马富贵轻蔑地笑了笑，把那篇著名的文章一字不落地背诵了一遍。

“你什么意思?”程大仙很有一些生气,他突然有一种命运不在自己手中的感觉。他觉得眼前这个孩子也有一种神力,那是一种跟他的气场相反的神力,而且那种力量十分巨大,他有一种被那神力吸住的感觉。

“这一篇文章是东晋一个叫陶渊明的大诗人写的。你所谓在山中碰见神仙的传说只不过是这一篇文章的恶劣抄袭而已。恶劣抄袭你懂不懂?你侵犯了人家的知识产权,陶渊明不在了,要是在,如果他告你,一告一个准,你是要坐牢的。不但要坐牢,还要赔钱,赔光你的家产都不够。你的这些个把戏,骗骗那些没有读过书的人,骗骗那些甘心上当的人也就算了。可笑的是,你竟然敢来骗我。走,我们现在就到街上去,我要告诉所有的人,你是一个怎样的骗子。大家要是知道你是一个骗子,就没有人找你算命了。你的骗术就破产了,你就完蛋了。”

他不看母亲的眼睛,他知道母亲很生气,但他还是咬着牙,恶狠狠地说完了他想要说的话。他必须这样,如果不把眼前的神仙打败,他就会掉进万劫不复的地狱里。多少年以后,他反复想这件事情都觉得自己是正确的。他为自己那样做感到英明无比。那无疑是一场决斗,是一场决定着他人生命运的决斗。

“你,你,你怎敢这么无礼?”程大仙被眼前这个乳臭未干的孩子给激怒了。他行走江湖已经几十年了,早已经看惯了主顾对他低眉顺眼,听惯了主顾给他说好听话。从来没有人敢怀疑他,更不用说对他指手画脚了。面对这样一个对手,他一下子不知道如何应对了。他一下子就处在下风了。如果他败在一个连毛都还没有长出来的孩子手里,那他以后就没法在大山里混了。可是这个孩子出手太刁钻了,他一时之间真没有办法去应对。他的脸憋得通红,气得抖成了一团。

“神仙先生,你千万不要发脾气。你不就是为了钱嘛,你放心,你的上门费我哪怕一星期不吃菜也会给你的。”他笑出了声,他已经体会到胜利的快感了。他整个人如同光了身子又喝过了二两白酒,躺倒在海边的沙滩上,在五月的太阳光里晒着，身子软软的，心也软软的，那是一种获取胜利后，享受胜利成果的感觉。

那样的局面让母亲很尴尬，也让母亲很生气。不管怎么说，神仙是她请过来的，神仙是来帮助她挽救儿子的，神仙受到了儿子莫大的侮辱，不管怎么样都是一种罪过。可是面对已经长大的孩子，除了呵斥一两句以外，她没有其他的办法好使，她只有让来钱送神仙出门去。临出门，她也没忘记让来钱送给神仙一些课金。当来钱把钱塞给程神仙的时候，程神仙淡然一笑，拒绝了。

“你们家这个孩子不是说我为了钱吗？我要让他看看我是不是为了钱。他啊，中毒太深，病得太重，还是留着买点清心明目的药让他清醒清醒吧。”

神仙留下一句恶毒而神秘的话走了。母亲愕然地看着神仙消失在村路上，一时之间不知道如何是好。

来钱见事情弄成了一团糟，知道待下去也没有好果子吃，他害怕成为替罪羊，找了个借口就溜走了。

家里只剩下母亲和他。屋里安静了下来，空气仿佛停止了流动。他凝望着母亲，希望母亲能给他一些惩罚，那样，他也就心安了。不管自己取得了什么样的胜利，达到了什么样的目的，毕竟，他把母亲伤了。那可是用辛苦劳动养着他的母亲啊。百善孝为先，他可不愿做一个不孝的人。

“已经有人给来钱提媒了。”母亲很生气，但她压抑住了心头的怒火。她看着他，停了很长时间才淡淡地说。

母亲话里有话。他明白母亲的意思。山里人家，但凡兄弟多，老大婚事不解决，排在后面的就很难得到解决。后面的如果先解决了，前面的就容易被搁置，成为问题。这样的情况，在山村里很常见。

“大麦熟了先割大麦，小麦先熟就先割小麦。人自有命，家里已经供了我读书，以后不管是个什么样子，我都没有怨言。”他坐了下来，看着母亲，平静地说。

他不知道自己会有什么样的前途，如果自己的人生有繁花样的前途，那么婚姻就不是问题。如果自己的人生没有希望,那么就算有婚姻又能怎么样呢?而他根本不想过老婆娃娃热炕头的平常生活。他向往的是外面的世界,他想到繁华的都市里去生活。他给母亲表态,甘蔗没有两头甜,母亲已经尽力供他读书了,如果因为上学读书误了终身大事,他不会埋怨母亲。

母亲得了他的话,心里稍稍安宁了一些。后来,母亲又去找了程大仙。作为母亲,她想得一句实话,自己的儿子到底会拥有一个什么样的未来。程大仙告诉忧心忡忡的母亲,她的儿子不是池中之物。如果有什么疑问,程大仙让母亲随时找他。程大仙的话让母亲稍稍心安,那一次,她再一次奉上了课金,程大仙毫不客气地收下了。

不过,感觉儿子一点一点地陌生起来,母亲真的是无计可施。母亲是一个信命的人,她之所以愿意供他念书,是因为在他还很小的时候,有一个类似程大仙的给他看过命相,说他是文曲星下凡,将来虽说不上出将入相,但也会做出一番非凡的事业。

母亲想,这样的儿子哪里是农家的种子啊,或许儿子的前生就是王侯将相家的苗裔受难早死,不过是借了她的肚皮再次来到人世间而已。

那个为儿子算命者是大山中一个极具传奇色彩的人物。他的话让母亲心甘情愿地吃苦受累去挣钱供他读书。传说那个人原本也是一个正常人,因为被雷电所击失去了正常人的形体,眼睛瞎了,背也驼了,有一只脚还跛着。山里人说正因为雷电毁掉了他的人形,却成就了他另一种才能,他成了一个可以洞悉他人心灵的人。

那个算命的身边有一个小男孩,是他的弟子。他靠那小男孩用手杖牵引着在大山里流浪。他走到哪里,就给哪里的人们占卜吉凶。只要有人请,他有求必应,不管是白天还是黑夜,不管刮风还是下雨都要赶过去。白天,他走到哪里就吃到哪里,有好的就吃口好的,有坏的就咽口坏的。不管吃什么都甘之如饴。夜里,他走到哪里就睡到哪里。破庙草屋、野谷树下都是他栖身的地方。

母亲清楚地记得，那个算命的是在一个午后走到了他们放牧羊群的地方。太阳刺着人的眼，他饿得实在是走不动了，那个男孩也饿得前胸贴后背，坐在青草地上一动不动。

见他俩实在是可怜，母亲把干粮与水拿给了他们。那瞎眼人吃饱以后表示要给母亲免费算一卦。母亲说她的命早已经定了，一辈子就在大山里过了，算不算都无所谓了。如果要算就给身边的儿子算上一卦。

他答应了她的请求。她就把才两岁的儿子带到了他面前。他在推断完小孩子的生辰八字后发出了惊诧的叫声。他说她的儿子是天上的文曲星下凡，不但可以走出大山，而且可以成名成家，干出一番凡人干不出来的事业来。

得了这个预言，母亲的眼睛透出兴奋而幸福的光芒。她又送给他们一些干粮打发他们上路。在他们走后，她搂住儿子的头说："孩儿啊，以后娘供你好好地读书，把你供到大城市里去生活，去享福。"她怎么也想不到，自己用心尖子疼着的孩子念书念得变了，变得不通情理了，变得不像山里的孩子了，变得不像她的儿子了。

在与程大仙的斗争胜利以后，马富贵更感觉出了读书的莫大好处。后来，他觉得这个世界其实就是由一本一本的书构成的，有些是有形的书，有些是无形的书。随着年龄的增长、思想的历练，他发现一个一个人也是一本一本的书。社会是一本书，生活更是一本大书。这些书都拥有神奇的力量。有形的书，每看一页，人的思想就会动一下，再动一下，内心就有向前走的冲动，更有丰盈的满足感。社会这本大书每动一下，世界也跟着动。世界动，人心也就动，人心一动，世界就变得更加五彩缤纷了。在五彩缤纷的世界里，每个人都在动，都在寻找生存之路，寻找生活之路，寻找成长之路。于是，这个世界也就充满了无限的意义与无限的价值。

世界上的每一个人，在不断变动的世界里，都要随波逐流，根据外在的环境调整人生的航向。所以，每一个人的人生有顺境也会有逆境，都不可能一帆风顺。有时候，还会出现绝境。其实，那些绝境大多时候都是假象，那是人一时之间被假象蒙上了眼睛看不到光明而已。一个人如果长期被假象蒙蔽,就会产生悲观的心绪,人也就很容易被卷入迷途,沉到生活的海里。那是一个人走在人生路上能遇见的最可怕的事情。

假象制造悲剧,当人遇到一些假象时,最重要的是必须先让自己的头脑清醒下来。只有头脑清醒的人才可能在丛生的荆棘之中找出路来。在马立的生命中,每当被这些绝境假象所蒙蔽,觉得无路可走的时候,他都会想起惠特曼的诗。惠特曼的诗是他的生命误入黑暗迷途之中的一盏明灯,惠特曼的诗是他鉴定人生境遇的有力工具。

在他的生命中,每当有痛的感觉,感觉眼前一片黑暗,没有路可走了,他就读惠特曼的诗,他就背惠特曼的诗。惠特曼的诗就像一粒粒药丸,他把它们服下去,心灵的痛苦就会得以减轻,人生的目标就会一次一次明确起来。惠特曼的诗是他医治自己身心的苦口良药。

人生的目标清晰了,他的生命就会生长出力量向那些目标奔去,当那些目标一个一个被甩在身后,他的生命也就变得越来越丰满起来。

四、梦幻与现实

人生不如意十有八九,要想活得好,很多时候得靠自我欺骗与自我麻醉。现实中,许多人都是这样安慰自己,也是这样做的。这样的道理,马立也懂。

在他的生命中,成功与失败常常接踵而来,一个小成功后面总伴随着一个大失败。在很长一段时间里,马立不知道为什么会这样。后来,在经历过一些事情以后,他才搞明白,一个人,如果走到生命的一个高度,生活带给他的失败比带给他的成功要多得多。这是人生的规律,也是生活的规律,更是社会发展的规律。社会资源就那么多,生活中的好事就那么多,你得到的多一些,别人得到的就会少一些。你占完了,别人就没得占了。那样,别人仇视你、打击你也是按照社会规律办事,不存在谁对谁错的问题。别人仇视你,你可以不理,但别人打击你,你就得有应对的办法了。不然,死都不知道怎么死的,岂不是冤得慌?所以,马立也有许多应对成功与失败的方案。他会在小小的成功里品味甜蜜的欢乐,也会在巨大的失败里舔舐痛苦的伤口。

那些小小的成功,是他扎实的学术功底与在圈内的知名度带来的。而失败则因为自己来自社会底层,没有社会根基。有了太多的名,他也想得一定的职位。名,是虚的。位,才是实的。他只有得到一个职位才能真正成为社会的中坚力量。当建筑研究所所长的位置空出来以后,不管怎么样,他参与了竞争。他参加了竞争就想着成功。很多人见了都给他鼓劲。有人说:“论能力,论你在这个圈子里的知名度,没有人可以跟你比。这个所长的位置铁定就是你的。”有人说:“如果投票我一定投给你。”这样的话听多了,再加上有王千一与李百了不断地烧着底火,他也就有一些麻木了,有一些飘飘然了,心里也觉得没有谁比自己更适合当建筑研究所的所长了。有一次,在梦里,他梦见自己已经当上所长了。他梦见自己以所长的身份在国内外组织了许多专业的论坛与相关会议。在那些论坛与会议上,自己凭三寸不烂之舌说服了许多政治人物,为单位赢得了许多优质项目;也说服了许多投资商给项目投资。巨大的成功在向他招手。有一次,他竟然梦见自己的大幅照片上了美国的《时代周刊》。他觉得自己可以和伟人比肩了。他还梦见,在一次论坛上,美国总统接见了自己。他站在世界的峰巅之上了。梦醒以后,他流着泪笑了,自己竟然有才华做这等好梦。

可是结果一出来,他再也笑不出来了。

当上所长的不是他。

自己已经做好当所长的心理准备了,就连周边环境也做好了让他上位的准备,结果却不是他。世界上还有什么事情比这更耻辱吗?

他的脑袋里像有一团火烧着,又像被谁塞进了一团乱麻,他都不会思想了。在会议现场,他的头虽然高仰着,可是他的心里像被刀子割着,不停地流血。他听不清楚主席台上主管领导说了些什么,也听不见周围的同事在下面开小会议论些什么。总之,都与竞聘有关,与他有关。他四处看看,没有看到王千一与李百了,或许,他们见势头不对,早就跑了。他的心里空落落的。他心想,不是一切都准备好了吗?怎么会是这种结局呢?

会议结束了。那一刻,他明白自己只是陪太子读书的人。太子读了书,悟了道,升格当皇上了,他还是他,哪里凉快哪里待着去。以前所有人的祝福都不过是变相的嘲弄而已。他在心里反反复复地提醒自己,不能把痛苦挂在脸上。当看到有人走到他跟前试图安慰他的时候,他装作满不在乎的样子说:"没事,不过是一场游戏而已。"上前安慰他的人拍拍他的肩膀,淡然一笑就去了。

"马立,你来我办公室一下。"主管领导走过来,客客气气地说,那语气像欠了人钱,写的有欠条但又仿佛随时可以把欠条作废似的。

马立的脑子是空白的,腿是木的,木偶一样跟着主管领导进了他的办公室。他不知道将要发生什么。

"有家出版社,要出版一本中国三线城市地产蓝皮书,找上门来,把活儿交给了我们。我想了想,还是把这个课题交给你去做比较合适,你的水平在那儿放着,你办事,我放心。"

领导的话寓意深远,接近伟大。不过,他怎么听都觉着假。如果放在平时,他对领导的恩赐会感激涕零,可是现在十分反感。不过,他不敢表露出来什么。这不过又是一次打击而已,他已经习惯了这样的事情。看着主管领导把一个档案袋递了过来,他老老实实地接了。

领导说话客客气气的,根本无意解释什么,也无意安慰他什么。那神情拒人千里之外,然而又温情脉脉,让人说不上来什么,但又让人心里很不舒服。马立觉得以前那些个事情好像没有发生过,又好像所有的事情都发生了。在主管领导导演下,所有的事情发生了就好像没有发生一样,显得很有领导水平。主管领导如此安排就是在善后了。

"这件事情,我可以去做。不过,我还是想休息一段时间。"马立磕磕巴巴地说。

这段时间，因为参加竞选累得他身心俱疲，结果等着他的却是一场空。他的确需要休息与放松，他想达到自己的目的，又不想让领导有什么误解。

“要调休可以，你去找你们的新所长，让他批假。”领导脸上的表情变得干而冷，显然，他还是有所误解。

“我没有别的意思，就是想歇歇。”马立赔着小心说。他感觉出来，自己在一个很不恰当的时间里提出了一个很不恰当的请求，但已经提出来了，他也不想改口了。

“没事，没事。反正任务布置给你了，你看着办吧，我相信你会出色地完成任务。我等着你完美的书稿。”领导以公事公办的语气说。

“我带着任务，边休息，边调研。这样行吗？”在领导公事公办的语气逼迫下，马立有一种受审的感觉。他产生了反击一下的欲望。

“好，好吧，你去吧，反正任务已经交给你了，你怎么做是你自己的事情。我还有很多事情要处理呢。”

领导的脸色已经不好看了。那个时候，马立明白自己不过是领导案头的一件事而已。他已经处理过了，再待下去，就是浪费领导的时间，就是自讨没趣。他不能再浪费领导的时间了，再浪费领导的时间就是在自我了断了。他自觉地退出了主管领导的办公室。到了没人注意的地方，他打开档案袋，看到那一万块钱整整齐齐地躺在里面。瞬间，好像被破棉花塞住了嗓子，他憋得很，心里难受。他想吐，可是干呕了很长时间，除了几口清白的口液，其他什么也没有吐出来。他想找人说说话，倒倒心中的苦水。可是一个知己也没有。想了想，王千一与李百了与此事有些干系，也只有找他们了。这件事因他们而起，干脆就把他们找来做个了断，免得以后再有什么纠葛。他打了王千一跟李百了的电话，三个人相约着，在单位附近那个具有异域风情的游园里见了面。

“谢谢你们的好意了。”马立把一万块钱塞到了王千一的手里。

“怎么会这样呢？”王千一不解地问。很显然，他们早已知道事情的结果。

“这当官的,收了礼不办事,这不是玩人吗?”李百了也不明白这中间到底是怎么一回事。

“不要再说了,事情已经是这样了。”马立说。

“奶奶的,是不是嫌送得太少了?”王千一说。

“不说了,不说了,陪马立说说话吧。那钱,我们留着自己花吧。总归也没有赔。”李百了说。

“主管领导安排我去做一个课题,他像没事人一样随随便便就把我打发了。这样的领导,让人说什么好呢?”马立摇着头说。

“打一记闷棍,给颗小枣吃。什么意思?”王千一问。

“别管他是啥意思了,让马立出去一段时间休息休息也是好事。再说了,以公出名义,一切都可以报账,也不亏啥。很快,人们就会把一切都忘掉的,一切都会照旧。我们也一样,该干什么干什么,只要这个研究所还在,就有用得着我们的时候。咱们就骑驴看唱本走着瞧。”李百了说。

“你说的对极了,他们有用得着我们的时候。就让马立离开北京去外地一段时间。对了,马立,你什么时候走,我们陪你喝酒,给你送行。到时候,我亲自下厨给你做菜。”王千一说。

“说好了,我们给你送行,不要不吭声就走啊。咱们哪儿都不去,就到我家去,我让你嫂子给你露一手。”李百了说。

“今天见了,就算是告别了。再说了,不是还要回来的吗?费那些事干啥?”马立淡淡地说。

他不愿意给两个人提供献殷勤的机会。如果不是这两个活宝撺掇,自己也不会这样现眼。

“你说的那是什么话,一定要送。”王千一说。

“我们俩都是你的老大哥,不给你送送行,说不过去。”李百了说。

“那看情况吧,到时候,我给你们打电话。”马立有气无力地说。

“好,那就回头见吧。”王千一说。

“回头见。”马立气如游丝，连他自己也没有听见自己的那句话。

三个人就分开了。临别，李百了还带着几分歉意抱了抱马立，好像要给马立点力量似的，可是马立木木的，没有什么感觉。他们这样的人，自己本身就没有什么力量，还能给别人力量吗？马立只看见老教堂钟楼的那只大笨钟在刻板地走着。早已过了整点，大笨钟却没有发出报时的声音。马立想，那悦耳的声音去哪儿了？难道连那报时的声音也逃走了吗？

五、诗行灯

他决定出城去。就像一滴水消失在水中，他要一个人不声不响地离开。他根本不想跟王千一与李百了打招呼，更不想跟他们见面。跟他们见面，他们也无非是用吃喝玩乐等世俗的方法安慰一下自己，解决不了什么实际问题。时间是治疗伤口最好的药物，他想离开这个城市，回到大自然的怀抱中去。

以前，当他还不甚明白何为江湖争斗，受了伤也不知道如何治疗的时候，那个历经沧桑的老专家告诉过他一个很实际的方法，那个方法对任何人都管用，那就是时间疗法。那位老专家说，不管什么人，不管是什么事情，都打不过时间。时间是世界上最好的药物。

起初，他并没有把老专家的话放在心上。后来，遇到了一些事，他就反复琢磨那句话。他越琢磨越觉得有道理，越往深处想就越是受用。时间可以让人老去，可以把那些好的或者不好的事情变得模糊甚至是被遗忘掉。时间真的就是这个世界上的良药。

经过慎重的考虑，他决定采用时间疗法处理竞选失败留下的后遗症。他想，过一段时间，他再回来，匆忙生活着的人们一定会忘记那些尴尬事。日子该怎么过还会怎么过，他呢，还是大家心目中最有权威的专家，他还仍然会像以前一样领着大家去开各种各样的会议，还会像以前一样在各种各样的会议上充当意见领袖。

出行带有自我流放的味道。正因为有这样的意味，马立想体验一次漫游的感觉。他找出来一张中国交通地图，用铅笔圈了出行路线。他决定选择乘坐大巴，一段一段地走，目的地是蜜如山。

蜜如山是他的老家，就算没有这样尴尬的事情发生，每隔一段时间，他也要回去一次。名义上，他是去看待在老家的母亲，实际上是为了接地气。生活在北京这样繁华而拥挤的大都市里，他的心灵感到干渴，常常有被榨干的感觉。回到老家院子里，呼吸着湿润的空气，嗅着野花的香味，心里就万物复苏，充满着希望。

山不在高，有仙则名。蜜如山虽小，但因了它的神秘性，在国内很是有名。早些年，它就被国内一家很有权威的地理杂志评为中国最美的山。国外一些知名网站常年挂着蜜如山的美景图片。每年，都有韩国、日本、新加坡、马来西亚等国的游客慕名而至，探幽寻胜。

蜜如山之所以神秘是因为山的深处有中国最早的岩画，有专家说，五百万年前，这里就有人类生活。那些神秘的岩画可能就是古人类用以记事的工具。蜜如山不但有古文化吸引着外面的人，它还是一个著名的天然大氧吧，让人心向往之。蜜如山里面生长着一百多种世界稀有的植物，草本的、藤本的都有。一年四季都有青的枝、绿的叶，五色的花艳艳地开着、放着，诱着人。一年四季都有来自五湖四海的人在山里玩、在山里住，还有许多画家在山里写生。这个地方，就像一个磁场，凡是从山里走出去的，不管是搞政治的、搞学术的，还是经商的，但凡混得有些人样的，在外面有家有业了，累了、倦了，很自然地就会选择回到山里来。表面上找着各式各样的借口，实际上都是为了接接地气、养养心气。马立是那些人物中的一个，他明白接地气的重要性。一个人接了地气就有了底气。在城市里时间长了，不接地气心里就没有底气，就会有空的感觉。走路都觉得像踩在棉花团上，没有劲。回到山里，回到老家接接地气就会让人产生打拼的勇气与信心。

为了打发在路上的时间，马立特意在行李箱里放了一本惠特曼的诗集。

小时候，读惠特曼的诗只是觉得心里舒服，可以调动自己的情绪，沉浸在欢乐的想象之中。那样的时光是他人生中最幸福的时光。踏入社会以后，经见的事情多了，他觉得那时光是他人生中最宝贵的财富。以后，不管是出差还是出去旅游，他都习惯性地带上惠特曼的诗集。每次带着惠特曼的诗上路他都有一种怀宝行走的感觉。他喜欢那种充实的感觉。男人只要不空虚、有感觉，不管遇到多么糟糕的事情都不会惧怕，都会想出应对的办法。

我遇见一位先知

他在世界的万象万物前徜徉

涉猎艺术、学问、乐趣和官能的领域

为了要捡拾幻想

他说，不要再采纳那些费解的时辰或日子，或者是部分碎片

首先要采纳幻象

如普照的光，如开场的乐曲

要把幻象纳入你的诗篇

永远是混沌初开

永远是周期循环，是成长

永远是顶点和最终的融合（当然要重新开始）

是幻象，是幻象

他有意识地找出诗集中那首《幻象》来读。他喜欢那首诗，当他在生活与工作中出现虚幻的感觉时，他都会读那首《幻象》。那首诗能让他认识世界的本质。人活在这个世界上，不管做什么样的事情都存在着或多或少的虚幻性，那些或多或少的虚幻性会让人产生迷惑的感觉，可是那种幻觉一旦消失，人又会感觉生活的乏味与无趣。那样的感觉是一种危险的感觉，又是生产幸福的感觉。有时候，它会带人走向幻灭。可是经历过幻灭，人活下去了，就会产生

出意义来。因了这样,这个世界才丰富多彩,人活着才有趣味。可这也是很不容易的事情,人要做到这些,必须让浮躁的心灵安静下来。灵智的人需要用某种东西或者某种方法提醒与提示自己,暂时活得不如意不过是生活对人不仁慈罢了。对待不仁慈的生活是需要方法的,不管在哪一个时代,生活在其中的人都要有应对生活的方法。而他的应对方法就是读惠特曼的诗。

读《幻象》是需要耐心与力量的,每次读下来他都会出一身细汗。不过,他喜欢这样的感觉,那是洗桑拿的感觉,是幸福的感觉。在他的人生中,那一首长长的《幻象》陪着他熬过了无数漫漫长夜,陪着他无数次地走过蜜如山从家延伸到学校的山路。

那条山路,耗尽了许多人的生命能量。那些人中,有他的先辈,也有他的同辈。而能走出那条山路的人寥若晨星,无数人的生命无声无息地消耗在那条山路上。他是那少数成功者中的一个,是少数星星中的一颗。那首诗他可以倒背如流,但是直到走出那座山很多年以后,他才理解"幻象"真正的意思是"幽灵",这是在讲灵魂的事。

在山里,人们喜欢灵魂,也喜欢物质。在山里,人们喜欢灵魂也是为了得到物质。就像母亲,喜欢山中的野花野草,是因为那些野花野草是羊群的食物。

那些瘦小的羊是吃山中的野花野草才出落得相貌齐整、体格健壮。那些小羊长成了肥美的肉羊,成了生意,就有主顾找上门来议价了。那些主顾从中挑出中意的,给母亲一些钱就把它们带走宰杀出售,变成餐桌上的美食。

许多大羊变成了母亲衣袋中的大洋,那些大洋经了母亲的手,又跑到他的口袋里,支撑着他日复一日的生活。日子一天一天过去,大洋就变成了零钞。日复一日,月复一月,年复一年,马立就从一个小学生艰难地变成了一个中学生,又从一个中学生艰难地变成了一个大学生。

二十年前,他从老家到北京上大学时,坐在火车上为打发无聊的时间,身边带的就是惠特曼的诗集。那本诗集是红衣少女的毕业赠礼,被他翻看得毛了边，变得陈旧。就像他的单相思，随着毕业离校，也成了陈年旧事。他从没有向她表白过什么，随着时间的流逝，她变成了一团红色的影子，连名字都难以想得起了。在以后的许多岁月里，仍然是惠特曼的诗陪伴他度过了许多或痛苦或欢乐的日子，不过已是换了许多版本。

上大学是他第一次出远门。第一次出远门就到北京城，这在山里面是破天荒的事。山里人第一次出远门大都走不远，要么到县里，要么到省城，若能去一次县城，回到村里就够吹嘘好几天的了。而他第一次出远门就是到北京去，这一去可能就留在那里生活了，就不再回小山村了，这可是大事情。当通知书送到山村里以后，整个小山村炸开了锅。他在山村就成了个人见人爱的宝娃娃，成了个人见人夸的好娃娃。好像他到北京不是去上学，而是去当皇上。他生活的那个村庄，没有人去过北京，北京在人们心中充满着神圣感与神秘感。家里面，不管白天还是黑夜都聚满了人。有人拿来了瓜子，有人拿来了花生，还有人送几尺布。实在没啥拿，就在地里薅把菜叶子也要带了来。来了，就不愿意走，没完没了地聊闲话。有人说："富贵啊，到了北京，替我看看天安门是什么样子。"这句话，他听起来心里有些不舒服，因为他已经改名了，大学的录取通知书上大大地写着"马立"两个字。可是不知者不怪罪，他不能怪人家。改名是自己的事情，人家并不知情。况且，说这句话的是一个长辈，他也不能说什么。在山村里，长辈是最得罪不起的人。得罪了长辈，不管再有本事的人，也没法混。有人说："大哥，听说北京外国人特别多，你要有本事，找个洋媳妇回来，最好是美国妞。实在不行了，日本妹也可以。要是那样，才给咱山里人挣脸呢！"说这句话的是他的同龄人。他也不知道怎么就说出了那样的话，可能是看电视看的吧，约略知道美国是世界上最强的国家，而日本呢，在历史上曾经侵略过中国，有许多神剧就是说日本侵略中国的事，给日本弄点事是许多人的心理反应。给村子里第一个大学生说这些话有些变态，带有报复的性质，但也有发泄情绪的好处。这样的话说到了他的心窝窝里，他很是乐意听。他之所以要考出去，就是不想在山里找个女人，生一堆孩子，然后数着日了去另一个世界。不过,有老年人听了就不乐意了,训斥道:“找个洋媳妇,那生个孩子不就变种了?要找,还是找山里的女娃子。咱山里的孩子实在,生养了,不走样。”不管是谁的话,各有各的道理。在村子里,最便宜的就是话了,不过是费些唾沫星子。最便宜的话能带来最大的受用,那谁还会吝惜呢?大家伙儿说着各种各样的话,逗着乐子,比过年还欢腾。过年还要费钱呢,这样的聚会不用花钱就能产生欢乐啊。

在他的生命历程中,那是他最幸福的一段时光。可是幸福的时间往往过得很快,像山溪中的水,不用拿鞭子赶,自动往山下跑。他必须离开大山离开家了。走出娘那个小院子,他回头望望,枯藤老树柴门,他想,可能再也走不回来了吧?就算再回来,也是客人了。想到这一层,心里就空了。快要到达北京的时候,他的心又非常激动,简直要跳出来了。

正是黑夜淡去,一轮红日艰难一跃,跳在了人们眼前。在火车上,他看到了太阳的那一跃。他差一点从座位上跳起来。他心中突然就响起一个声音:北京,我来了。他眼睛里冒出了激动的泪花,差一点把那句话喊出来。

我轻松愉快地迈步走在大路上

健康,自由,我面对整个世界

面前那漫长的褐色道路引向我要去的任何地方

从此,我不再要求幸福

我自己就是幸福

从此我不再低低哭泣,不再踟蹰,不需要什么

告别了屋内的愁苦,图书馆,苛刻的指责

我强壮而满足地行走在大路上

在下火车以前,马立读完了惠特曼的《大路之歌》。当他合上诗集,感觉火车一点一点慢下来,北京真切地出现在面前,他的心中充满了万丈豪情。那

万丈豪情让他的心里充斥着无限的幸福。可是北京并没有因为他的到来而有所动容,他下了火车,看着到处涌动的人群,心中一下子似堵上了一块大石头。那块大石头又把那无限的幸福压到了心底,再也翻不起波澜。他心想,这北京,人怎么那么多。他想到了蚂蚁。他一想到蚂蚁感觉自己也成了一只蚂蚁。他拖着笨重的行李,走了很长时间,累得不行了,才在一个路口找到了学校的接待处。到地方,他一屁股坐在了地上,喘着气,不想起来。“车来了,同学,快,车来了,快上车吧。”一个提着行李的同学走过他身边提醒他。他这才站起身,走到报到台前,在一张表格上签了自己的名字,然后跳上了一辆开往学校的汽车。在路上,看着两边的高楼大厦,他的心又空了。他觉得北京就像一个庞大的机器,这个庞大的机器不但吞下高楼大厦,吞下道路与桥梁,还吞吐着来自五湖四海的人。在外省,就算是人物,一到北京,被庞大的机器一吸,所有的光环都剥落了,就变成一个普通的人了。更不用说来自山村里的一个穷学生了。

在大学,马立除了学习,几乎不参加任何社团活动。他觉得参加社团是富家子弟的生活。那些富家子弟用不着为生计发愁。而他,需要一条路,需要一条能解决生活、奔向光明前程的道路。他只有抓住自己,改变自己才能找到一条生路。教室与图书馆是他常去的地方,他以优异的成绩赢得了老师们的肯定。大三时,他就有一篇论文登在了美国一家学术刊物上,这是大事了。这是可以写入校史的事情。学校的一位副校长专门接见了他,表扬他不但为学校争了光,还为国家争了光。仿佛,那论文不是占据了一本杂志的版面,而是占了一块领土。仿佛,他不是一位学校的副校长,而是国家的副总理。墙外开花墙内香,那篇发表在美国学术刊物上的论文获得了国内一个大奖。得了这个奖,他就取得了参加学术讨论会的资格。不久,学校就安排他参与了一次学术辩论会,这让他有了与成名专家同场舌战的机会。他不负学校领导期望,取得不错的成绩,他成了一位年少成名的专家。毕业分配时,他已经有一本学术著作在出版社出版,这样拿来就有用的人才很多单位都喜欢,有几家单位相继向他抛出了橄榄枝,其中建筑研究所还答应给分配一间住房。这是多么优厚的待遇啊!房子,在北京这个地方能拥有一间房子是多么不容易的事情啊。他当机立断选择了建筑研究所作为他的就业单位。他抓住了一条幸运的绳子,成功地留在了北京。从此,他不再是北京的过客或者暂住客,而成了北京人。可是在接下来的岁月里,他除了在学术上取得一些成绩外,其他诸如升迁、调资等很多跟生活品质与社会地位有关的事情他一直都不如意。

如果不能成为一朵红花,那么就让自己成为一片草叶吧。如果不能高居庙堂之上,那么就去漫游民间吧。马立常常这样安慰自己。

实际上,他也只能这样安慰自己。在这个世界上,许多事情不会按照自己的主观意图发展。自我安慰是一种忘记创伤的良方。

回望北京,那座庞大的城市已经成了朦胧的影子。想一想,自己已经在这个城市生活了二十年。这二十年中,特别是从大学走到工作岗位上的十六年里,感觉自己就像一粒沙子,被风裹挟在这个城市之中。大学毕业,有很多人羡慕他能进入建设部的二级机构工作,认为他成了一粒有希望的种子。可是他觉得自己是一粒沙子,不是一颗种子,不是那种埋到地下能长成参天大树的种子。与自己相比,一起分配到同一单位的司建高才是一粒种子,一粒发了芽、与岁月共同进步、最后长成参天大树的种子。他没有想到,自己跟这样一个他熟悉得如同熟知自己手脚一样的人同台竞技,争聘建筑研究所所长一职,自己竟然败给了他。自己败给他说明什么问题呢?不仅仅是内行败给了外行那么简单。经过仔细分析,他多多少少得出了一些可以说服自己的结论。

自己跟司建高大学同学四年,又在同一个单位工作,他还是了解这个人的。司建高在学术上是不如自己,但是在经营人脉关系的能力上、吃请送迎的功夫上,却有他的独到之处。这些是他最鄙视、最不愿意去做的事情。不过,这样的事情是少不了的,没有本领也是做不了的,做那样事情的本领也不是说有就有的。拿自己的短板比别人的长处,根本就是自取其辱,怪不了别人。如果没有部里主管领导的承诺,自己不会去跟司建高一较高低的。要比那些个世俗的本事，自己哪里是他的对手呢？

工作十六年，自己在国内外发表了许多有影响的建筑论文，也相继出版了学术著作，算不得名满天下，但也是行业内有名的人物。当一个机遇来临，他虽然犹豫过，但到底是参与了，他还是想再抓住点什么。但凡是事，参与了就会有幻想。他也幻想能从沙子变成金子，在政治上谋个位置，也显得自己更有出息一点。可是想象很美好，现实很残酷，梦说碎就碎了。自己没有变成金子，自己仍然是一粒沙子，而且是从一粒普通的沙子变成了一粒蒙受耻辱的沙子。

他只能接受司建高成为所长的事实。虽然接受了，但两个人同在一个屋檐下，突然之间就有了高低之分，心里多多少少还是别扭。他承认，他不是一个伟大的人，他只是一个想把生活过好的俗人，一个想利用学问与名声把日子过得如春天花开一样舒坦的俗人。有时候，想一想，人活在这个世界上，其实很多事情都是很虚妄的。人首要的事情还是要想办法把自己活好。所以，他接了主管领导给他布置的活儿，就构思着如何一边放松一边调研了。按照程序，他向新任所长司建高递交到蜜如市调研的请示。

“三线城市房地产业的发展跟中国普通老百姓的生活息息相关。老同学，这个活儿可是个好活儿啊。到你手里，肯定轻轻松松就搞定了。”司建高看过他的报告不无调侃地说。

“这不过是领导给个安慰奖罢了。哪里就是我想要做的课题。”他装出无可奈何的样子对成为领导的老同学说。

“这也很好啊，可以出去放松放松。老同学，祝你的调研获得成功。不过，你这一下去，天高皇帝远，可不要做出格的事情啊。你要是出点事，我有点什么要担待的不要紧，坏了你学问家的名头可是大事啊。要知道，老同学，你可是咱们这个系统当中响当当的大名人啊。”司建高很潇洒地在报告上签了字。望着已经低头的老同学，他眯着眼笑着，很有一些不怀好意。

马立原本想骂一句小人得志，可话到嘴边，又生生地咽了下去。出了办公室,他笑了,笑自己的蠢与笨。就算与眼前这个人翻脸又能如何?一切该发生与不该发生的事情都已经发生了,能改变吗?不能,不能改变。改变不了为什么要去过嘴瘾呢?如果只图嘴上一时快活,那样只能把自己的生存环境弄得更糟。做这样愚蠢的事情不是他的风格。

回到自己屋里,关紧了门,他的脑海里一片空白。他不知道明天会发生什么事情,也不明白等着自己的未来是什么。一个人,心里构思着理想的生活,可是一个小小的变故,就会破坏所有的一切。生活总有这样那样的不公平,面对不公平,人的心却不能不平。如果人心不平,受伤害的是自己。所以,当生活中的不公平出现在他身上以后,他要求自己选择接受,然后想办法调整自己的心态过好接下来的日子。

按照他这一级别专家的待遇,他可以乘飞机也可以坐火车去目的地,但他不想那么快赶到地方,他有大把时间掌握在手里,到了以后做什么呢?做一个调研报告,凭手里掌握的资料,他熬上一个星期就能做出来。如果仅仅为了做一个调研报告,他没有必要去蜜如,可是他又不得不出发,那是人生当中一段不得不走的路。既然要出发,把行程搞得有一些创意,对自己也是一种安慰吧。他这样想着,心里也就舒畅了很多。

六、字条的温度

马立回到家里,有一种尘埃的味道弥漫在空气之中,他的心里有一种被堵塞的感觉。显然,夫人没有在家。

出门时,他写了一张字条,放在餐桌固定的位置上。在那张字条上,他说明了自己的去向。这样,不管夫人什么时候回家,一眼就能看到那张字条,她也就知道了自己的去向。

夫人是地理学博士,在一家地理杂志社做编辑,经常随队出外采访,有时候一走就是一两个月。两人聚少离多,靠电话与短信联系感情、维持关系。马立觉得字条比电话与短信更能有效地沟通感情，地理学博士熟悉他的这种方式，也接受他这样一种方式。看到字条，夫妻之间的关系就像有了温度，让人心里产生一种暖暖的感觉。

在如此之大的城市里，像他们这样的夫妻很多。这样的夫妻关系就像空气，很多时候感觉不到存在，但又离不开。这样的夫妻关系，一些人，只能在想念中互相温暖。更多的人，是想也不想的。取暖的方式很多，好像没有必要做保守党，死守着一种方式。那样做，会让人觉着傻。没人愿意在精明的年代里做傻瓜。

除了换洗的衣服，马立还带上了手提电脑与惠特曼的诗集。十几年时间里，他先后买了十几个版本的惠特曼诗集。每次逛书店，只要看见不一样的版本，他都收在购物袋里。不同的版本给人的感觉是不一样的。惠特曼的诗早已成了他心灵的安慰剂，在某种意义上惠特曼诗集比感冒药还重要。城市到处都是药店，哪里都能买得到药，惠特曼的诗集却不是哪里都有。再说了，就算是感冒了，没有药忍一忍，也会过去，也会好起来。但当他感觉有压力，心里焦灼，如果不读上一段惠特曼的诗，他就会产生坍塌的感觉。那才是要命的事情。

他先坐大巴到了石家庄。在石家庄住了一夜，又坐汽车往前赶。正是夏天，日头晒得车皮发烫。天上大朵大朵的云向后奔跑，好像有人在拿着鞭子抽打。做人不自在，难道做一片云也不自在吗？马立想。

以前，马立曾对自己有过这样一个评价：自己是工作的苛求主义者，写作的完美主义者，生活的失败主义者。

当这一结论出来，他得意过很长一段时间。他觉得自己很伟大，能够很清楚地看见自己、发现自己。在人世间，人向外部世界进发，认识世界是十分困难的事情；人向内进发，认识自我更是十分困难的事情。他觉得，他都能够认识自我了，认识世界不就是一件易如反掌的事情吗？但在竞选失败以后，他开始否定自己了。他觉得自己除了对建筑学有所研究，对学术问题有所认识以外，不管是对外部世界的认识还是对自己内在世界的认识都是极其有限的。

作为一个从蜜如山里面出来的人，能够在国家研究机构上班已足以让人艳羡。他很在意那份来之不易的工作，更在意别人的评价，尤其在意领导的评价。如果工作被别人议论或者是受到领导的指责，他首先检讨自己，他会对自己提出更高的要求，努力把工作做到完美无缺。

起初还有人对他的工作提出异议，后来，就少了，就没有了。他的工作几乎成了样本，成了研究所工作的一个参照系。也正因为成了大家工作的参照系，除了王千一与李白丫，他几乎就没有什么朋友了。

朋友少，他也就少了许多应酬，有了更多的时间用于自己感兴趣的事情。他成了一个专家，成了一个建筑评论家。许多房地产商搞活动开始请他参加，领导也开始听从他的建议。他的声望慢慢高了起来。他成了一个公众人物。公众人物是有话语权的，是意见领袖，意见领袖说过的话具有一定权威性，为此，他创造了建筑领域许多专有名词，那些名词有许多的争议，可是那些争议让更多的房地产商对他更感兴趣，他成了更多人邀请的对象。

有一段时间，媒体对于房价问题争论不休，一家电视台要做一个专题讨论这个问题。电视台点名请他做嘉宾。那时候，正是他参与竞争建筑研究所所长的关键时期，他需要的不是媒体关注，而是领导的关怀，他不愿意在非常时期抛头露面。他向电视台推荐司建高参与节目。可是电视台派出了强有力的阵容来公他的关，说这个节目的嘉宾他是不二人选。负责公关的是两位赛过模特的美女，这是传媒机构常用的公关手段。这样的公关手段很平常，可又常常会达到非同寻常的效果。两个美女在他的办公室里耗，除了去卫生间，都陪伴着他。她们谈论着逛街购物、美容美体等女人话题，让他很是心烦，可又无可奈何。司建高得到消息，专门到他办公室里做他的思想工作。看到两个美女，他色眯眯地说："我来帮你们做马老师的工作，事成了，你们要好好地感谢我啊。"那两个美女乐了，其中一个说："好的，只要事成了，怎么感谢都成。"司建高说："一言为定。"另一个美女说："说话算数。"

司建高坏坏地说："老同学，给我个面子，跟二位美女去吧。换了我是你，我立马跟二位美女出发。可如此好事人家就不找我。"

他知道，司建高是一个坏家伙，是那种从头坏到脚，从表面坏到骨子里的人。有时候还坏得不露声色，让人着实害怕。这样一个人，不管什么样的事，只要对他有利，他都会去做，而且不择手段。损人利己的事他做，损人不利己的事他也做。这是纸里包不住火的事情，既然司建高知道了，那么所里领导甚至是部里的主管领导也会知道。如果不迅速了结此事，就有可能给自己带来负面影响。在这种情况下，他打电话到部里请示了主管领导。到电视台做节目是给单位贴金的事情，部里主管领导痛快地批准了此事。主管领导说："你只要把握好分寸，不出事，那于公于私都好，我当然得支持了。"得了主管领导的令，马立才同意去做节目。两个美女知道结果后开心得不得了。一个美女还在他脸上吻了一下才离去。这样的邀请方式搞得他哭笑不得。

那一次在电视台的表演具有相当风险。主持人给他设了圈套，问他当年的房价走向。房价话题当然是老百姓关心的话题，但那也是一个敏感问题，几乎是所有的专家都不愿意回答的问题。可在女主持人不断诱惑下，他最终没有守住学术的贞操，说出了自己的观点。他说，中国的城市化进程推进得越快，住房的刚性需求也就越旺。很多人进了城，没有房子行吗？没有房子，年轻男子就找不到老婆。现在的女孩子不是给男人谈恋爱，而是在给房子谈恋爱。这是一手需求。还有二手需求。那种有住房的人，有了钱，就要改善住房条件，不然婚姻就可能亮起红灯。诸如此类的需求只会推动大中城市的房价上涨。他声明，他所说的只是个人观点，不代表官方立场。虽然如此，因了他的名声，他的讲话还是给他带来了巨大的负面影响。

电视台的节目播出以后，许多人在网上发表意见，质疑政府的专家不代表官方立场又代表谁的立场？这件事情引起了部里一些领导的注意，主管领导更是不满。他打电话给马立说："我让你把握分寸，你就是那样把握分寸的？房价问题是你能回答的问题吗？造成了这么坏的影响怎么办？我怎么给大家交代这件事情?”主管领导的话把他问蒙了。他心想,这可是经过主管领导批准的啊,怎么会反过来声讨他呢?

一个年轻人,早早地就领了行业的风骚,挡了很多人的路,挡谁的路谁就视他如眼中钉、肉中刺,遇有机会,就在领导面前搬弄他的是非。出了事,就更是欲灭之而后快了。很多人跑到领导那儿去告他的状。这样一来,就成了事了。为了平息众怒,解决这事,建筑研究所专门开了个会。名义上是通报会,实际上,是批判会,批判他的会。他也明白,他必须得面对这样一个会。不然,他就过不了关,说不定还得换岗。参加会的人大都温文尔雅,但说起话来,一个比一个恶毒,批得他没个人样子。有人说他说话不知轻重,给行业抹黑;有人说他年轻无知,误导市场;更有人说他口无遮拦,目中无人。能上纲,上纲。能上线,上线。出头的椽子先烂,谁让你年纪轻轻的就出人头地,站在建筑研究领域的潮头上了呢?大家说完了,领导就开始定调调了。主管领导说:“我来综合一下大家的意见吧。这个专家呢,是国家培养出来的专家,代表着单位,代表着行业,说话是要负责的。不负责乱讲话就会引起严重的后果。所以,作为一个专家,不能乱放炮。我看网上的批评有道理,各位专家的批评也很有见地。当然,我们也不是针对马立来说事,马立的行为有不对的地方,但更主要的,我们要针对乱表态、乱发言的现象来说事。这个事,建筑研究所要有让人信服的结论,以塞乱言之道,以堵悠悠之口。不然的话,这个行业就乱了。丑话说到前面,以后谁要是乱说话,乱放炮,再引出事端,惹来麻烦,那就不是开个会,给个批评就能了结的事情了。”主管领导的水平很高,轻轻松松就把一顶不负责任乱放炮的大帽子扣到了他的头上。主管领导讲完了话,会就可以结束了。但有一位老专家要补充几句话。他一补充,大家都开始补充。一个一个打了鸡血一样兴奋,批得没完没了。在会上,他真正理解了“积毁销骨”是什么意思。在那个会上,他做了很深刻的检讨,直到大多数人都满意了,又到了饭点上,大家的肚子闹意见了,才散了会。

当时,他有些想不开。心想,作为一名专家,参加不参加电视节目是他的自由,是他个人的事。况且,自己也不是无组织无纪律,是请示了领导,又得到领导批准的。怎么能上纲上线,给大帽子呢?可是会后,他换个角度,很快便想通了。批斗会这种事,是有传统的。社会变了,它也跟着变换花式,没绝种,还是社会一种平衡工具。大家都是专家,怎么偏你能上电视说话呢?你在电视上给大家说,大家开个小会说说你、批批你,心里也就平衡了。反过来,他觉得领导是为了他好,大家是为了他好。房价问题是上至国务院总理下到普通市民都关心的大问题,哪里是他一个专家就能解释的,就能解决的?他不过是上了人家的套而已。他暗笑自己的无知与蠢笨。在心里,他不但没有仇恨领导,还感谢领导及时的批评。领导之所以批评他,是不想让他再犯类似的错误。不过,名和利真的就是糖衣炮弹,他只不过是一介书生、凡夫俗子,怎经得起开发商糖衣炮弹的进攻,怎禁得起美女们的围追堵截呢?这种事,但凡有,还要接着做。不就是批评会嘛,批就批,身上又不少二两肉。况且,吃一堑,长一智,自己注意点操作技术,不再让人抓着小辫子就成了。

批判会以后,他装作受教的样子,见了老专家问长问短,见了熟人嘘寒问暖,见了领导也有了点头哈腰的本事。他很长时间没有在刊物上发表文章,也拒绝接受媒体的采访,更没有就房价问题再发表什么观点。他不是不敢,也不是不愿,只是觉得自己应该有一种姿态,以便改变他在领导心目中的形象。他所做的一切都是为了更好地创造条件竞聘研究所所长。可是当司建高以高票当选以后,他明白他做的一切都付诸东流,也明白在他身上所发生的一切都不是偶然的,都是有预谋的,目的就是为了阻挡他当选建筑研究所所长。他有一种受到愚弄的感受,更有一种受到伤害的感觉,而且受的是暗伤,是重伤。那伤不为人知,也不可为人所知。他的心里有一种恨恨的感觉,并不是恨司建高,而是恨身边的环境。所有人都知道是怎么一回事,就他一个人蒙在鼓里。没有人告诉他真相,没有人劝他放弃,拿他当猴一样耍。那些可爱的人啊,都哄着他,让他在白日里做着幻梦,直到尘埃落定,他死得很难看,也没有人来安慰他一句半句。好像他是马戏团的小丑,表演完了就完了,人都回家洗洗睡了,就留下他一个人伤心难过。那时候,他才知道自己做了一件多么愚蠢的事情。

在清华大学读建筑系时,司建高与他同班,又住同一宿舍,是最不用功的一个学生,而他是最刻苦的一个。司建高的学习成绩不如他,可是其他无论哪方面都压他一头:政治上,人家是系团支部副书记;女朋友,人家谈的是艺术系的美女;就连睡觉,人家也睡上铺。明显,人家就是要做一个人上人。

人比人得死,货比货得扔。所以,人跟人,没法比。人家只需举手之劳就能得到的东西,自己付出艰苦卓绝的努力也得不到。就说谈恋爱吧,他也是老大难。归根结底,是女孩子嫌他来自贫困山区,穷。后来他谈了一个师大女生,也是外省人,很穷苦。起初,他们还能一起看电影,一起吃小饭馆,很有一些浪漫的情调。他想,有一天,两个人会买一套小房子,养一个小孩子,过一辈子柴米油盐的日子,这样,他就很满足了。可是好景不长,他的理想破灭了。有一天,那个女孩找到他说有人给她介绍了一个相对稳定的工作。这本是一件好事,可是介绍人要收六万元介绍费。六万块钱,换一个好工作也不算多,对于有钱人来说,也算不了什么,可是对于她来说就是一个天文数字。她家里为了她能到北京上学把房子卖掉了,父亲在澡堂子给人搓背维持着生活。女孩的意思很明白,她需要他的帮助。可他苦笑了一下,没有说话,眼睛直望着天空。女孩什么时候走掉的,他都不知道。那个时候他才觉得,一个既没有钱又没有背景的穷小子根本帮不上人家什么忙。后来,那个女孩就跟了一个贵人,那个贵人一把给了她六万块钱。所谓贵人,就是有点钱,有点势力,或者有点事业,又上了点年岁的男人,在生活中,特别是在心理上存在这样那样的缺憾,需要在年轻女孩身上寻找点补贴的人。这是校园里流行的一种产业,但凡在经济上穷困的女孩子,有很多都靠这样的贵人支持。这些老男人是校园女性的侵占者。不过,在那些老男人的心目中,这不过是一种等价交换的生意。需要时,你拿你的,换我的。不需要时,你收起你的,我放着我的。分开时,若是还有点情意,就一起吃顿饭,聊几句不疼不痒的话,谁也不欠谁的。以后,若是在路上见了,想点头就点点头,不想点头,那就是陌生人了。

与那女孩分开以后,他有一些失落,或者说是失望。他想不透,人怎么能这样呢?可是他并没像其他男生那样,失恋了去酗酒,死啊活啊地闹。他想,闹什么呢?这个世界上的许多事情,存在与发生都是有道理的。一个东西,没有了就没有了,争是争不回来的。就算再争回来,那个东西还是原来的东西吗?心情不一样了,那东西也就不可能和原来的一样了。

参加工作以后,也有人介绍过几个女人。其中有一个女人,他动心了,也很想跟她在一起。可那个女人与他交往过一段时间,突然就在他的视线里消失了。

他无法忘记那个女人。那个女人对他动了情,他也对那个女人动了情。两情相悦本来是好事,却因为那女人突然消失而使那情感变了性质。

一个男人一旦对一个女人动情,那就等于得了慢性绝症。只有拥有了,才能缓解病症。有人说,情是世界上最绝的药,可以进入人的生命深处。这话,他信。那个女人就走入了他的生命深处,进入了他记忆的深层结构。每天,仿佛有一种气味在他的身体内荡漾。又像是风,轻得不能再轻的风在他的身边浮动。他无法弃绝对那女人的回忆,也不愿弃绝对于那个女人的记忆。

在他的心目中,女人是要有女人味的。有一些女人与男人相比,只是生理结构不同而已,根本没有女人的味道。这样的女人被时尚地称为女汉子。他不愿意接近这样的女人,更不用说去爱恋了。可是她,她的一举一动、一颦一笑都带着女人的味道。那种味道就像纯正的巴黎香水,洒一点儿,那香味就能进入人的骨头,让男人心里发酥发麻。那样的感觉就像在冬天的午后,一个人坐在五星级酒店大堂的沙发上,透过落地的窗户,眯着眼睛看着那阳光进来,一点一滴地打在身上,而自己一动不动。那样的感觉让他的生活充满了意义。可就是这样美丽着他心灵的女人,说消失就消失了。起初,他也想去找。可是在北京,那么大的地方,到处都是人,到哪里去找?再说了,一个人,如果想见你,他会在不经意间从人群中跑出来,跑到你的面前,给你一个惊喜。如果不想让你找到,你踏破铁鞋也找不到。想一想,人逃到人群中也是最好的逃跑方式。

七、男女课

他与那个女人是怎么相识的呢?他当然不会忘记。那是在长安俱乐部,一个以赢利为目的的房地产民间机构打出“让全国人民都住上好房子”的旗号,与媒体结合做了一次名为“城市与建筑”的论坛。论坛请了几位颇有实力与名望的开发商参加,还请了好几位媒体的总编、社长,声势造得很大。但凡这样的论坛缺不了专家的声音,论坛就请了他去做市场剖析与政策解读。

那样的论坛只是一场秀,人们怀着不同的目的匆匆赶来。开发商为了露脸,专家想当意见领袖。所谓的市场剖析与政策解读,不过是论坛的一个环节,目的是让论坛热闹一点儿,多一些供人议论的花边。在某种意义上,专家只是一个话托儿。所以,他根本不把这样的论坛当回事。那不过是一个场而已。对于这样的场,他觉得自己就像小姐,出一次台拿一次钱。出过一次台后面还有无数个台在等着。有时候,他的心里会有羞耻的感觉。打心里,他也很反感为人当话托儿。可是人在江湖,身不由己。这样的场,就是一个名利场。你不出席,不露脸,不说话,自然有别人来出席,来露脸,来讲话,你就会被人取代。为了保持在名利场中的地位与利益,他不得不硬着头皮去参加一些他不情愿参加的场,赔着笑脸去见一些并不太愿意见的人。他可不愿意为了心中所谓的清高与自尊失去话语权与曝光率。当然,还有可观的红包收入。那些红包收入对他十分重要,他可以用那些收入购买研究资料,改善一下生活。在根子上,他不想让自己从相对富裕的人变成清贫的人。他受过清贫的苦,他知道穷的滋味,他知道钱在生活中的重要性。那一次论坛,他不但收获了一个红包,更让他惊喜的是还收获了一个女人。那个女人叫姚丽娜,是论坛的组织者。

他记得,那一天,天气很好,他的心情也很好。一切都很美妙。他提前半个多小时就到了论坛现场。正因为提前到了,才发现了她。

她穿着红色的中式旗袍,像一团红色云朵飘来飘去。她的一举一动吸引了现场的许多男人和女人。许多女人盯着她看,嫉妒着并学习着她的言谈举止。一个女人,连女人都能吸引,更不用说男人了。许多男人的目光像箭一样射向她身体的敏感部位。他也不例外。

他第一眼见她,就想起了中学时代的那个红衣少女。想到往事,他的眼睛就亮了,心里轰地着了一团火苗。那团火苗烘得他的心里暖暖的、酥酥的,如过了电样,那是幸福的感觉,也仿佛是爱情光临的感觉。他躲在暗处看着人们如走马灯样进入论坛现场,而自己不想那么快就出现在人们的面前。他看着她的一举一动,尽情地享受偷窥的快感。

论坛现场设在一家房地产企业的展示中心。大厅内回荡着流行的交响乐曲。所有进入现场的人都受到了服务人员的热情接待。一个曼妙的女子发现了他,给他送来了一杯热腾腾的咖啡。他端着咖啡一口一口地抿着,咖啡进了肚,整个身体都开始发涨,所有的毛孔都张开了,尽情地吸收着可以吸收的营养。他整个人充分地享受着那奢华的气氛。

论坛快要开始了。他看着许多熟人出现在现场。那些熟人中有地产策划人,有媒体记者,当然,还有许多地产老板。那些地产老板一个个是最会摆谱的,摆谱是他们显示身份的一种手段。这些人平日里不管保持着多么好的关系,哪怕是勾肩搭背的关系,可到这时都要论辈排资一个个来过。每个人来都带着一堆的马仔、一堆的美女,气宇轩昂地比阔气。比马仔的型,比美女的靓,好像不是在参加地产论坛,而是在参加选美斗富大会。走在红地毯上,他们摆出早已演练成熟、能够取悦观众又能取悦自己的造型,演员样面带微笑地供媒体记者拍照。这样的事对他们很重要,比收钱重要,比上情人的床还重要。展示自我形象、塑造人格魅力是企业发展的软实力,不是光用钱就能堆出来的东西。

她对这一切驾轻就熟。论坛就要开始了,她忙活着,指挥着礼仪小姐,让她们引导着各自的客户进入座席。

可是她负责接待的客户还没有出现,那是论坛的重要角色。她走到大厅出入口焦灼地四处张望,还是没有发现目标。难道堵在路上了?那是最可怕也是最要命的事情。她拿出手机拨号码。这时候,他的手机响了。他知道,她要找的人是他。他放下手中的杯子,走到她面前,把请帖递到她的面前说:“小姐,请问论坛什么时候开始?”

她把请帖接过来看了一眼,吐出一口气说:“哎呀,马老师,说实话,就等你了。”

他说:“是吗?我早就来了,就在那边坐着。”

她连忙道歉:“对不起,马老师,是我照顾不周,你多包涵。这是我名片,有什么事情,你随时找我。”

姚丽娜。

名片上,三个优雅的宋体字跳入了他的眼睛。

那是一个美丽的名字。那是一个美丽女人的名字。就凭那一个名字就能让男人想入非非。

他收起名片,对她笑了笑,说:“怎么能怪你呢?我只想一个人多待一会儿,准点进场不误事就行了。”

姚丽娜把他引入了论坛现场。他刚落座,主持人就宣布论坛开始了。

主持人宣布论坛开始,下面的记者就长枪短炮地开始轰炸,论坛上的嘉宾就都坐得端端正正了,他也坐得端端正正了。

他的发言被安排到倒数第二。这是说重要又不太重要的时间段。如果没有才华,没有演说的才华,很容易被淹死在这个时间里。因为,在此之前,很多人已经讲过很多话了,很多观点已经被人用过了,听众的神经已经疲倦甚至是麻木了。但是,他是有水平的人,是与众不同的人,许多听众也是冲着他来的。所以,这个时间段对他来说就显得重要了,他是必须讲好的。他本来就是有备而来，又发现了美女，很激动，好像要证明什么似的，那天，他发挥得很好，几乎是做了一次创造性的发言。他的每一句话都带着魔力，蛊惑着在场的中青年妇女，她们的眼睛里闪动着近似于爱情的光芒。她们热烈地鼓掌。那掌声让他产生陶醉的感觉，他的思维变得敏感而尖锐，声音也变得悦耳而富有磁性。整个论坛被他的气场笼罩着，几乎成了他一个人的表演舞台。

论坛讲演程序结束进入互动环节后，有许多人向他发问，还有一些职业女性拿了他编写的建筑教材请他签名留念。他被人群围着，嗅到了浓重的脂粉味儿，不由得头脑发晕。他陷入了眩晕而幸福的困境之中。这时候，她走上前来，拉着他的手，把人们分开，带着他走出了那困境。一出来，他使劲呼吸了一口空气，头脑开始清醒了。

"谢谢你。"他的手在她的手里面，两个人的手都湿漉漉的，像是清晨的树叶被露水打湿了一样。

"不谢，这是我应该做的。"她抽出了手，脸红了。这样的事情，还是第一次遇见，她机械地应对着。

人是情感的动物，一个男人与一个女人演绎情感的故事是有规律的，如果彼此有意，自然而然会发生一些故事。他和她，自然而然就发生了一些故事。那些故事就像书中写的爱情故事一样，充满了浪漫的情调、迷人的情节。那些故事让他如喝了杨梅酒一样沉醉。正因为经历了那些浪漫的故事，他才明白一个道理:英雄难过美人关。英雄都难过的关更不用说平凡人了。平凡人根本就是美人的俘虏。那些男人，那些不同意英雄难过美人关这一说法的人，或者没有见过真正的美女，没有领略过美女风采，没有享受过美女风韵，或者在本质上就是口是心非的人，是生活中的伪装者。

相思就像病毒性感冒，说来就来了。早知相思苦，又害相思病，像小时候相思那个红衣少女一样，他再一次害起了相思。常常，他拿着那一张名片，想她，想她在不同场景中的样子。有时候，他也骂自己没出息。可是骂过了，他又安慰自己。一个男人，一个正常的男人，不想女人，又想什么呢？想女人，又不犯罪,想女人是男人的天性。

在这种心理支配下,他很想邀姚丽娜见面。他不是虚伪,而是诚心诚意地邀请,后来他们就真的在一起喝茶了。他们之间就发生了一段故事。那是一段浪漫的故事,也是让他珍藏在心中的故事。

论坛之后,他去日本做了一段时间的访问学者,那是一段发酵情绪、酝酿爱情的时间。到了日本,他看了东京国立美术馆、东京都庭园美术馆、大仓集古馆。他对馆藏很感兴趣,对建筑形态更是热衷。还有,他喜欢樱花。像滋润来自世界各地的美女帅男、老妇暮夫一样,樱花也滋润着他的心灵。

为了体会樱花的美,在去看樱花前一天夜里,他专心读了几本与樱花有关的书。其中,他被日本著名作家三岛由纪夫一段写樱花的句子所深深打动:

壮士兮手持刀鞘经年忍受
今日之初霜

鸿毛遗兮所谓此世也罢人也罢,先散之者
樱花凭风入夜

三岛由纪夫是一个拥有决绝美的作家。打动他的是作家的辞世之句。那也是作家留给这个世界的谜,让人读了如入迷宫。

是什么力量让作家在生命的最后时刻写下这组句子呢?作家在最后的生命时光里放不下的那个人又是什么人呢?是女人吗?是他深深爱着的女人吗?去看樱花的路上,他的心里一直盘旋着这句子。这句子让他想到了她。想着那女人,那女人的面孔就如樱花一样美在他的心里了。他的心一动一动的,很舒服也很舒心,那是一个男人动情的感觉。

有一天,如果见到那女人又该如何应对呢?他开始构思与女人见面的种种细节,甚至连应答什么话都想好了。

从日本归来的一天下午，在办公室里，阳光透过窗户落到桌面上，屋内出奇地静，连桌上的电话都不响一下。把所有的事情都处理完了，他又开始想那个女人，想那个樱花一样的女人。想着想着，他就拿起了桌上的电话。拿起，想了想，又放下了。最终还是用手机拨通了她的号码。

"哎呀，马老师，你怎么想起来跟我通电话?"她很惊讶。

"我怎么不可以给你通电话？我可是拿你当好朋友的啊。"他按捺着激动的心情说。

"真的吗?"她的话有些撒娇的意味。

"当然是真的。要知道，我可是把朋友放在很重要很重要的位置上的。"他说。

"那你把我放在什么位置上?"她问。

"你猜猜。"他说。

"你心里想的，我怎么能猜得着呢?"她说。

"一日不见君，便想君的面。"他说。

"马老师，你是开玩笑的吧?"她说。

"哪里会，我是开玩笑的人吗?"话说到这儿，他的心平静了下来。

"你真的拿我当好朋友啊?"她又惊讶了。

"你要不相信那我也没办法。"他祭出欲擒故纵的伎俩。

"相信，我相信，怎么会不相信。"她说。

"那，我想请你喝茶，你有时间吗?"停顿了一下，他说。

"好啊。喝茶好。"仿佛，这一句话是她盼了很久才盼到的一样，她答应了。

在女人的心目中，他是高高在上的学者。她知道他在学界的分量与地产界的影响，与他说话，就如同被一种力量牵引着，她只有顺应那种力。她没有力量拒绝他的邀约，也不愿意拒绝他的邀约。她是一个女人，一个拥有丰富内心的女人。男人邀约是女人价值的体现。

他们约定在呼家楼的一个茶社见面。那个茶社名叫“很久不见”，有一种缠绵的暧昧感觉。其实，不管是男人还是女人，从古到今，没有谁不喜欢缠绵的暧昧感觉。渔阳鼙鼓动地来，唐明皇与杨玉环还在华清池里戏水呢。“小楼昨夜又东风，故国不堪回首月明中。”李后主做了亡国之君，成阶下囚了，回忆的依然是那往日的缠绵感觉。君主如此，凡夫俗子更是如此。凡夫俗子所追求的不正是那缠绵的幸福吗？正是春天，正是北京多风的季节，她穿着红色的风衣风姿绰约地出现在他的面前。一刹那，他又想到了那个借书给他的红衣少女，他仿佛又回到了少年时代。眼前这个红衫女人，是不是那个红衣少女的替身呢？

那一次，他跟她聊了许多在日本的见闻。她被他的博学多识所打动，她被他低沉的男中音所吸引，更被他深邃的目光所勾引。她想，这么一个优秀的男人会没有红颜知已吗？不过，有又如何，没有又如何？如果她跟他，思想真的合在一起，他跟她真的好在一起，又有什么力量能阻挡呢？想着想着，她的眼里就闪出了光，那是自己动情又让男人动情的光。

那次分别以后，他的影子像一面旗子，五彩缤纷在她的心里，过了很长时间，那色彩才淡去了。

在繁乱的工作与生活之中，人是很容易就忘记点什么的，包括爱情。就在她快要把他忘记了的时候，他的电话又来了。他的声音点燃了她身体内的激情。

“这一次，还去喝茶吗？”她柔媚地问。

“不。我们去喝酒。”他的话语温情脉脉。

“好啊。不过，我只能喝一点点红酒。”她说。

“我们就去喝红酒。三里屯有一家红酒吧叫相思豆，根据一首情诗起的名字，有点意思。”他话里有话。她明白。

红豆生南国

春来发几枝

愿君多采撷

此物最相思

在盛行快餐的时代里,爱情也成了速食品,谁还愿意去做这样的事情呢?可那是她心中的渴望,她盼望有人去做,为她而做。她觉得她盼到了。

那一次,她跟他一起喝了许多红酒。观色,闻香,品味。她发现,他对红酒很精通。懂得红酒的男人天生就懂得女人,懂得爱。

“红酒是一种很娇贵的东西。”她说。

“女人也是。”果然,他说出了她最为盼望的一句话。虽然是勾引,但是她喜欢。

女人有些着迷,又有些沉醉。在声色迷离的酒吧里,她产生了许多迷幻的想法。后来,一个想法像一粒种子落进她的脑海里,生根,发芽,开出明艳的花。她要做他的情人,哪怕只是一夜的情人。

有想法了,就行动了,他们成了情人。拥有他以后,她就生起了一个心愿,她要改造他。在吃饭穿衣、行为举止上改造她的男人。她要让她的男人变得更精致,变得更有男人味。在这个世界上,不管是男人还是女人,归根结底是活味道的。这个男人不能只是读书的种子,是专家,更要成为一个生活家。这一切,只有她能给他,只有她能把他培养成一个生活家。这样一个男人,本身就已经光彩照人了,一旦成了生活家,那就更有魅力了。哪怕有一天,这个男人在她的生活中消失了,或者说自己离开了,那她给了他别的女人没有给过他的东西,也就不枉俩人好一场了。

人心似水,易变。而女人是水做的动物,当然,就如水一样善变了。男人呢,心硬,故而男人是这个世界上最固执的动物。鲜花、红酒、好看的衣服,或者是有创意的小玩意儿,都是女人喜好的东西。女人的喜好也是女人的弱点。只要拿住了女人的喜好,男人改变女人也就是瞬间的事情。一个女人改造一个男人呢，则是很困难的事情。

一个女人抓住一个优秀的男人是很困难的事情，更不要说改造一个优秀的男人了。不过，一个女人，一个会改造男人的女人才是有魅力的女人。改造男人的过程也是一个女人塑造自己的过程。

在世界名女人中，姚丽娜最崇尚法国浪漫主义作家斯塔尔夫人。拿破仑一个优秀军官在听过她一番话后，出了房门就成了反对拿破仑的人。斯塔尔夫人给那个军官说了什么话现在没有人知道，也变得不重要了，关键是一个女人改变了一个男人，这就是一个女人的魅力。不管生活在哪一个国家哪一个时代，一个好女人天生就应该有改变男人的欲望与力量。有这样的女人在，世界才变得花枝招展，变幻莫测，富有生机与趣味。

男人的胃是身体的主管，改变男人首先改变他的胃。北京城里汇聚了来自全国的好吃物。鲁、川、粤、闽、苏、浙、湘、皖，八大菜系各有特色。川菜重料，讲究规格；鲁菜清香鲜嫩，味道纯粹；粤菜呢，则有些西化；闽菜炒、溜、煎有异法，上了桌，看起来养眼，吃进口清鲜，美；苏菜以炖、焖、炒著称，出菜其色浓淡适宜，口感鲜香酥烂；因浙江多产鱼、虾，浙菜炒、炸、蒸、烧技法多样；湘菜用料广泛，重油色，多用辣椒；徽菜以烹制山野海味而闻名，选料朴实，讲究火功，菜的味道醇厚。这些菜系，只要有名气的馆子，发现了，姚丽娜就会带马立去吃。没多久，马立的胃便刁了，不但自己会吃好吃的了，请客吃饭看人下菜的功夫也练出来了。

再就是穿衣。她给他买了各式各样的衣服。也不刻意教，只在开会见人前帮他捯饬一番。没多久，他就会自己打扮自己了。古代人家，三代富贵，也不过学得会穿衣吃饭。她没有多长时间就把她的男人改造成了一个懂吃会穿的人，很是了不得，也很不得了。

在懂得享受物质生活以后，他们开始学习享受精神生活。训练人的思想，诗歌是美丽的工具，也是爱情的催化剂。他们很自然地用诗歌供养起了自己的精神。古今中外，他们在诗海中游弋，后来，他们在歌剧中找到了共鸣。

一个男人越是优秀，越是想改变自己，超越自己。往陌生的领域进发是一个男人发现自己、提升自己的一条路径。这是他们选择西方文化品种，谈论歌剧的原因。对于马立来说，西方歌剧显得神秘而又美丽。以前，他从不接触这些个东西。他从来没有想到自己会因为一个女人而爱上西方歌剧。与一个有文化品位的女人聊天本身就是让男人兴奋的事情，再加上与那女人一起探讨西方歌剧，马立觉得自己过的是一种锦上添花的生活。那种美，无以言表。生活中的男人，在许多事情上都可能取得成功，但不论什么样的成功都抵不上进入一个女人内心深处的成功美好。生活在一个物质时代里，女人活得很苦，男人活得很假。许多男男女女在一起，就连做爱时发出的叫声都掺着假、使着伪，还不如猫在春夜里发情叫出的声音真实。这样的男人不管在社会上取得什么样的成功，生活在这样的境遇里，那就是悲哀的生活、可怕的生活，是没有趣味的生活。活在这样境遇里的男人，哪怕是已经活得有头有脸，也没有意思。对于男人，对于有能力的男人，他们无一不想做与众不同的人，无一不想追求与众不同的东西。在他们所追求的目标之中，女人是最能刺激男人雄心的目标。一个男人走进女人的内心深处，与之融为一体了，那样在三更半夜里，自己醒来，也可以放心地把她摇醒，给她讲述梦里看见的人、遇到的事。可以向她讲自己要做的事情，描述自己的理想生活，而那女人会在黑暗里放松身体，倾听着男人讲述只属于自己的话语，只属于自己的故事。为了让男人获得力量，她不但认同男人的观点，还会动情地发出赞美声。那黑夜里的赞美给男人以力量啊，这样生活着的男人才是真正幸福的男人。

认识姚丽娜以后，马立就成了一个幸福的男人。在他心里，有一种思想牢牢地支配着他，他认为一个男人与一个女人，可以发生千万种关系，在那千万种关系之中，金钱与欲望的关系是最低等也是最庸俗的关系。他觉得，他与姚丽娜已经突破了那样庸俗的关系。姚丽娜就像世界上最好的学校，让他变成了另外一个人，最起码，他认为，通过这个女人，他的生活质量得到了显著提升。他会在夜里入睡前，喝一杯酸牛奶，以增加身体的营养与能量。而早上起来，他会喝一杯温开水，用以清理身体内的垃圾。然后，从刮胡子到刷牙，他会慢条斯理地收拾自己，之后再开始一天的工作。与这个女人在一起，他懂得了什么是慢生活。人，在慢中活着，生命才更有质量。

有时候，他也想，在千百万人中，为什么是她而不是别的女人走进自己的生活与生命之中呢？一个男人与一个女人走到一起真的有前生的因缘吗？如果有，他觉得他们就是。他想把两个人的关系一直保持下去，地老天荒，永不背叛，永不陌生。有了这种想法，他自觉地改造自己。她喜欢什么，他也就跟着喜欢什么。她喜欢歌剧，他也跟着喜欢歌剧了。无数次，他们在国家大剧院前约会。看歌剧，成了他们共同的爱好。

有一次，看完歌剧《卡门》，他们步行回家。走在长安街上，他逗陪在身边的女人。

他说："我想写一个剧本。"

她说："写什么？"

他一本正经地说："写你。"

她诧异："写我？"

他说："我想以你为原型写一个歌剧，把你写成不在门里，也不在门外的女人。"

姚丽娜说："什么意思？"

他坏坏地一笑："剧本的名字就叫《卡门小姐》。"

姚丽娜明白了，说："原来你憋着坏呢。"

目的达到了，他赔笑道："逗你玩呢。"

姚丽娜有些生气了："好玩吗？我要是'卡门小姐'，你还是'卡门先生'呢！"

看着心爱的人儿生气，他慌了神。为了表达歉意，他便陪女人去泡酒吧。那一晚，他们一直玩到夜很深了，喝了很多酒，都有几分醉意了还都不愿意回家。他说："我想。"她放肆地笑，坏坏地低语："你想什么？"他说："我想你。"她说:“我不就在你的面前吗?”他说:“面对面看着还想你。”她说:“你看你的傻瓜样。”他说:“不好吗? 傻好啊。”她说:“回,我们回。回去好好想。”他们踉跄着脚步出了酒吧,踩着北京寒冷的夜色回到了家里。他们沉溺在情与爱的世界之中不可自拔,也不愿自拔。他们不愿意让世俗的世界打扰他们。

在成为情人后不久,他发现她并不是北京本土人。跟他一样,她来自外省,而且跟他来自同一个地方,蜜如山。不过,她在很小的时候就离开了那地方,对蜜如山没有太多的记忆。

她是一个被动成长的人。她被人带到了北京,被安排读书上学,被人安排工作。表面上,她是一个风光无限的城市女性,在根子里她仍然是一个山里姑娘。这一发现让他很激动,也让他产生了幸福的快感。原来,上苍对待万事万物都是公平的啊! 他迷恋于与她在一起,无论何时,只要接到她的短信或者电话,只要条件许可,他都会与她见面。两个人待在一起时,谈论最多的不是政治或经济,而是诗歌。她认为,在一个物欲四溢的时代,权力与金钱都是戕害人的东西,只有诗歌是安慰人心灵的玫瑰。每当他们谈论起诗歌,他都会产生虚幻的感觉。他怀疑自己入错了行当。他根本不该是一名用文字跟钢筋水泥打交道的学者,而应做一名排列汉字的诗人,做一个在文字中散步的人。当知道他内心的想法以后,她笑吟吟地说:“在我的心目中,你就是一个内心丰满充溢着诗性的人。在这个世界上,有的人,根本不需要写一句诗,只要他的内心充满诗意,他就是一个诗人。”

她的赞美让他的心中荡漾着幸福的感觉,他愿意与她一生在一起。可就是这样一个柔美的女人,有一天突然就不见了。

那是一个周末的下午,漫天飘着大片大片的雪花。他们约好了在国家大剧院门口见面。他想,在飘着雪花的夜晚,在艺术的殿堂里,两个有情人,一定会有无限美好的东西从心里生长出来。

他先到了国家大剧院,买了票,打她手机,却无法接通。一直打,一直无法接通。他不知道出了什么事。他一直等,等到歌剧演完了,看着观众从大剧院里像流水一样流出来，有的步行，有的坐车，消失在飘雪的夜色里。不管是步行还是坐车走的男男女女，在他看来都是幸福的人，而他则成了寒夜中的一个可怜虫。他一次一次拨打她的手机。虽然无望，可是他一直坚持着，直到手机没电了，他才停住。望望天，望望身外的世界，他的心里很空，一种绝望的感觉弥漫在心中。仿佛生命快要走到终点了，仿佛世界末日就要来临了。他把票一点一点撕碎，在手指之间捻成粉末丢在雪里。就像永恒立在了人的面前，就像绝望摆在了世界的前方。他的脑子里一片空白，就像那一片白的世界，仿佛什么都没有了，什么都不存在了。

他一个人走在西长安街上，走在飘雪的夜晚，身边的人像水一样流动。他像一条无处去的鱼一样，孤独而又无助。他想不通，一个人，怎么说消失就消失了呢？他想象的天长地久、永不陌生只是一个美丽的童话。

一连几天，她的手机都是无法接通。打电话问她的同事，问她的朋友，也问不出一个所以然来。就像雪化在野地里，又被太阳晒干了，一点痕迹也没有留下，她在他的生活中消失了。

很长时间，他对工作与生活都提不起兴趣。他想不通，一个人，一个女人，为什么突然就没有了消息。很多时候，他盼望着她突然出现在他面前，或者突然打来一个电话。可是没有，他与她，就像一场春梦发生了，然后又消失在时间之中，了无痕迹。后来，他想想，自己真傻，自己虽然有着许许多多浪漫的想法，可本质上仍然是一个穷人，根本给不了人家什么东西。在一个讲究物质的社会里，浪漫的想法就是戕害心灵的毒药。

男人是不能轻易爱的，爱得深，也容易伤得深。女人消失了，他受伤了。那个女人就如同在他的肉体里，仿佛没有不见，但是一思想，一走动，发现真的不在了，疼，撕一样扯一样的疼。几个月，他都走不出来，他在爱情的失乐园里迷惘。什么名誉地位，什么利益关系，世界上所有的一切都是虚妄，都是镜花水月而已。许多会议，他都不参加了，文章也不写了。房屋不打理了，自己的身体也不打理了，连胡子也不刮了。他把许多事情都拒之门外，把女人也拒之门外了，他甘愿做生活的囚徒。这让他身边的两个专家——李百了与张千一很是着急。这个年轻人的前途关系着他们的利益呢，已经形成的利益同盟不能因为马立的失恋而解体吧？爱情对于男人来说，很重要。但男人的生活中，不是仅仅只有爱情，不是仅仅只有女人。一个男人要面对复杂的世界，应对复杂的世界，在复杂的世界上不断进步，获得成功。心病还要心药医。他们明白，马立的毛病因女人而起，也要拿女人来医。经过商议，他们动员了家庭成员、亲朋好友，组团结队为马立做媒拉纤。先后找了二十多个，女教师、女干部、女白领，样式齐全，可没有一个让马立动心。真的是哀莫大于心死啊！就在所有人都灰心丧气的时候，事情突然就有了转机。一次，在张千一媳妇的食杂店前，马立认识了一个女人，两个人竟然擦出了火花。

那女的，是地理学博士，在一家地理杂志社做编辑，不知烟火气色，是食杂店的常客。马立呢，受了情爱的刺激，游手好闲，经常在张千一媳妇的食杂店混。三五个照面，两个人就熟识了。一天晚上，张千一媳妇就把这事给他说了。张千一正拿着本书装样子呢，听了，很激动，说："好事！"张千一媳妇说："看把你激动的！"张千一说："激动，得激动。"他扔了书，一把搂过媳妇："来，庆祝，庆祝。"见男人看见希望一样高兴，媳妇就主动地配合张千一庆祝。庆祝了很长时间，都庆祝得很满意，张千一说："你要想办法配合他们成就好事，这也跟咱家有着莫大的关系。"媳妇说："知道，那是咱家的生活质量嘛。"见媳妇很懂事，张千一才放了心。第二天上班，张千一就把情况告诉了李百了。李百了知情后，也觉着是好事。一伙子人，团结起来给两个人创造在一起的机会。时间一长，两个人就心照不宣了。两个人就开始约会了。

那时候，地理学博士已经是三十二岁的剩女了，是那种急于把自己处理掉的女人。第一次约会时，地理学博士见了他，就像见了珍稀动物一样，用异样的眼光看着他。

"你怎么这样看着我？我又不是大熊猫。"

地理学博士笑了："对于我来说，你比大熊猫珍贵。没想到都到这般境地了，我还能逮着你这样的男人。”

他说：“什么意思？”

地理学博士说：“这些年，我也没有少见男人。不是太老，就是二手货。你，一手的，又是专家。你说你是什么样的男人？配我，不正合适嘛。”

地理学博士大大咧咧的，他被逗笑了。他说：“你这样的女人，我也第一次见。”

地理学博士说：“怎么样，处处？”

他说：“处处。”

一个受伤的男人，一个大龄剩女，两个人就开始处了。

有哲人说，一个男人结了婚才会变成真正的男人。还有哲人说，一个女人有了家才会变成真正的女人。三个月后，两个人就把事办了。两个人都是因为需要才结的婚。结婚以后，也的确过了一段如胶似漆的生活。可是三个月后，关系就淡了。因为工作性质，两个人都经常出差，一年到头也难得见上几次面、吃上几次饭。慢慢地，两个人的关系就变成了水跟水、空气跟空气的关系，虽然淡，但是又都离不开。这就是他们的生活了。

八、制造浪漫

从滚滚的人海中有一滴水走来温柔地对我低语

我爱你，不久就会死去

我旅行了很长一段路程

仅仅为了来看看你，摸摸你

因为除非见到你一次，我不能死亡

因为我怕以后会失掉你

去一个地方，会见到谁呢？会发生什么样的事情呢？马立把诗集合起来。

马立是一个喜欢幻想的人。当一个问题浮在脑海里,他总要想一个明白。他要去的蜜如是故乡最繁华的城市,是故乡人的精神都城。当年,他在大山里生活,蜜如也是他的精神都城。如今,他走出了那个地方,他的心早已被外面的世界涨大。尤其是他学习建筑,成为建筑学的专家以后,就像外科医生把人视为骨肉血脉一样,他常常把那些城市细化成建筑材料,不管是什么样的城市,在他的心里都不再具有神秘性,反倒是乡野山川对他更具有吸引力。这个时候的他再看蜜如城,不过是小地方,是家乡而已。但就是那一个小地方,十年过去,几十年过去,他的家人、他山里的乡亲们仍然觉得那是一个神秘的地方,是一个大城市。他知道,在山里,有的人,一辈子,最大的心愿就是去蜜如城里看一看、走一走。哪怕只是去吃一碗胡辣汤,买两包盐、一瓶醋,回到村里都会成为夸耀的资本。他所知道的,有一个老人,嫁到他的村上,活到八十多岁,也没有去过蜜如城。后来,她城里一个孙子做生意发了点财,问奶奶想吃啥好吃的,她说:“什么也不想吃,就想到蜜如城里逛一圈。”她孙子借了一辆面包车拉着她去了蜜如。可是她的眼睛接近失明,几乎看不到东西了。孙子每到一处都耐心地给她讲解,她把蜜如城听了一遍。她对孙子说:“活到八十多了,终于到蜜如城了,就算是死也值了。”或许是过于激动吧,老人回到家当晚就死了。孙子跪在奶奶灵前,捣蒜样磕头,血流了一地,口口声声说是他害死了奶奶。孙子本是行孝,结果却死了奶奶。这件事情给他留下了深刻的印象,至今他还记得。诸如此类的事情很多,一件一件地积累在他的心里,刺激着他的思想提前进入成熟期。也就是它们坚定着他走出大山的决心。

汽车快没油了,只能慢慢地开,好不容易到了一个服务区。可是加油站里汽车排着长队。他通过手机网络看到了一条油价即将上涨的新闻。中国许多加油站出现了油荒。以前那些与自己生活毫不搭界的事情这个时候与自己发生了关系。

等待,等待。等待是一种煎熬。许多人开始焦急,开始埋怨,开始骂,骂出各种各样难听的话。可是骂有什么用呢?在那种环境里人只能面对现实,要么等待,要么想办法上路。可以慢一些,但不能停下。在行进中,思维可以自由自在地奔跑,那种奔跑感让人的心里很愉悦。不管在什么地方,人一旦静止不动了,心头就会弥漫起无边无际的忧伤。一位女心理学家告诉过他,忧伤是一种病,是一种传染病,它可以在无形之中伤害人的身体与心灵。许多抑郁症患者最初的发病症状就是忧伤。马立不想被忧伤控制。他果断下了车,在停得乱七八糟的汽车中穿行。没用多长时间,他就看到了希望,他看见了一辆挂蜜如车牌的雪佛兰轿车。“别摸我,我怕羞(修)。”雪佛兰轿车车尾的车贴刺激了他,他的心为之一动。他心想,能搭上这辆车,肯定能到蜜如。

一个年龄在三十五岁左右的小巧女人从服务区餐厅里走了出来,一直走到雪佛兰轿车车边。她开了车门,坐了进去。他加快速度,几步上前也走到了车边。不然,人家打着火,就没机会了。

“你好。”马立上前跟那个小巧女人搭讪。

“你好。请问有什么事吗?”小巧女人说。

小巧女人戴着一副蓝色镜框的眼镜。她的嘴,有些大,嘴角上翘。她留着短头发,风一吹,飘起了两绺在额前,很有一些风韵。

“首先向你保证,我不是搞推销的,更不是劫匪,只是想问一下你去哪里?”马立举着手,做出一个诚实的姿态。

“你想做什么?”小巧女人疑惑地望着他。眼前的这个男人看起来斯斯文文的,应该不会给她带来什么威胁。再说了,大白天的,在如集市一样的服务区,会出什么事呢?所以,她没有发动车子。

“我看到你的车挂着蜜如的车牌,我也去那个城市,如果顺路的话,我想搭你的顺风车。我坐的那辆大巴没油了,你看,排着队呢,也不知道什么时候才能加上油。”为了表示自己并没有说谎,他用手指了指他乘坐的那辆大巴。可是不管怎么样,马立还是有些紧张,有些尴尬。对于一个年轻时尚的女人来说,他的要求有些唐突,甚至有些不合情理。要知道,这是在中国,在矜持的东方,不像在西方国家,开放到到处都有顺风车搭。在不与陌生人说话的中国,弄不好，顺风车搭不上，还会被误解。他只有抱着试试看的态度撞运气。

小巧女人表现得很从容。显然，她是一个经常在路上跑的人，不是第一次碰见这样的事情。“我的确是去蜜如的。”小巧女人说。

“我可以给钱。”马立说。

“要提钱的话，你就等着坐大巴吧。这不是钱不钱的事。”这话听起来是有点生气了。

“对不起，对不起。”马立也觉得自己的话不是很妥帖，说了一串道歉的话。

“看你也不像坏人，我就发发善心，但你必须说出一个道理来我才会捎上你。”小巧女人被眼前这个男的逗乐了，她语气听起来有点轻佻地说。

“我喜欢在路上的感觉，但不喜欢漫长的等待。”马立一只手不好意思地放在额前。遇到一些特殊情况时，他喜欢把一只手放在额前，好像要遮挡什么似的。那是他的招牌动作。

“这个回答比较牵强，但也算你过关了，不过，我还是要知道你的身份，万一你是坏人怎么办？”小巧女人扶了扶镜框说。

“这是我的身份证，还有工作证。我是国家建筑研究所的调研员，去蜜如市出差。”马立拿出自己的证件。

“你是搞建筑研究的，我是做地产策划的，那我们也算是同行。走吧，我刚好有些问题请教请教你，我不收你的搭车钱，你也不要收我咨询费好了。”那小巧女人说。

马立没有想到事情竟然会这样。云开雾散，他心里的积郁一下散了。他笑着对那小巧女人说：“我可上车了？”

小巧女人说：“上来，上来。”

小巧女人变得很爽快。马立嘿嘿笑了两声，就上了车。坐在车里，他递给了小巧女人一张名片。小巧女人也给了他一张名片。

小巧女人名叫肖冰，是蜜如市美丽桃园房地产顾问有限公司的副总经理。

成功地搭上了顺风车，而且搭上的是一个美丽女人的顺风车，马立如沐春风。

“真巧啊，肖总，我们还真算是同行。”马立笑着对开车的小巧女人说。

“其实，我早看出来了，你不是坏人。可再怎么说，你也是一个男人。我一个女人，顺风搭一个男人总有不方便的地方。你说呢，大专家？不过，我不明白了，你从北京去蜜如出差，坐飞机不到两个小时就到了，就算是坐火车也就是睡一觉的工夫。这又不是赶上春运，机票车票紧张，你怎么坐大巴啊？”上了路，两边葱绿的景色向后面唰唰地飞驰过去，肖冰问马立。

“这一次下去搞一个调研，任务不重，时间比较宽裕，就没想赶得太急。你呢，肖总，你怎么一个人啊？”马立说。

“公司在石家庄代理了一个项目，我送两个人到项目上，回的时候就一个人了。”肖冰说。

弄清了对方的身份，人呢，就亲近了许多，谈话也自由了许多。在路上，肖冰问了许多房地产政策与市场走势问题。马立根据他所掌握的知识与信息一一做了解答。马立的解答让肖冰满意，一直遗留在她心里的许多问题都被这个专家给出了完美答案。作为一个房产销售代理商，肖冰的生活质量是跟房地产开发商紧密地捆绑在一起的。开发商的日子好过，她的日子也就好过。开发商的日子难过，她的日子也难过。如今，房地产行业在风风雨雨中讨生活，她的生活就更像滚滚洪流中的一条小舢板，不知何时就会翻掉。她一直想找个人给她指点迷津，没有想到，一个搭顺风车的竟然是这个行业的专家，而且是来自北京权威部门的大专家。她如同捡了一个宝贝。这样的人，在某种意义上就是地产行业的代言人，肚子里装着不少干货。她要尽可能地把那些干货掏出来。

“大专家，你读书多，见识广，你知道我们要去的地方——蜜如有什么来历吗？”在建筑专业话题与房地产政策敏感话题聊得差不多以后，两个人就开始没话找话了。肖冰打开收音机，收听着交通路况，向马立问了一个房地产专业以外的问题，好像要考一下马立其他的学识。

马立本来有了困意，他斜着身子软在座位上，闭上眼睛想睡一会儿，这个问题刺激了他，他直起了身子。

“这个问题，你难不住我。”马立笑了笑。他笑得很古怪，有些不怀好意。

“那你说说。”肖冰的眼睛一直盯着前方，没有看到他憋着坏的样子。

“我说了？”马立说。

“你说，你说。”肖冰说。

“哎，美女，你有这样的态度，那我就放心了。我告诉你，其实，蜜如以前并不叫蜜如。”

说到这里，他故意停顿了一下，故意要引起美女的好奇心。

“不叫这个名字？那叫什么名字？”肖冰问。

“蜜如是谐音，它从前叫蜜乳。”马立说。

“什么，蜜乳？”肖冰的脑子一下子没有反应过来。

“蜜，就是蜜蜂的蜜；乳，就是乳制品的乳。”马立道，“这个地方自有文字记载就叫蜜乳。改蜜乳为蜜如也就是三十多年前的事。”

“谁改的？为什么？地名怎么能改来改去呢？”肖冰关掉了收音机。她好像对这个问题产生了莫大的兴趣。

“当然是领导改。一个叫燕双来的领导，他到蜜乳做一把手的时候，赶上这个地方撤地设市。那是一个很有些学问的领导，跟大领导当过秘书。他觉得这个地名很不雅，就把蜜乳改名为蜜如。后来国家就批了这个名字。其实，叫蜜乳也没有什么不好，一下子就能让人记住。”马立说。

“我以前没有听说过这件事情。不过，专家，你说得有道理，谁不是吃奶长大的，叫蜜乳没有什么不好。那个叫燕双来的也真是，碍着他家什么事了，非得把名字改了，弄得我们都不知道出生地的来历了。”肖冰说。

“有关蜜如的故事，还有很多呢，以后有机会再给你讲吧。我有些困了，想眯一会儿。”仿佛以后还会见面似的，马立想给眼前这个女人留一些念想。或许，他觉得这个叫肖冰的女人已经上了套，在未来的日子里，若是见了，他们的关系可以有所进展。既然有这种可能，那就不妨放长线钓大鱼、钓鲜鱼了。一个人在外面漂，有一点艳遇大可以愉悦身心。他才不愿意做一个孤独的男人呢。

他闭上了眼睛，采取了守势。他的脑海里闪出一幅又一幅图景，他好像又回到了大山里。在蓝天之下，山谷之上，大朵大朵洁白的云彩飘动着，像是调皮孩子的脸，变幻着形状，一会儿一个样子。远远地，他就看到家里那些没有思想却很守规矩的羊。它们纷纷伸着头，白白地晃动着，仿佛迎接主人回归一样。羊群后面跟随着他已经老了的母亲，那是他无论何时何地都不会忘记的母亲。

那时候，不上学了，他也跟着母亲去放牧羊群。很多时候，他手里拿着《惠特曼诗选》，躺在草地上，偶尔看上一两眼，大声读上几句，心里十分开阔、舒坦。他觉得世界上再也没有比这惬意的生活了。可是他不知道这样看似惬意的生活是由母亲辛苦的劳作支撑着，诗意的表象之下，是贫困。贫困不但是他家里生活的本相，也是山里大多人家的生活本相。人们在穷困中熬着生，熬着死，熬着一代又一代人的命运。花开花落，年复一年，他们盼着生活能起一些变化，而变化只是表象，根子上，仍然贫困。贫困就像烙铁一样，在蜜如山人的身上、心上烙下印记。就算通过努力走出大山了，人用十年二十年甚至是一生的时间都还消除不了那些印记。

许多人为了离开大山，做出过各种各样的尝试。可是许多人带着梦想出去，最终还是灰头土脸地回到大山里。因为，他们可以改变生活方式，却改变不了思维定式。山里人的思维定式让人很难与城市融合在一起。很多人在城里生活多年后，仍然人是人、城是城，相隔着，冷而残酷。在他的记忆里，大山里，也有一些多才多艺的人，喜欢以音乐展现他们的才华。其中有以吹响器见长的，有人在这个山头吹，声音会传到另一个山头上，另一个山头上的人听到了，就会及时地回应，你吹一出《凤求凰》，他来一曲《蝶恋花》，以求短暂的欢乐。更有痴男怨女，对唱着情歌，沉在爱情的曲调中，也只为忘记人世间的苦恼与忧伤。更多的，是没有人回应的。他们吹出的曲曲调调是悲伤的，是无奈的。他们无处诉说，只有对大山发泄心中的积郁。

他也想到山外去生活，他不想过那充满忧伤与无奈的生活。他明白，如果一直待在大山里，他的生活就是一根放羊鞭子。他要靠放羊鞭子去支撑自己的生活，甚至要靠放羊鞭子去养活整个家。那样的生活对于他来说就是绝望的生活。他不想过那样的生活。一个人的生命一旦打开思想的天窗，他就不想让生命再埋到土里去。尤其是在他已经拿到了改变命运的入场券，他更不想拿那根放羊鞭子了。

他去大学读书的第一年，家里的羊少了一多半。家里用那些羊换取的钱保证了他一年的学业。这样，母亲在家里努力增加羊的数量，他则在学校里努力地读更多的书。等到大学毕业那年，母亲老得再也养不动羊了。当母亲把最后一笔钱交到他手上的时候，他在黑夜里找了一个可以哭的地方痛痛快快地哭了一场。

他上班了，他一上班就把娘接到了北京。放羊婆要去北京了，这在小山村里像放了颗炸弹一样。可是母亲在北京没有住几天就住不下去了。在屋里，她闷得慌，出门去，一抬眼看见的是高得让人眼晕的大楼。走到街上，车流不息，人头攒动，更让她喘不过气来。更要命的是，干什么事都要花钱。吃的用的要花钱，水电气暖要花钱，连拉屎厕尿都要花钱。挣钱难，花钱像流水一样。她经常想，自己养羊供儿子到北京来念书是不是错了？是不是送儿子到这个地方吃苦来了？儿子上班已经很累了，下了班还要读书写文章，常常熬到深夜还睡不了觉。她心疼，她心疼儿子。在山里，虽然苦，可大家都那样过，也显不出儿子的苦来。劈柴担水的苦自己还能替一些，可是儿子在北京拿笔杆子熬夜的苦，她替都替不了。她想了很久，终于明白，穷人家的孩子上了大学并不等于有了幸福的日子，要想过好日子仍要费尽心力地去做。想到这里，她更觉得自己错了。自己受了一辈子的苦，结果是把儿子逼到另一种苦日子上来了。既然帮不上儿子什么，她就不想成为儿子的累赘。不久，她不顾儿子反对，坚持回到了山里。母亲回到大山里，就再也不愿意出来。当他在工作上看见光明了，在生活上可以享受阳光了，有条件让母亲过上好生活了，母亲仍然不愿意再去北京。有一次，他去接母亲。夜了，在母亲的院子里，他坐在一个小板凳上，坚持着，等母亲表态。他抬起头，看见天上有星星。一群一群的星星，闪着光亮，装饰着深邃的天空。母亲说："北京是大，北京是好。但娘在家里也好。各有各的好。"

他知娘没有动身的意思，便换了一种方式，说："就当娘是给儿子脸呢。"娘笑了，说："活在高高的楼上头，连地气都不接，是脸面重要，还是活命重要？再说了，在北京的楼上能看见这么多星星？在家里，娘能给星星说话呢。我知道你为娘好。要真的为娘好，那就顺了娘的意思。娘就在家里，哪儿都不去。"娘的话有娘的道理。他没有想到，大字都不识几个的娘在山里活成了哲学家，竟然会说出那样富有哲理的话。母亲的话纵然很有道理，但母亲的话让他很伤感。他努力很久，也收获了很多，却在母亲的幸福感上无能为力。反而，是母亲给他上了一课：人，最重要的是要接地气，不接地气的人就是没有根的人，是漂着的人，是活得不真实的人。

在明白母亲的心意以后，他就顺从了母亲，让她待在山里面生活。不过，他与母亲约定，他定期寄钱回家，养着母亲的生活，不准她再去做山里辛苦的活计。母亲也理解。儿子大了，不管怎么难，都是一个要脸面的人了。儿子要颜面，她当然要维护儿子，那可是她的心头肉。为了让儿子放心地谋生活、拼前程，在口头上，她答应了儿子的请求。从那时候起，山里的母亲就成了他的牵挂。这一次出北京，他最想做的事情就是回老家去看母亲。他想去母亲的老院子接一接地气，他想让母亲的老院子给他力量。自己还年轻，还要过很长很长的生活，要走很远很远的路，他不能没有力量。不管生活对自己有多么不公平，他都要坚持走下去。他要让自己活得好一点，再好一点。

做梦的人是世界上幸福的人。但是梦总是要醒的，特别是让人幸福的梦总是短暂的。当马立从梦境中迷迷糊糊地醒来，肖冰已经开车到达了目的地。

蜜如就在眼前了。

进入市区，街道两边的路灯睁着眼睛，告诉远来的人，已经是夜晚了。

"不好意思，我睡着了。你随便找个路边把我放下，我打个电话让蜜如房地产管理局来人接我就行了。"马立说。

"还有一段距离呢，要不我送你吧？"肖冰说。

"已经很麻烦你了。天晚了，你就快点回家吧。咱们改天联系，我要好好谢谢你。"马立说。

"行，那我们就改天再联系。"肖冰没有再坚持。

为了安全起见，肖冰就把他放到了一个人流密集的地带。肖冰落下了车窗玻璃，向他挥了挥手，车很快消失在车流里了。

他站在路边，想了想，这个时候，蜜如市房地产管理局早已下班，人去楼空了。他改变了主意，想先找个酒店住下来，然后再跟房地产管理局联系。那么一个大局，肯定会有值班的，只要联系上值班的，值班的人自然会给领导报告。这样，他在蜜如的吃住行就会有着落了。这一次出来，怕是要住比较长一段时间，他必须依靠好下面的单位。

他把事情想通了，就走到路边挥手拦出租车。可是一辆一辆出租车从他的身边过去，没有一辆停下来。

怎么了？这是怎么了？那么多空车，怎么就没有一辆停下来呢？难道他们没有一个人看见他高高扬起的手臂？

"你不要打车了，这个城市的出租车不拉客了。"一个路人对他说。

怎么就不拉客了？怎么会发生这种事呢？这到底怎么了？怎么一下车就会碰到这样的事情呢？

"怎么回事？出租车不拉客是怎么回事？出租车怎么了？"他问了几个人，可是没有人能够回答他。

北京才给了他一记闷棍，故乡又给了他一个下马威。他突然觉得自己陷入了困境。他有些后悔放走了肖冰。在这样的困顿中，他该怎么办呢？看着车来车往，在熟悉而又陌生的故乡，他感觉到自己小得像一粒尘埃。他想了想，还是决定先找个地方住下来，哪怕是一个小地方，只要有热水，能泡热水澡就行。一路上折腾得他身心疲惫，他只想痛痛快快睡上一觉，之后再去做事。于是，他提起行李箱，找了一条路，向路的深处走去。

第三章
听风记

一、听风者

蜜如市市长刘湘民有一个癖好:听风。

但凡有难事困住了心,或者有不快的事,烦,他就到山里去听风。不同的地方,风的声音不一样,味道也不一样,带给他的感受也就不相同。在风里,他常生出很多灵感。那些灵感又刺激着他的头脑产生出很多处理难题的办法来。还有,一到风里,他困顿的心灵会在刹那间解脱出来。就像去"在水伊方"搓背可以解决睡眠问题一样,听风是他整理思想、调整灵魂的方式。

不过,在市政府大院里,听风是刘湘民的秘密,只有极少数人知道他这个秘密。一旦在城里找不到他,秘书也不知他的去向,他就有可能去山里听风了。

在地、火、水、风四大物质中,风无形而善变,且有力量。小风,像美人的手抚摸着世间万般生灵,引导着那些生灵在无形之中听命于它。若是有不从的,它便发怒了,小风就变成了大风,变成了台风甚至是龙卷风。那时,它就肆意地虐待这个世界,威胁这个世界上生长出小脾气的生灵。从某种意义来说,刘湘民是一个听着风、追着风长大的人。刘湘民是喜欢风的人,他想做一个像风一样的人。

从小到大,当官都是刘湘民的理想,是他的追求。因为有理想、有追求,他一步一步地爬到了蜜如最高领导的位置。一路爬来,很累,也很享受。他想,世界上还有什么样的累是享受的呢?

小时候,刘湘民就是山里孩子的头。大家在一起玩,有人要加入他们的队伍,必须跟他说出个道道。这可不是说一句好话就了的事,也不是人孝敬一些好吃的好喝的就了的事。在他那里,他就是团体的灵魂,想加入的人得有说法。那说法就是一套程序。具体的步骤是,找一个已经在团体内的人,把要加入人的情况说清楚,他觉得可以带着一块儿玩,就点头表允许。然后是那个人要发个誓。其中有一项,是必须向他行礼。他看那些跟他的人,要是喜欢,男的,他踢上一脚,女孩他摸一下头,就是组织的人了。男人的屁股、女人的头,是不能轻易碰的,碰了,就意味着把这个人收了。那时候,刘湘民并不懂得这些道道,但他就那样自然而然地做了。经过这一程序,那些个野孩子就算进圈了,就能跟他一块儿玩了。进圈一起玩了,并不代表就是他的好朋友。要想成为他的好朋友,听风是必做的功课,也是他观察一个人是不是同道中人的重要手段。

一个人跟他够要好,他就带了那人,找一处山口,让人陪他听风。风越大越好。接受考验的人必须在指定的时间内回答他的问题。问题呢,有的很简单,有的很复杂。因人而异,根据他的心情而定。听风者要有较强的应变能力,琢磨着他的心思回答他的问题。这个时候,想成为他的好朋友的人,便会和盘托出自己的真心话。见达到自己的目的了，刘湘民便会露出会心的微笑。

上学后，他的追求是当班长。当上班长了，就意味着是班里的老大了。那可是管几十号人的老大呢，屁大的事，都得过他的手。要是哪年没当上班长，班里三天两头就会出点事。比如女老师上课时会发现死蛇啦，男老师的眼镜一摘下就会失踪啦，都是些小事，每一件又都很烦人，如果去查，都知道病根在谁的身上，但累死人也查不出真相来。于是查的人只有放弃，老师呢，也只有让步，让他当班长。他一当班长，什么事又都好了，一切都平安了。所以，从小学到高中毕业，他一直当班长。上了大学，他仍然是班长，不过，他有了更高的目标，他想做学生会主席。做了学生会主席就能为以后混社会打下坚实基础。但是林子大了，鸟也多了，什么有本事的鸟都有，来自五湖四海的人精们有许多都想做学生会主席。所以，学生会主席真的不是谁想当就当的。为了当学生会主席，有点能力的人都使出解数去争、去抢。如果硬拼，他只是来自山里的孩子，虽说有点经济基础，但他那基础跟人比起来根本不能叫基础，根本没有什么优势。在大学里做事，光凭学习成绩是不灵光的，没人买书呆子的账。认清了形势，知道自己没有优势，他便开始装，装作一心读书的样子，装作与世无争的样子，好像从来不管窗外的雨打风吹。可是私下里，他拼命做功课，他的功课就是利用各种各样的手段去结交他认为用得着的人。同学之间，他把握一个原则，就是比自己出身高、家里有背景的，他想方设法也要去结交。结交上的，自然成了他的兄弟姐妹。结交不上的，他也不得罪，尽量维持关系。还有一项功课，十分重要，那就是拜访师长，带着各种各样的问题拜访师长，请求他们为自己指点迷津。在大学校园里，哪一位老师不希望得到学生的尊重呢？而被尊重的直接表现就是能为人传道授业解惑，有一个说学问的对象。刘湘民利用老师们好为人师的心态，与许多人攀上了关系。时间一长，指点他的人多了，他对于人生社会也就有了独到的认识与见解。慢慢地，他处理问题的水平也就高出了常人。那些指点他的老师呢，看着他一天一天成长，认为孺子可教，就自然而然地给了他诸多的小名和小利。慢慢地，他就有了小政治家的美誉。没有背景、没有关系反倒成全了他。那些有关系、有背景、有能力的人反倒愿意向他靠近、跟他学习。他呢，是一个不满足现状的人，根本没有把小政治家的美誉放在心上，也根本不拿身边那些没有头脑的同学当回事。什么小政治家，不管什么事，也不管什么样的名头，一加上“小”字意思也就变了，味道也就淡了。他要努力把那个“小”字去掉，他要做一个真正的政治家。但去掉那个“小”字是十分困难的，那需要足够大的平台、足够多的努力才行。他的理想仍然是当学生会主席。他觉得只有当上学生会主席，才有希望在大学毕业以后登上政治舞台。大四那一年，他终于击败了所有对手，当上了学生会主席。可是他还来不及表演什么，许多学生已经离校奔赴工作岗位了。不过，当上学生会主席仍然成了他人生一个重要的转折点。

大学毕业了，同学们八仙过海、各显神通，有去处的早早走了，去讨自己的小生活了，去拼自己的前程了。教室里就开始空了。教室里一空，他的心里也开始空了。什么小政治家，什么狐朋狗友，都是放狗屁，关键时候一点用处也没有。不过，这些想法他只是存在心里，他没有借酒浇愁，也没有牢骚满腹。他知道，面对复杂未知的世界，借酒浇愁、牢骚满腹都是无用的表现。他要做一个有用的人，他必须积极过着每一天，他仿佛觉得有一双眼睛在盯着他，他感觉有什么事情就要找上他了。外面的世界不动声色，他也不动声色。他每天照常到教室里去看书，到图书馆去泡，夜里到学校的林荫道上散步。那热热闹闹的身外世界仿佛跟他没有半毛钱的关系。这样的日子过了一个月，好事情果然来了。有一天，系主任让人找到了他。他去见了系主任。

“湘民啊，你来了。坐，坐。”看见他走进了办公室，系主任亮出了热情。

“主任，你找我？”他坐下了，问。

“是，我找你，也没有别的事情，就是想问问你，工作上的事情有没有着落。”系主任问。

“哪里那么容易啊。主任，你是知道的，我又没有什么关系，也没有什么背景。”他说。

“那你有什么想法?”系主任问。

“我没想法,还请主任多关心关心。”他说。

“那就好,那就好。”系主任说。

那天,系主任问他愿意不愿意到一个县里工作。系主任在十年前教的一位女学生当了县长,向系主任要一位文笔好的学弟帮助她做些文墨上的事情。说白了,就是找个文胆。古今中外的大人物,都配备这种人。县长是一个县的衣食父母,是一个县的公众人物,那是要经常出头露面的,是要在不同的场所,面对不同的人讲不同的话的。也就是说,对县长,县里是有要求的,要县长能到什么山唱什么歌,而且必须把歌唱好。那个女县长是很有思想的一个人,换句话说,是很有想法的一个人。讲话呢,也不怯场。不过,理论功底与文笔都不行。为了弥补自己的缺陷,她就想借一个聪明的大脑。借一个聪明的大脑,安置费用是公家的,可那大脑会为她所用,人的聪明就能为县长的公事锦上添花,成本很低,就算以后对人家要有所安置,对于她一个县长来说,也不是一件难事,不管怎么算,都划算。在考虑成熟以后,她就想到了自己的恩师,她就有所行动了。系主任很爽快地答应了她。但是他不能随随便便地找个人了事。对于那些一脸糟疙瘩的大学生来说,不管把机会给谁,都是他们人生的一个大机遇,都可以改变他们的命运。想来想去,他想到了刘湘民。刘湘民就来自那位女县长所任职的县,与其他人相比,这两个人更有地缘上的亲切感。还有,他觉得不但要给女弟子找个笔杆子,更要培养个人才,做件两全其美的事情。他想到刘湘民,并没有很快找他,而是观察了一段时间才做出了决定。毕竟,要人的是一个女县长,官场的女人身份容易引是非,如果荐人不淑给人带来麻烦就不好了,他要对女弟子负责任。

仔细观察了一段时间,他觉得刘湘民除了能力不错以外,定力也非同一般。他几经权衡,觉得可以把这个机会送给这个孩子。拿定主意以后,他让人约了刘湘民,跟他说了一番体己话。刘湘民跟系主任谈话时,知道自己的人生迎来了一个机遇,心里很喜欢,但他并没有把那喜欢挂在脸上。他表现得淡定从容，这就更让系主任欣喜与放心了。看得出来，那是一个自觉训练的人。这样，他得到了人生的第一个机会，给一位女县长当了秘书。

到了社会上，因为有女学长的帮助，他轻轻松松地就当了副科长、科长。当副处长时，费了点劲，努了努力，还是当上了。当上副处长，那个女县长已经是副厅级干部了，水涨船高，没过多长时间，自己也就当上处级干部了。以后当副市长就是运作了，成功以后，一直做了十年，有资格了，又有贵人相助，就当上了市长，做了三年市长，还想往上走，几经努力后，抬头看看，怎么看，都觉得没有人下自己的米，知道再往上没有自己的位置了，他的心也就死了。

在仕途上看不到希望，他的心也就慢慢灰了。在很长一段时间里，他被悲哀的情绪笼罩着，时常陷入对往事的想象之中。他经常想起蜜如山里老家的院子，其实老家的院子里早已长满了草，一片荒芜；他经常想起小时候的玩伴，他带着他们几乎把所有能做的坏事做完了，可是小时候的玩伴早已经星散在生活的角角落落里，各自为生活而奔忙了；他经常想起初恋的情人，是大他六岁的初恋情人教会了他怎么接吻、怎么做爱。自己已经不年轻了，比自己大六岁的初恋情人更是人老珠黄了；他经常想起父亲教训自己的情景，可是父亲的坟墓早已长满了蒿草，无论什么时候回去探看，也只能在荒凉的坟前坐坐了。

他想，父亲在另一个世界是怎么过活的呢？人活到一定境界，一切都索然无味。而在另一个世界的父亲是不是也像他一样呢，过到一定的境界，也过得索然无味？但是，人只要能活，就得一直活下去，而且要努力活出一些味道来。为了提高自己的生活质量，在工作与生活中，他都努力去发现一些有趣味的人和事。活到他这个份儿上了，一切都要靠自己的想象力，他得创造生活，才能过得下去。有趣味的生活才能满足他的心灵需求。在众多的生活创造中，到山里听风是他最喜欢做的事情，也是让他感到有乐趣的事情。在风中，他才感觉到自己是一个市长，是一个手握权柄的人，是掌握许多人命运的人。

二、父亲的秘籍

刘湘民最感激的人是父亲。因了父亲，他得出了做人做事做官的部分经验。因了父亲，他得出了人生中一个重要结论：一个男人要敢于去做有难度的事情。只有去做有难度的事情，才能拓开心量、活出自己。面对一个繁杂的世界，一个男人敢于碰硬，碰硬是对自己心智的磨炼。在心智磨炼过程中，人会享受到超越自我的快感与快乐。所以，在他的生命里，没有“困难”两个字，只要认定了，就努力去做，哪怕失败了也无所谓。

父亲把自己的人生经验传给了他。

父亲做过官，父亲做过县里的小官。虽然是小官，但他享受到了做官的种种好处。父亲是一名失败的官，但正是因为失败了，才总结出了诸多做官的学问。

父亲的失败是贪财好色所致。贪财好色对于一般人来说是毛病，但对于做官的人就是命门。不管贪财还是好色，走向都是绝处。父亲只是贪财，好色呢，只是披了个名。故而，父亲是一个慢性中毒的人。起初，他不知厉害，可等到毒性发作，已是无可救药。

父亲曾经是县粮食局的主管会计，享受科级干部待遇。每年夏秋，父亲最喜欢跟粮食局长去各乡镇视察储粮工作。看着人不断地往粮仓里送粮食，他的心里就生起无边无际的喜悦，那哪里是送粮啊，那是在送钱。在局里工作时，父亲整天面对的是花花绿绿的票子，经手的钱流水一样。这对父亲来说是一件非常残酷的事情。父亲面对着金钱经常处于占与不占的痛苦挣扎之中。不占，心不甘。他面对的，可是钱啊，不是纸。占，如何占？如果不得方法，占了，就是犯法。那时候，父亲每天思想着如何钻法律的空子，把钱据为已有而不被抓住。这样的事折磨得他寝食难安。对于一般人来说，钱只是个概念，对于父亲来说钱却是财富与权力。父亲喜欢钱，喜欢收集各种各样的钱。他收集的钱,有古币,有纸币,每一种钱都有故事。父亲经常在他的面前炫耀各种各样的钱币。父亲说,钱是人的胆,只要有钱,就有胆量做自己喜欢的事情;钱也是人的通行证,只有拥有了钱,才能去普通人去不了的地方。

父亲终于出事了,他失去了官职,被贬到山里做了农民。父亲被贬官回家表面上是偶尔的风流惹的祸,可归根结底还是因为钱。父亲因为与县里一个风骚女人相好而被人捉奸在床。父亲被人捉奸的事情上了县里的新闻联播。一夜之间,父亲成了县里的知名人士。那时候,对于一个小地方来说,官员被曝光的艳事伤风败俗,不处理不足以平民愤。最终,父亲被判处一年徒刑。一年以后,他两手空空地回到了山里。父亲说,一切都是钱惹的祸。有人看上他的职位,拿钱收买了那个女人。

像父亲这样被阴谋打倒的人,一般情况下是很难站起来,走到人前面的。父亲却创造了一个奇迹。父亲有经济头脑,会钻营,也很会利用人。在县里做事时,他积累了一定的人脉关系。父亲身败名裂,已无法以公事谋饭。但是人总是要吃饭的,还有家里大小人等,都等着他赚钱养活呢。他想了很久,决定利用以前积累的人脉关系承揽工程。他精心编织了一套美丽谎言,四处游说,以惑动人心。他被人算计的故事很快在县城里传扬开来,同情的人很多,还有很多人产生了恻隐之心。那些人大都与他一起喝过酒、吃过肉,关系铁的,还一起干过些偷鸡摸狗快意一时的事。那些人大都是单位的头头脑脑,手里面有势有权,见伙计落了难,心里不落忍,顺手就给他点事做。在他用美丽的谎言博取人的同情成功套取第一桶金之后,他决定大干快上。他不是一个小富即安的人,他要再次成为让人仰望的人。做生意讲究舍不得孩子套不住狼。他见过钱,深知钱越花越多的道理。对于那些他用得着的人,他很舍得下血本。那些给他事做的人,起初出于同情,见他出手阔绰,有回报,渐渐就与他成了合作伙伴。没多久,父亲的生意就做大了,他成了蜜如山里最有势力的包工头,也成了蜜如山中最有钱的人。

在拥有一定数量的金钱以后,父亲在村里盖起了最气派的房子。那是一座三层半高、占了足足有一亩地的大房子。新房落成那天，父亲放了十万响的鞭炮。那个响啊，村里的人都听到了，四邻八乡的人也都听到了。很多人都知道那个上了县新闻联播的败坏人成了暴发户，又抖起来了。鞭炮响过，那炮纸红了一街筒子，硝烟味弥漫了整个村庄，呛得鸡飞狗跳，男女老少有很多一夜都没睡着觉。他们想不明白，这么一个已经倒在地上的人怎么就爬了起来？

父亲很兴奋，像土匪有了年号，当了王一样兴奋。他在那一地红上踩来踩去。在硝烟散去以后，父亲把他叫到了新房子前，告诉他一个道理。父亲说，在这个世界上，只有两种人能得到别人的尊重。一种是当官的人，一种是有钱的人。如果不当官，又没有钱，人活着就如路边的荒草一样，任人践踏，想得到他人的尊重无疑是痴人说梦。那时，他明白父亲为什么会盖新房子了。父亲要用金钱重获人们的尊重，那是他最需要的东西。以前，父亲在县里当差时，他是山里最受尊重的人。只要一回家，那些有求于他的人就排满整个院子。而他因艳事被开除公职以后，山里人认为他丢人现眼，认为他不配活在这个人世间了，家里不但没人来，大门上还被人泼了粪。那时候，失意的父亲受尽了人们的侮辱，而那些人无一没有得到过父亲的恩惠。

父亲的话打开了他的心门，也在他的心里扎下了根。他努力修炼自己，不管在哪个地位，他都想方设法把自己炼成有异于他人的人。世界很世俗，也很功利，机遇不会平白无故地降落到平庸之辈的头上。因为有准备，他不断地收获人生的成功。最终，他成了蜜如山位置最高、权力最大的官员。人啊，是不断发现自己的精灵。在一个环境里，人若是笨，若是傻，那只有笨在那里，傻在那里，想动动，改变一下处境都十分困难。但若是能人，就不一样了，就灵光得多，人家要靠你动才能动。有周边的人与事推着，不动都不行。这样，有父亲的引领，有身处官场的感悟，他明白的事理也越来越多。当他对世界的认识越来越清晰时，有一天，他突然发现，父亲也不过是生活中的失败者，父亲在世俗世界中的风光极其虚妄。

他人很难发现父亲的失败。因为，在生活里，父亲是一个非同凡响的表演者。况且，他的道具是金钱，是花花绿绿的票子，足可以把人们的心、目蒙住。那是一个偶然的机会，他发现了父亲的失败。

在山里，当官的人自然能得到人的尊重，但兜里有钱的人就次一等，未必能得到人的尊重。当官的人，手里有权啊，能给人办事，也能挡人的道，给人不办事。这就让人怕，人不得不尊重。钱呢，谁的是谁的，在谁的兜里谁暖和，谁花着谁舒坦。有钱，人花不着，那钱就对人没用，那有钱人呢，也就对人没用。有钱，人不但不尊重，还可能会仇恨呢。因为有了仇恨，穷人在有钱人面前也就活得有理由了，活得有尊严了。这样一推理，有钱人就是人仇恨的对象了。这对于失去公职，突然又暴发了的父亲来说也不例外。他有了钱，收获的不是尊重，而是仇恨。

家里盖起新房，人搬进去后，老房子就空了出来，正不知如何处理呢，有一天晚上，一家人正在新房楼顶上吃饭，发现老房子起火了。有人喊："失火了，失火了。"可是没有一个人去救火，显然，是有人故意放的火。没有人救火可见父亲在村里毫无人缘。他看到父亲端着饭碗的手在发抖。他的手抖着抖着，那白瓷碗就碎在水泥楼板上了。父亲很无奈也很无力。父亲的表现让他很失望，父亲在他心里的伟岸形象一下子塌了。

那一次失火，因无人动手相救，老房子最终化成了一堆灰烬。父亲看着火势越来越大，慌了。他老泪纵横。他用发虚的声音说："不怕，不怕。我知道是谁干的。一切都会真相大白，一切都会受到惩罚的。"

父亲的话仿佛是安慰他，也仿若是自我安慰。

老房子的确是被人堆了柴、泼了油点的火。老房子起火事件在蜜如山里流传着许多版本。有人说是父亲得罪了仇家，是寻仇；也有人说是父亲在生意上分配不均，是人报复；还有人说是父亲占了别人的女人，是别人为出气干的。但不管外人怎么说，老房子着火事件给他上了生动的一课。那一课让他明白，人活着，一定要做王，要做说话算数的王，想人前显贵不能光靠钱。

老房子被烧掉后没多久，父亲就病倒了。老房子着火事件成了父亲的病根。实际上,老房子并不值什么钱,在父亲心目中已无足轻重。但是老房子着火以后,无一人相救的场面让父亲感到绝望。那个时候,父亲明白,拥有金钱以后,他并没有成功地站起来。人们当着他的面奉承他,但在私下里并不买他的账。他只是山里一只会走动的钱包,人们奉承他只是为了分他钱包里的钱。

父亲是有很多钱,但是钱并没有救得了他的命。一年后,父亲就去世了。在去世之前,父亲反反复复地对他念叨一句话,要做王。那是他的心愿,他希望儿子胜过他。

那些日子里,他陪着父亲看太阳落下去、月亮升起来。时间一天一天地轮回,父亲也一天一天地弱下去。他时常觉得,冥冥之中,像有一个人在掰着手指头给那枯萎的生命数着数。

父亲住的病房很贵,也很好。那是只有县里主要领导和主要领导家属才有资格住的病房,是当县长的学姐让父亲住了进来。一方面,他要彰显他的孝心,展现他的能力。另一方面,他要人尊重他的父亲,给父亲生命中最缺少、也是父亲最盼望的东西。如何能让父亲得到这些东西呢?他想到了学姐。如果学姐能探望一下父亲,那么所有的事情就都迎刃而解。但学姐是县长啊,要想让县长探望一个平头百姓,那是很困难的一件事情。如何让学姐心甘情愿地探望父亲呢?他明白,求是求不来的。为了达到自己的目的,他很动了一番心思。正碰上学姐要去北京答谢系主任,带他一起去。这对于女县长来说,是一件大事。学姐的车都打着了火,等他上车就出发了,他还没有出现。学姐等不及了,打手机给他。他让手机响着,一路小跑到了学姐的车前。

"你怎么搞的?这么慢。"当着人的面,学姐端着县长架子训他。

"对不起,对不起。"他连说了两声"对不起",就是不解释迟到的原因。

"你是不是有什么事瞒着我啊?"女县长感觉出了异常。自己虽然是县长,但面前的人毕竟是自己的师弟,是自己的御用文人,有着跟平常下属不一样的作用。如果真有什么事,该关心还是要关心的。

"我父亲他,我父亲他病了,医院腾不出来病房。我一直在协调,耽误县长的事了。”他的眼里蓄出了一泡泪水。

“这么大的事,你也不吭声。你心里有事,哪还能把工作做好?走,先去医院。”学姐干脆地说。

学姐就到医院探望了父亲。起初,包工头就住在医院的走廊里。县长一到,包工头就成了重点护理对象,就住进了观景病房。

县长来了,政府办主任也就来了,其他很多人跟着也来了。父亲没有想到,自己用金钱办不到的事情,刚刚参加工作的儿子轻而易举就办到了。儿子的行为让病入膏肓的他很满足,他甚至觉得,他可以放心地死了。

县长亲自到医院探望包工头的消息很快传到了山里。山里炸了窝。山里人明白了,这个家里面又出了一个官。出了官就得尊重人家啊,不但要尊重官,还要尊重官的爹。山里人就结队来县城探望包工头了。不过,他们都被挡在了病房外。他们带来了很多吃的用的东西,也没啥贵重的,不过是乡里乡亲的心意而已。人不让进,东西可以进吧,心意可以让进门吧。很快,包工头的病房里就堆满了花花绿绿的山里货。

那一间观景病房在住院部最高一层的走廊尽头,三面都有玻璃。父亲可以看见那些被挡在外面的山里人,而那些山里人看不见他。父亲看着那些山里货,很亢奋。他好像看见了儿子的未来,看见了他的希望。

观景病房里住的是县长秘书的父亲。在县里,县长秘书也不算个啥官。在医院里,比县长秘书大的人物,医生护士见得多了,起初,也没人把父亲当回事。可那是女县长关心的病人,这就成事了,医生护士就不得不把父亲当回事了。医院请来了专家给包工头会诊。会诊结果十分糟糕。专家说,包工头得的是伤心病。要是身体的其他部位,现成有的技术,都可以换。但是换心术理论上可行,没人做过。这等于给包工头判了死刑。一个夜晚,医院院长把刘湘民约到了办公室里,他也想结交一下县长秘书。院长委婉地告诉刘湘民,他的父亲基本上已经无药可医。不管是医生还是护士,所有的努力都不过是尽尽心而已。得知实情,他呆住了。他想,这个给了他生命的男人就这样没了吗?

他就这样没有爹了？他泪流满面。院长见状，知他受了刺激。这种事，他已经见多了，他知道怎么处理。他说："兄弟，我的好兄弟，人的命，由天定，做子女的，只要尽了心就是孝。有什么事，你给哥说，哥给你办。好了，好兄弟，就算你不说，一切，我也都给你安排好，你就放心好了。"院长的话一说出口，他哇的一声哭出了声。院长搂住他脖子说："哭吧，哭吧，好兄弟。哭哭就好了。"

父亲已经时日无多，他想多陪陪父亲，便给女县长请假，他写了假条去找女县长。见系主任时，他拿捏得很好。效果好，学姐也就很满意。见他拿假条来，女县长接了，用手指捏了捏，放到碎纸机里碎了。女县长说："师弟，师弟，就是姐的弟啊，你的亲人，也是我的亲人，你只管去。医院离政府又不远，有什么事，我让人去找你。你有什么事也只管给我说。"

听女县长喊弟，他的心里就是一暖，暖得想哭，忍了忍，没有哭出来。

放下所有的俗事，他一心一意陪着父亲。白天没了，红的太阳就沉下去了。夜晚来了，空中，黄的月亮就升上来了。还有星星呢，眨着眼睛，幽灵一样。放在平常，这是多么有诗意的轮回，又是多么惬意的享受啊。可是看着病床上软软缩着的父亲，他的心里凉意横生。他觉得，眼前的一切就像一滴露珠，随时会坠到夜里，碎在黑暗里。窗外有风，发出冷冷的响，怎么听，都像是在招魂。那心中的凉就加重了，就成了冰。每当心里一凉，他就哭。没有外人，不哭白不哭，哭哭痛快啊。很多时候，他是不能哭的，他不能让人看笑话。

父亲的一生，是挣扎的一生，是失败的一生。可是父亲仍拿自己的人生当教科书，给他做人生示范。父亲时常陷入昏迷之中，但一旦清醒过来，就会睁大了眼睛，断断续续跟他说话。父亲告诫他，在这个世界上，有两种东西是最有毒的，一种是钱，一种是女人。

金钱的毒隐藏得很深。这个世界上的人大都看见它的好处，很难发现它的毒性。但它的毒性一旦发作，就像人患了癫痫病，让人疯狂让人仇恨让人痛苦，把人带向绝望的深渊。

父亲说，其实也怪不得金钱，要怪只能怪人自己。在这世界上，金钱本来就有魔力，有诱惑性，而人呢，是最经受不起诱惑的动物。为了金钱，人丑态百出。

对于男人，尤其是成功的男人来说，还有一种毒比金钱之毒更厉害，那就是女人。男人喜欢追求美丽的女人、漂亮的女人、风情万种的女人。但美丽的女人、漂亮的女人、风情万种的女人对于男人来说又是锋利的双刃剑。一个男人，哪怕是世界上最厉害的男人，哪怕是可以控制世界，可以毁灭世界的男人，也很难逃脱女人的毒。男人以为得到了女人，可女人啊，早已视男人为掌中的玩物。控制男人，是许多女人的拿手好戏，利用男人也是许多女人的拿手戏。有时候，为了达到自己的目的，女人也会毁灭男人。这个世界上，有许多优秀的男人，一生里，过了许多关口，过了权关，过了钱关，有的连生死关都过了，可就是过不了情关，过不了女人这一关。

金钱、女人，对于有追求的男人都不可少。这两样东西都能成为成功男人头上美丽的花环。

儿子天资聪颖，是不用自己唠叨的，但作为父亲，他不放心啊。他也知道，自己时日不多了，待老眼闭上，就是想说也说不成了。所以，借着还有劲，他就想多说，这样，儿子以后有难处了，就可以想想他的话，他的话可以给儿子以力量。他对儿子说，一个男人，要想在这个世界上顶天立地，金钱与女人都不可少，但是对于这两种东西，要像对待工具一样，淡然处之，淡漠用之，不能动情。做大事的人，不能太看重钱，但又不能不看重钱的用处。有钱能使鬼推磨，钱多了，让磨推鬼都有可能。一个男人，要学会弄钱，更要学会用钱。好男人要当钱的爷，不能当钱的孙。

如果说金钱是一个男人成功的符号，那么女人是一个男人成功的标志。有了这种标志，成功男人可以由一种成功走向另一种成功，由一种境界进入另一种境界，由一种男人变成另一种男人。

女人是一个成功男人的安慰剂，更是一个成功男人休养生息的港湾。但一个成功的男人如果留恋女人的温柔，就会被女人的温柔所占领。好女人有万种温柔，但那万种温柔又是克化男人的武器。英雄难过美人关，不能说英雄是败在女人的色相之下，有时候是男人主动投降在女人的温柔乡中。儿女情一长，英雄气就短。古今中外，动情的男人都难成大业。一个想成大事的男人是不能动情的，动情的男人是没有能力物化这个世界的，反而，他可能会成为物化世界的一粒尘埃。

父亲这些话让他前半生受益良多。

在陪伴父亲的过程中，他最想知道老房子起火的原因，可是父亲没给他说出真相。父亲说："这件事，不是吉祥的事情，你知道了，不好。"这样，老房子起火的真相就成了个谜，父亲把这个谜带到了另一个世界。

父亲临死前一再叮嘱他不要再追究老房子着火的事。父亲说，在这个世界上，很多东西都不重要，包括金钱与权力。活在世上关键是要有方法，只要掌握了在这个世界做事的方法就能成功。父亲在最后的时光，握住他的手说："孩儿啊，被人踩着，味不好受啊。要做，就做王。"

说完，父亲的手松了，再也不说话了。一个人，就那么没了。松开父亲的手，跨过病房的门去叫医生，突然觉得，病房的门矮了。不知何时，他就长高了。

父亲在最后的时光教会了他很多东西。如果没有父亲的失败，没有父亲传给他的那些经验与秘籍，他纵然天生聪明，也很难跨越人生的一道道坎儿，一步一步走向成功。父亲告诉他，世界的发展是有规律的，世界也是有秘密的。一个人只要掌握这个世界的秘密，有早无晚，都会成为这个世界的主人。要想活在人上头，就要掌握这个世界的秘密，掌握其他人的秘密。一个人，不管他是官，还是有钱人，只要生存的秘密没有了，那就不神秘了。谁掌握了他的秘密，他就得跟谁做朋友、做交易。那是父亲深藏在心里的话，父亲几乎一字一字地说给他听。那些个话语，就像麦子落在土里，牢牢地扎下了根，经了风吹，经了雨浇，长出满地的辉煌。

他一直觉得，有钱滋润着，父亲原本是可以很好地活在山里的，可那一场大火把他送到了另外一个世界。是有人掌握了父亲的人生秘密吗?

他清楚地记得,老房子着火时,父亲站在新房房顶,望着那火越烧越大,烟气越来越浓,他的手抖着,他掏出一支香烟,没有点火,也没有叼在嘴上。仿佛那支烟是放火者的手指,父亲使劲地捻着,捻成一团碎末,那碎末一丝一丝掉在楼顶上。人能嗅到那烟末中充斥着焦虑与仇恨的气息。他先是听到父亲发出哧哧的笑声,然后听到他愤怒的骂声。

“也就那么一点胆量了。有种的,怎么不烧我的新房子,怎么不砍掉老子的头。有种的,就把老子的儿子杀掉,让老子断子绝孙。”

父亲是咬着牙说那话的,父亲尽情地发泄着心中的不满。那时候,在火光的映照下,他看到了父亲张大的嘴,那嘴中有血。那分明是仇恨的血,分明是有仇难报、有恨难雪的血。那是咬自己的牙,出自己的血,又不得不咽回自己肚子里的血。那情形不但进入了他的记忆深处,而且深入了他的骨髓,成了他性格的一部分。

父亲的失败刺激着他不断努力、不断前行。可是,不管他的人生走到哪个地步,他都忘不了那火,在许许多多的黑夜里,那火光照亮了他的梦境。那火光让他感到了世界的冷漠与无情。他不明白,父亲是那样仇恨纵火者,为什么却要他忘掉那场大火,不让去追究那件事情。可是那件事情已经进入了他的记忆深处,折磨着他的心。他一直想弄明白那件事情,特别是在他事业有成之后,他更想弄明白那场大火背后到底隐藏着什么样的秘密。他没有听从父亲的劝告,当他手握大权以后,他深入地调查了那件陈年旧案。那个案子与一个女人有关。当明白事情的原委之后,他就深深地陷了进去,他就明白父亲为什么不让他追究老房子着火的案子了。那个女人就像山中的一枝藤蔓,纠缠了他一生,也维护了他一生。那个女人,终其一生也没有出那座山,她成了山里的一朵花,静静地开着,慢慢地枯萎。

三、给生活挠痒

生活总是无聊。这是刘湘民的感觉。虽然他的生活经常在变化,但他仍然有这种感觉。

男人啊,一旦过上一种生活,总感觉有一种新的生活在等着他。喜新厌旧,是男人的本性。男人总希望在新的一天过上与以往不一样的生活。

当一种生活还没有到来,还没有得到的时候,男人会快速往前奔跑、追寻。在追寻的过程中,男人的心里就像被一双女人的手轻轻地抚摸着、抓挠着,痒痒的,麻麻的,酥酥的,幸福感占据了他,幸福在心里弥漫着、洋溢着。该来的还没有来,但都在路上了。那是男人最渴望过的日子啊。

当那种生活来了,那是新的生活,在新的生活之中,男人的心鲜鲜的、潮潮的、暖暖的,如山泉水滚过大地一样畅快,如春天的暖阳晒着一样舒服。可是过了几日,那新生活呢,又蒙上了尘埃。日子呢,又成了格式化的时光。男人的心中就又开始枯燥起来,烦闷起来,厌倦起来,就又盼望新的生活了。那新的生活是一个人带来的,男人就盼望着那人。那新生活是物带来的,男人就盼望着那物。

刘湘民的生活就经常被格式化。几年了,只要在家,每天早上一醒来,保姆就已备好早餐,牛奶加面包,很少变化。这是西方人的早餐,可是作为一个市长为了跟世界接轨,也只能按照国际化的标准早餐模式来喂自己的嘴巴。以前,他的早餐是油条加胡辣汤,纯正的中国传统模式。这样的早餐模式却在一个培训班上为人所讥笑。那是在北京一个培训班上,那个班档次很高,有来自全国各地的中青年干部,也有拥有亿万身家的富豪。都是拥有美好前景的人。谋求政治前途的仿佛有更光明的前程在等着,想发财的人好像有更多的财富在等着。所有的人都在希望中生活着,所有人的生活都发着光、闪着亮。几乎所有的人都刻意讲究着生活质量。他也是他们中的一员,因为生活上不讲究,很多人传他的笑话,笑他土。这对于吃政治饭的人来说,很要命。这意味着人家是一个团伙,而你是一个另类,跟人家没什么关系。他看见人笑,知道是笑他,但不知笑他什么。有一天,有一个跟他要好的人终于憋不住,约他说了几句话,提醒了他。

那个要好的人,是一个女博士,当着副县长,是大家宠着的宝贝,也是说话有些分量的人。见她说话很严肃,他才知道事情的严重性。人活在一个圈子里,而这个圈子排斥你,想一想,就让人心里害怕。

那个女博士的话对他是一个巨大的刺激,也是一种启蒙。那个女博士说,当代中国要跟世界接轨,最重要的是人的思想要跟世界接轨。人的思想如何跟世界接轨呢？一个人的思想方式跟行为方式密切相关,跟人所处的环境密切相关,跟人的饮食结构也密切相关。他觉得女博士的话有道理。为了自己也有光明的前途,他决定改变自己。而且,是从自己的早餐结构开始改变。开始,他很不习惯喝牛奶、吃面包。为了改变,他就和别人一起进餐,这样可以逼着自己吃面包、喝牛奶。慢慢地,他也得到了同学们的认可。但还是想油条胡辣汤,想得流口水。为了解馋,抽空,他就一个人偷偷跑出去,找上一处小店,坐下来,吃上几根油条,喝上一碗胡辣汤,心里美得很。

随着官越当越大,生活越来越像一场接着一场的表演,他感觉越活越假,越活越累。但是,他又摆脱不了那种生活方式。早上,他享用过牛奶与面包以后,车已经在院子里等了,一上车,司机老许就把当天出版的报纸给他准备好了。他要在车上了解当天报刊的相关内容。

他要看的报刊有《人民日报》《参考消息》《新华文摘》与《蜜如日报》。

关于读报纸的学问,有一个前辈专门指点过他。《人民日报》《参考消息》《新华文摘》所刊登的东西各有千秋,长期的阅读与思考可以提升一个人在政治、经济、文化等方面的素养,更重要的是可以训练自己对事物的判断力。这对于吃政治饭的人来说十分重要。自得到这一真传,他几十年如一日地坚持着,这一习惯让他受益良多,在很多方面,他都拥有高于别人的能力。比如讲话，他可以不看讲稿滔滔不绝地讲上一两个小时。他讲话有根据、有理论、有事例，还充满幽默与调侃，很具有亲和力。很多人喜欢参加他的会，喜欢听他讲话，喜欢听他做总结发言。因为他的理论水平与实战能力，因为他的幽默与调侃，他成了许多女干部的崇拜对象。有一次，在饭局上，气象局一个局长，女的，端了一杯酒对他说："刘市长，我说句话，这句话如果你爱听，你就把这杯酒喝了。如果不爱听，我把这杯酒喝了。怎么样？"

这样的劝酒方式很奇特，在座的都是地方上地位很高的人，都来了兴趣。还有的，想出女局长的洋相，想看笑话，图个乐子。其中有一位，是个副市长，已经不太年轻了，但离德高望重还有些距离，他皮笑肉不笑地说："啥话，快说。也不知道你这个局长是怎么当的，天气预报一向不准。你预报晴天，它能下雨。你预报有雨，大太阳能挂在天上。闹得大家不管下不下雨车里都得备把伞。"那女局长说："天气预报不准不赖我。设备不好，神仙也没法。"那副市长说："不要往设备上扯。你快说是啥话，你要是能让刘市长把酒喝了，我给你多批经费去买设备。"那女局长说："当真啊。刘市长，大家对你有个基本评价，我代表基层干部群众特别是女干部女群众表达一下心声。大家都说，参加刘市长的会，那不是在开会，那是在听戏。"那副市长问："你这话是啥意思？"女局长说："能有啥意思，大家崇拜刘市长呗。"一番话，把大家都逗乐了，大家乐，他也乐了。好听的话谁都爱听，他也不例外。他对那个女局长说："那我喝一杯酒。就让主管副市长给你多批点钱去搞搞设备。天气预报、人工增雨都是关系国计民生的大事情，不能凑合了事。"

一个上千万人口的大市，各种各样的单位多了，每个单位对市长都有需求，诸如此类的事情每天都会发生。有些事，他也明白大家的用意。他心里明白，脸上装糊涂。这样的状态让大家都很受用，对于处理问题也大有好处。每当问题得到妥善处理，相应地，也提增他的自信心。他喜欢把事情处理在无形之中的那种感觉。

读报纸，一般情况下，他先看《人民日报》，再看《蜜如日报》，然后是《参考消息》。《人民日报》可以了解国家的大政方针，可以看到党和国家领导人的动态，多多少少也可以看到外省市领导人的动向。《蜜如日报》让他清楚这个城市里都有哪些事情发生，有什么信息他可以在上面进行批示，以便于下面的人去落实。当然，他更关心他的讲话登在哪个位置上，有他出席活动的新闻登在哪个版面上。那不是版面位置，那是权力位置。《参考消息》呢，可以给他提供全球性的信息。世界虽然很大，但是环环相扣，哪一个角落发生的事都可能与自己发生关系。世界影响着中国，世界局势会影响中国上层的意志，而中国上层的意志又决定着他所在城市的命运，也决定着他的命运。在这个世界上，一切都有机地联系着，什么事都不可掉以轻心。故而，不管遇到什么样的事情，他都先在脑子里过上一遍才表态，才拿出处置的办法。如果有过于复杂的事情，他会在脑子里发酵很长时间才拿到台面上来。所以，他常常感到累。有时候，刚从梦中醒来，就觉得累。他常常觉得他并不是这个城市的主人，而是这个城市的保姆。

每天都有大批的人在等着他，那些人中谁都有一两件棘手的事情等着他批示或者授意以后才去落实。还有午饭以及晚饭要跟谁一起吃的问题，都是秘书处已经安排好了的，也是他工作的一部分。饭局主要分为三类。一类是外商或者是外来投资者的招待宴会。这样的宴会他要象征性地到场。地方发展，经济为主。狗咬扤篮的，做官的得团结有钱的，这样的人，他要尽可能地多认识、多结交。一百个人中，有两个能用上的，就能办成大事。第二类是中央以及省委、省政府来开会办事的领导他不得不陪。这样的人，如果得罪了，不管谁随便给双小鞋，都够穿的，都够难受的。第三类是来自上级各个部门调研人员的饭局。只要有时间，他也是能参加就参加的。这些人虽然不直接当权，但大都是各个领域的权威，有的还是专家，是政府顾问，有话语权。这样的人，他也要团结。

吃饭占去了他很多时间，也浪费了他很多时间。还有，大大小小的会议更是占去了他很多时间。他觉得他活得像一架机器，是那种只要一睁开眼，就要去转的机器，一旦有特殊的事情发生，不睡觉也要去运转的机器。名义上，他主宰着这个城市，实际上却被这个城市所绑架。随着社会机器的高速运转，他觉得那种捆绑越来越紧，他经常有一种窒息的感觉。每当有这种感觉，他的心情就会变得烦躁不安。这个时候，许多向他请示工作的下级都会遭到他的痛斥。可事情过后，他又会感到后悔，他也不想痛斥那些已经尽心尽力工作的下级。所以，当被这种情绪控制时，他都要想办法让自己缓下来。这个时候，他会想到燕莎，一个女人，一个美丽的女人，一个优雅的女人。与这个女人在一起，不管做什么，他都感觉着自由、舒展。那个时候，他才觉得自己是一个正常的男人。

燕莎是一个女人，是他的女人。与其说是他的女人，不如说是他的生活调味品，是他的精神镇静剂。

刘湘民喜欢与燕莎在一起。与她在一起，他的思想就变得自由而放纵。在自由与放纵的状态里，他常常才思泉涌，能想到一些解决难题的办法。作为市长，城市的困难就是他的困难，他必须把困难扛起来、解决掉。可他也是血肉之躯，也需要休养生息，因此，他需要一个舒适的空间盛放自己的身体。在这个城市执政的时间太久了，他快要被这个城市掏空了。每当心里有空的感觉，他就会到燕莎为他修建的八卦天坑去偷一会儿闲。

八卦天坑，在果岭的深处，光听名字，就很神秘。

果岭是蜜如山余脉，接近平原，没了山的气象，就成了岭。在果岭之中，有一个湖，叫蜜如湖。由湖那儿发出来的，是一条河，名叫蜜如河。蜜如河从山里面出来，没有伸直腰，打了一个滚儿，又把果岭的一部分抱在了怀里。就像一个女人抱紧了情人，暧昧而又温情。蜜如河再出发，从城市之间穿过去，经过蜜如平原，就流入了淮河。与大江大河比起来，蜜如河就是一个能养人精气神的温柔女人。

一个地方只要有水，地就有灵气。地一有灵气，那在地上生长起的男人女人就与众不同。蜜如这个地方，养人，养男人更养女人。“蜜如如蜜，男人有气，女人有皮。”这句话，传得很远，意思是蜜如男人气质好，女人皮相好。有一位地理学家，也是个仙儿，是报纸杂志上经常写表扬稿的仙儿，他表扬哪里，哪里就出名。他给蜜如写过一篇文章，表扬蜜如是风水宝地。蜜如人呢，男人有风度，女人有风情。此文一出，给蜜如添了一层彩。有理论指导了，蜜如的男人女人们胆子就肥了，各行各业的人一个个如在黑夜里看见了指路明灯，各使神通竞相折腾，折腾得蜜如风生水起。

各行业中，折腾得最起劲的是房地产业。几年间出了好几个人物，几个盘子做下来，暴发。其中发得最狠的，是罗家辉与杨斌。这两个人，相互咬得也最厉害。只要有好地块，你争我抢打得头破血流。在蜜如，果岭是风水宝地中的宝地。谁都知道，拿到这块地，就等于拿到了亿万财富。可傻瓜都知道，他市长刘湘民不发话，谁也别想拿到这块地。知道拍板权在他手里，但凡能套上点关系，能跟他见上面、说上话的企业家都想尽办法公关。省里的领导杨斌认识得不少。深谙官场官大一级压死人，想想在市里面，市长牛，但放到省里，市长也就是小官了。于是，他便直接找了省里的领导压刘湘民。刘湘民很生气，他摆下鸿门宴，让人请了杨斌来。市长请客，杨斌很高兴，以为有什么好事。

“杨董事长，你的确是给蜜如盖了好房子，也赚了不少钱。但我问你，钱是什么？”在饭局上，刘湘民客客气气地问杨斌。

一句话把杨斌问住了。原本想找的关系起了作用，市长找他谈地的事呢，可听话音是市长在给自己下套呢。他只好小心伺候了。

“刘市长，你还真把我给问住了。我还真不知道钱是什么。”他蚊子唱歌一样说。

“山里人有一句口头禅，叫‘钱是王八蛋’。这句话你总该听过吧？”刘湘民说。

杨斌一听，傻了。这市长分明是在骂人呢。钱是王八蛋，那有钱人呢，不就是王八吗？刘湘民一下子点住了他的麻骨。

刘湘民之所以说出这样伤人的话，是因为一个故事。杨斌手下，有一个叫胡北群的，长得好，会写几笔文章，算得上是个才子。先前，那人也只是个文案，为了充门脸，杨斌就用他当了秘书。才子嘛，能帮人干事，能干好事也能干坏事，可不管干好事还是干坏事，胡北群都干得很出色，杨斌也就拿他当小兄弟，升他做了项目经理。杨斌身边有一个女人，是相好。起初，男的图女的有色相，女的呢，图男的有钱。属于标准的钱色交易。好了几年，女的色还在，不鲜了，就不大好了。一不大好，女人的事就多了。这样一来，就成了杨斌的烦心事了。为了摆平那女人，杨斌就把她放到了胡北群那儿养着。胡北群拍着胸脯对杨斌说一定把嫂子给看好了。没承想，杨斌走没几天，他就上了手。杨斌知情后，为了遮丑，就给了他们笔钱，让他们出了公司。这种事，在商场上，多了，捂捂盖盖也就过去了。但不能挑明了，一见光就丑气了。那两个人走了也就没事了。谁想，转了一圈，他们又回了蜜如，又进了蜜如地产的圈子。这一下，就跑味了。人们纷纷议论，编排故事，于是，就成了杨斌的短了。市长的话分明是在挖他的软泥。在蜜如，他是个人物啊，就算市长不拿他当自己人，总也得给点薄面吧，没想到会弄得这么丢人。

“市长说的这句话我听过，听过。要说哩，还是市长有学问。山里的话，山里人说了也就是句酸话。市长说了，就成学问了。”他苦笑着对刘湘民说。

“杨董事长，我明人不做暗事。我告诉你一件事，我从小到大，最恨谁找人压我。蜜如其他的地块，你去拿，我支持你。这块地，你不拿，也算是支持我的工作吧。”刘湘民对他说。

话都说到这份儿上了，杨斌哪还敢坚持？那块地，也就只能想想了。在蜜如，他拿不到的地，也只有罗家辉有能力拿了。他心想，只要罗家辉拿到了，他就要告。不管什么事，总不能兴一家灭一家吧。别说他是市长，就算他是省长也得告。更何况，他竟骂自己是王八，这哪是一个市长干得出的事啊。这口气不出，窝憋得慌。拿地是大事，传播得贼快。他一碰壁，罗家辉就上手了。罗家辉找了皇甫枫出面，请刘湘民看戏。刘湘民初上台时，皇甫枫给刘湘民指过路，还帮刘湘民介绍过“在水伊方”老板黄知白到蜜如投资，对刘湘民是有恩情的。论常理,那些恩情是要还的。罗家辉有个戏园子,叫艺术公社,经常请些名角来唱戏。皇甫枫是戏园子的常客,也是罗家辉的座上宾。当罗家辉让他请刘湘民一起看戏,他很爽快地答应了。老领导开口了,他不能不给面子,也就到了。可是,他贴住皇甫枫一直看戏。罗家辉安排好了饭菜请他跟皇甫枫,他理都没有理。他对皇甫枫说:"老领导,在北京学习,我别的没学会,倒是学会了做揪面片。我做的,很多人喜欢吃,有大领导还表扬味儿地道呢。你品完了戏,尝尝我的手艺怎么样?"皇甫枫一听,知道他的意思,顺水推舟说:"好啊,你的揪面片,不是谁都能吃上的。"看完了戏,两个人就出门了。罗家辉碰了个软钉子,心想,他妈的,市长的水平就是市长的水平,用一碗揪面片就把恩情还了,他哪里还有戏?

杨斌与罗家辉,两个大地产商没戏。其他的人,也就不去想果岭那块地了。那一块地怎么处理,给谁,他心里有数。他要的不是钱,不是人情,更不是政绩。他要的是女人的温柔与安慰。蜜如的好女子多了,但就是没有他对口味的。那些个好不是他要的好。他要什么样的好呢?他觉得有蜜如女人的本质,再加上北京、上海女子的气质才是他要的好。但那种好不是说有就有的。有了,也不是说得就能得到的。他去北京学习认识燕莎以后,他发现了那种好,但不是他的。燕莎从北京来到蜜如以后,他觉得那可以是他的了。不过,他不是霸占,他要人给,才要。他想到了交换。他觉得只有交换,双方才都没有负担。故而,他才放着那块地,不松口,等着女人开口。女人开口了,他就把那块地运作到她的名下。当然,他也得到了他想要的东西。

刘湘民投之以桃,燕莎报之以李。在开发果岭时,她在人迹罕至的地方建了八卦天坑,以供他随时过来休息。而他每次来,燕莎也会放下手中的事情,陪在他身边。

所谓的天坑并不是自然形成,而是因为人工采石塌陷而成。原本已经废弃了,可是燕莎看到了它的价值,把它利用了起来。她把一个女人的心思巧妙地用在了这个建筑上。八卦天坑里修了十几个窑洞,可以住人;窑洞外种了花花草草，铺了甬道，可以散步。夜晚，如果有风有月，在天坑里待上一会儿是让人惬意的享受。刘湘民就喜欢在有风有月亮的夜晚到天坑里来。他喜欢在天坑里听风，喜欢听着风看月亮，想事情。那种时候，他觉得他可以感觉到身体内部细胞活动的规律，可以感知外部世界万事万物变化的规律。他喜欢在天坑里的甬道上散步，那时候就像世界上只有他一个人会思想。那感觉就像自己成了世界的王。走累了，他就走进只有他跟燕莎才能进入的房间里休息，去品味与一个美丽女人在一起的快乐。

每次来到这里，每次走进这个女人的房间，他都有一种被充电的感觉。当充电完成，自己的心里饱饱的了，他就走出房间，来到空旷的草地上，每到此时，他都会产生心满意足的感觉。后来，他看到一位名人一篇题为《论成功人士与异性》的文章。文章说成功人士需要妻子以外的女人，她能为成功男人调整心灵提供帮助。

那篇文章在社会上引起了很大的反响与争议，有许多专家撰文批评那篇文章。可是，他在心里投了那位名人的赞成票。他觉得一个人活在这个世界上，不同的人生阶段，活出的境界也不一样。从小到大，他都是一个追求人生境界的人。在事态稍稍平息以后，他以实际行动支持了那位名人。他安排人请那位名人到市里做了一场讲座。他要结交这位名人，他想让这位名人做自己的私人顾问。

在名人做完讲座以后，他请人吃了一顿饭，是很私密的一顿饭，除了他与名人，只有两个口风极严的人参加。吃过饭后，他把那位名人请到了他的书房里。他接待人，也看人，不同的人，选择的地方也不同。接待上级，在宾馆里；见有公事的下级，在办公室里；要见的人，不是上级也不是下级，但是重要，有求于人，就选择在书房里见面，以显得自己好学深思。在书房之中，他向名人说出了自己的人生困惑。他的态度极其虔诚，就如同小学生面对满腹经纶的老先生。

果然，那位名人名不虚传，就他所请教的问题一一做了解答。名人的解答让他很是满意。那次讲座以后，刘湘民就安排市文化局聘那位名人做了市里的文化顾问，实际上是他的私人顾问。他与那位名人保持着一定的联系，如果有自己解决不掉的事情，需要颗智慧的脑袋他就会找他，向他咨询。

当他一走进八卦天坑之中，他都会产生给那位名人打电话的冲动。在那样一个地方索取名人的智慧，更有利于自己消化。既然每年都要给名人一笔不菲的顾问费，他就要尽量多地索取一些东西。

“你好。”每次打电话，他都这样称呼名人。

“你好。”那位名人也以同样的方式称呼他。

两个人心照不宣。两个人要打好腹稿才说话。这样的交流成了一种习惯，一种默契。

在需要与名人交流时，他不想让名人知道他在什么环境与条件下打的电话，而他必须搞清楚名人在什么环境与条件下与他交流。

出于职业的敏感，他只有弄明白名人在什么环境与条件下接的电话，才会决定是否把交流继续下去。

名人是什么？名人是公众人物。名人的智慧属于大众，不可能只属于他一个人。只要出得起钱，任何人都可能拿去用。所以，名人在什么环境与条件下与他交流关系着他的身家安全。做官，最重要的就是安全。话语安全，行为安全，用人安全，做事安全，当然还有隐私安全。所有的安全问题都决定着他的生死荣辱，也决定许多人的生死荣辱。这与时代、国度没有关系，这是为官之人的属性。就像名是名人的属性，钱是商人的属性一样，是自然带着的，一旦分离了，那就是失败了。所以，他们的一切交流都是秘密。名人守规矩，很有职业操守。但凡他打电话，如果条件允许，他会接着聊下去。如果条件不允许，他就会挂断电话，另找时间与地方再打过来。名人那边显得特别安静，显然，谈话可以继续下去。

“这一段我觉得自己很累。不像个正常人。”他说。

“在这个世界里，普通人做普通事。行非常之事的人，就一定是非常之人。

你不是一个普通人，当然要比普通人累。”名人说。

“不是身累，是心累。很想过一种普通人的生活。”他说。

“有这种想法很正常，也很可怕。这一定是你做完非常之事回到了你熟悉的环境与熟悉的生活里才有的想法。你想过普通人的生活是很容易的事情，但如果你变成了一个普通人，也意味着你很快会成为一个悲剧人物。”名人说。

“为什么会这么说?”他问。

“你的思想已经被你经历过的事情撑大了。普通人的生活已经无法满足你的需要。你只有走下去，一直走下去，那样的生活才对你有意义。”名人说。

名人的话有一定道理。不过，他的心里陡然生起了一个奇怪的想法，他想考一考名人。

“你说的话有道理。但你有办法帮我调节吗?”他问名人。

“当然有办法。不过再好的医生也只能医其表，心病还需自己医。”名人的话不咸不淡，让他很不舒服。不过，他也理解，对于一个在全国都有一定知名度的人，名人那里，像他这样的客户很多，名人不会太在意他的心理感受。

“那你能猜出我现在的状况吗?”刘湘民有意调侃名人。他是一个很自负的人，不会轻易地相信任何一个人的话。不管有什么事情，他都要听各方高人的意见，然后在综合那些意见的基础上对一些事情做出自己的判断。

“我不是神仙。这样的事情，你可以去找程神仙。”名人好像知道了他的意图，以一句淡淡的话拒绝了他。

“你是我的顾问，我想问的是你。”刘湘民说。

“你是我重要的客户。如果你在工作中碰到难以解决的问题，你可以问我，我给你提供解决问题的思路。子不语怪力乱神，我是一个什么样的人，你应该很清楚。其他的领域，就算我研究过，有那样的能力，我也不能说。如果我连你所处的环境都猜得出来，你还会用我当顾问吗？那样我不是搬起石头来砸自己的脚，自己坏自己的生意吗？再说了，每个人有每个人的业务范围，我也不能坏了江湖上的规矩。”名人说。

名人说的是实话，但的确不好听。他的心里生起一种厌倦感。这个时候，他觉得名人也不过是一个俗人而已。

一个物欲横流的时代，不管从事哪个行当，人归根结底都在用不同的方式追求名与利，对精神的追求也可以拿钱去买。所以，名人才成了他的私人顾问。通过与名人的交往，他对名人也有了认知与理解。所谓的名人只不过比一般人拥有更多的知识与更强的判断力而已。在某种意义上，他们比一般的俗人更俗。一般的俗人用金钱打劫金钱，用色相交换金钱，而名人用知识与几句话就把别人的金钱打劫走了。一般人打劫金钱耗时耗力，而名人打劫金钱不动声色。这就是名人与一般人的区别。不过，名人在一定意义已经帮他解决了问题。他不想再把谈话继续下去了，他找了一个借口挂掉电话。

挂掉电话以后，他仍然觉得自己不像个正常人。自己不像个正常的人，那么自己像什么呢？他看到床头柜上放着一盒杜蕾丝牌避孕套，心想，自己像不像一只避孕套呢？对，自己就是一只避孕套。在一个城市面前，自己就是一只避孕套。这个城市需要快感的时候，他就要起到一定的作用。他把这种想法告诉了燕莎。他想听一听她如何看待他。

燕莎说："你怎么会有这种想法，是不是得了妄想症啊？不过，这么多年来，你用得最多的就是那东西。没有，你宁可不做，也不愿意直接进来。我不知道你害怕什么。这么多年了，跟你在一起，我从来没有爽过。"

很明显，女人有情绪，说话很刻薄。刘湘民听了，有点来气，但是他没有表现在脸上。这是他多少年修炼成的功夫。

对于女人，他有自己的应对方式。如果得到女人的欢心，女人能够像摆弄庄稼一样把他摆弄得舒舒服服，他就在女人那里多待一会儿。如果得不到女人的欢心，或者是女人对他有情绪，他就会想办法逃走。有情绪的女人对男人来说是一种罪。男人在外面受够了累，到了女人那里是要看到笑脸的，是要感受到热情的，是要体会到温情的。如果像在外面干活儿时一样受罪的话，那不是要命的事情吗？所以，听燕莎说出带有情绪的话以后，他决定在最短的时间内以最快的速度逃掉。

从来没有爽过，女人终于说实话了。看来，以前每次做爱时女人的叫床声也都是装出来的。就像计算机编好的程序，到哪一个环节就发出什么样的声音。其目的就是要讨他的好，让他喜欢。一个人要讨好一个人，就一定有目的。她的目的他知道，就是要得到财富。可是她已经是这个城市里屈指可数的富人了，她的目的早已经达到了。或许，正因为不缺钱了，她不需要再讨好他了。正因为不需要讨好他，所以她说出了实话。她说出了实话，实际上也是在向他要另外的东西。她向他要生活，要一个女人的生活。作为一个市长，在这个城市里，让一个女人拥有社会地位与财富，对于他来说，都不是难事。但是一个女人所要求的最普通的事情，比如家，比如孩子，这，他给不了。这些都是官场大忌，哪一样出了问题都是大问题，都是足以让江山倒掉的大问题。现在，女人有些厌倦了。在一个厌倦了的女人那里，他还会得到怎样的安慰呢？他只想在女人的床上得到放松与安慰。多少年了，他在这个女人这里尽情地放纵与放松，不知得到了多少灵感与动力。这，也够了。

"燕子，今天晚上，我还有个会，要去准备准备。"

刘湘民起了床，丢下燕莎走了。其实，他根本没有什么会。他只是厌倦，想走。

他因为厌倦了在办公室与在家里的生活才来到了果岭，来到了八卦天坑里。没想这一次燕莎同样让他厌倦。他好像有许多去处，但其实无处可去。这个时候，他觉得自己像一个一无所有的奴隶。

在他的心灵深处，埋着一个很奇怪的念想。那个念想很可怕，一旦唤醒了，他就觉得自己真是一个奴隶。以前，在蜜如山里，每天睡醒，一睁眼，虽然睡在松软的床上，可是他觉得厌倦，他被那种小环境拘囿着，无论怎么努力，他的思想都走不出那大山、那密林，更走不出各种各样植物的绿。他讨厌那样的环境，讨厌他的生活，他想拥有自由的生存空间与自由的生活环境。

在家里，父亲像一幅画一样，脸上无时无刻不带着忧伤与痛苦的表情，仿佛山里所有的人都欠他的钱。他走不出父亲的忧伤,走不出父亲的深沉,走不出父亲的愤怒,更走不出父亲的威严。离了家门,到了外面,虽然想怎么野怎么野,想怎么威风怎么威风,但也会有人反对他,不仅仅是不听从他的号令,有的人是直接背叛。虽然,他对背叛他的人也会给予一定的惩罚,但是惩罚过后,他并没得到多少快感。在那个他说了算的小环境里,他也没有自如的感觉。

进了城,工作了,他仍然是一个奴隶。工作了,就算进入社会江湖了。要想活得比别人好,除了脑子好使,他要比别人更努力。有了这两个条件,他才有一个台阶一个台阶向上爬的勇气。一年过去了,他爬上了一个台阶,他甩掉了一批人。可是一抬头还有更高的台阶在等着自己,还有更多优秀的人在前面挡着自己,他还要辛苦地向上爬。在心里,他对自己说,只要有台阶可爬,就要一直爬下去。

在基层时,周围的人都比他资格老,他自然而然就是奴隶。好不容易熬得有些资历了,可以在那个台阶上从从容容地过日子了,却有了当官的机会。权力就是春药,迷人啊,男人如果能得到权力就会低下高贵的头颅,更何况他的头并不高贵。他就在谋取权力的路上拼命奔跑。这样一来,他就又成了权力的奴隶。当了副科长想着当科长,当了科长想着副处长,当了副处长又想着当处长。当了副市长,觉得当市长更风光,当市长能活得更像个男人。可是做了市长以后,他觉得自己仍然是奴隶,是更大上级的奴隶,是诸多事务的奴隶,是家人的奴隶,是情人的奴隶,是时间的奴隶,更是自己野心的奴隶。几十年,他不过走着一条从奴隶到奴隶的路。以前,自己像一头驴一样拉着磨转,现在呢,是磨拉着驴,由不得自己不转。这一切都让刘湘民觉得厌倦。什么时候,自己能摆脱奴隶的心态呢?

他十分厌倦工作中、生活里以及身边的人带给他压力。他觉得他背负的东西像山一样沉重,任何多余的负担都有可能成为压垮他的最后一根稻草。可是怕什么就有什么,怕什么事情就来什么事情。他不得不面对,出了问题,又不得不去想办法解决。他才去高新区视察完工作,可是当天夜里,就传来了消息:高新区区政府超规格盖办公楼的事被媒体盯上了。这种事本来也是小儿科,市里、区里都有宣传机构去摆弄这些事情,用不着他操心。可是到了晚上,他到办公室一看,高新区区委书记、区长两个人在等他,一见他像见了救星一样。他笑道:"你们俩,开会都不一块儿,现在是怎么了?"区委书记说:"老板,出事了,出大事了。不好弄了。"他问:"什么事?"区委书记看看区长。区长说:"还是那媒体的事。"区长一说,他就明白了,火气一下子冲到了头顶上。他说:"什么大不了事情,区里、市里的宣传部长呢?他们不是专门跟新闻媒体打交道的吗?这样的事情摆不平,养着他们干什么啊?"区长说:"他们都努力了。如果只是省里的媒体也好协调一些,可是盯上那件事的是北京的一家媒体。"区长一说,他心里一沉,不语了。他明白,真是麻烦事。北京的水太深,不管是什么事,一有北京的人盯那就是麻烦事。作为一个市长,他就像一个父亲,对待下属要像对待儿子一样。儿子遇到了麻烦事,他必须出面去解决。儿子的事情牵涉着他的脸面。他对两个人说:"你们去吧。这事,我来弄。"那两个人千恩万谢地去了。他叫了市里的宣传部长过来,带着人连夜往北京赶。凭他一个市长在北京的关系,他觉得一般的媒体也好摆平。可真的进入具体的操作,他才真觉棘手。这一家媒体由众多机构联合投资,由很多部门管着,但这些部门又不真的管。他找到了一位领导,那位领导在某种意义上已经能够呼风唤雨、撒豆成兵了。可是当他报上这家媒体的名号以后,那位领导把头摇得像拨浪鼓一样,说:"供职在那机构的记者都是国内出了名的人,每个人都刁钻古怪,很难说话。这事,我帮不上什么忙,你们还是自己想想办法吧。"

看领导那个样子,他知道真的是碰上麻烦事了。没办法,他只有把任务压到宣传部长头上,把他留在北京继续公关,他说:"三十六计,我不管你用哪一计,拿下这件事情来就是大功一件。拿不下来,我会建议你去当统战部长。"他还想放几句狠话,但见宣传部长面带难色,话到嘴边又吞到了肚子里。毕竟是搭班子弄事的伙计,什么话都不能说绝了。宣传部长说:"再调些人来吧,我一个人,有点单。”他明白宣传部长的意思,苦笑道:“但凡有用的人,你只管调。”宣传部长就又打电话从市里喊了几个人到北京。他们组成了一个团队。宣传部长相信团队是有力量的。再说了,就算完不成任务,那也不是他一个人的事了,那是一个团队的事情。就算结果不理想,大家分摊责任,这样到他头上所谓的责任也就成了毛毛雨。整个团队工作都十分努力,每天都把事情的进展汇报给他。每天传回的信息都让他十分不安。有一天夜里,已经过了十二点,宣传部长的电话来了,他说:“老板,我已经打通了报社总编辑的关节,但是他也做不了主。听他话里的意思,稿子还是要发。他建议在发稿以前由市里拿出一个能够让他们满意的处理意见。这样事情或许会有转机。”他说:“该花钱就花钱。”宣传部长说:“老板,钱花不少了,不然都贴不到人家跟前。”他说:“真的要王佐断臂吗?”宣传部长说:“那也比一枪毙命好啊。”听了这话,他不语了。宣传部长是他一手从基层提到那个位置上的,不逼到万不得已,他是不会说这话的。他狠了狠心,下了决心,让办公室通知在家的常委们连夜开会。在那个会上,他宣布,免去高新区区长以及与事件相关责任人的职务,把办公楼让给一家上市公司做办公室。这一处理决定出乎所有人的意料,但是参加会议的人又都明白他的用意,大家不约而同地表示赞同。那家上市公司是一家中美合资公司,有近二百名美国专家供职。如果那家媒体要执意报道的话,就必须到国家涉外机关备案,让宣传部门主要领导看稿。他要给那家媒体制造些发稿困难。这一招不是灵机一动就想出来的,是他思考了很久才琢磨出来的。当大家对这个办法表示赞赏时,他心里也生起了无比的欢悦。

黎明时分,市里把处理意见发给了在北京公关的宣传部长。他打电话把他的意思给宣传部长具体做了交代。宣传部长听完,说:“老板,你这招高啊,我觉得他们会有所考虑的。”他说:“伙计,你去弄吧。事情摆平了,回来我好好请你。”宣传部长说:“我说老板,怎么请呢?”他想了想说:“请你去山里面,听风。”宣传部长听了,心里乐开了花,他知道,刘湘民带人听风是最高的奖赏,那是少数人才有的待遇。这说明以后他就是刘湘民核心中的核心,说不定哪一天，他就当组织部长了。心里有了底气，宣传部长再到报社就不再愁眉苦脸了。宣传部长就又去见报社的总编辑。宣传部长已经跟总编辑见过几次面了，都快混成朋友了。宣传部长一进总编辑办公室便赔着笑脸说："不好意思，总编同志，我又来了。"总编辑已经收了宣传部长好处，不好意思就赶人走，低声说："我说部长同志，我都给你说过几百遍了，那个稿子我只能压几天，给你们留出公关时间。"宣传部长说："社里对那件事情的具体意见是什么？"总编辑说："我在会上说了，这个新闻报道的目的是为了改进政府的工作，不能一棍子打死。正因为我有这个态度了，编委会才犹豫着没有发稿，但也只能扛一时啊。你们得拿出来点具体的处理办法。那样，我才好给你们说话啊。"

听总编辑说完，宣传部长就把一份红头文件递给他，说："昨天夜里，市里开会处理这件事情，已经有很多同志为这件事情做出了牺牲。"

总编辑拿着那红头文件看了半天，说："这件事，你们处理归你们处理，但稿子的事我拍不了板。我们一起去见见社长吧。"宣传部长当然愿意总编辑带他去见社长，人情人情，见了人叙出了感情，事也就好办了。

他们就一起见了社长。在社长办公室里，总编辑把那份文件递给了社长，社长把那文件仔细看了，说："这件事情，还要研究研究。"宣传部长听了，说："研究，研究好，你们好好研究，我到外面去等会儿。"说完，就退出了社长办公室到走廊上等消息。

屋里只剩两个人了，社长对总编辑说："这件事情就由你全权处理吧，毕竟，报社几百口子人也是要吃饭的不是？"总编辑一听，心里一喜，知道事情已经有了转机，说："那我们怎么办呢？"社长说："这样吧，批评报道就不发了，发个正面的。"社长的话总编辑懂，作为二把手，他得深刻领会一把手的意思。总编辑说："这样处理最好，这样处理最好。"

事情有了结果，总编辑就从社长的办公室里出来了。总编辑前脚回了屋，宣传部长后脚就跟了进来。总编辑说："部长同志，稿子的事，得发，不过可以换换。"宣传部长说："只要不发那稿，换别的好说。"总编辑说："可以换成正面的稿子，换成表扬稿。”宣传部长很激动。他两只手紧紧握住总编辑的一只手说：“总编辑同志，谢谢，谢谢，太谢谢你了，你就是救苦救难的观音菩萨。”总编辑说：“部长同志，我不是什么菩萨。这件事情，主要是你们运作得好。批评报道不发了，但以后要加强合作。”宣传部长明白总编辑的话，他表明了自己的态度：“当然，当然。加强，加强。地方政府跟首都媒体通力合作是应该的。”一件事就这样尘埃落定了。

从报社出来，宣传部长有出苦海的感觉。他给刘湘民打电话把事情做了汇报。宣传部长的汇报把表扬与自我表扬的水平发挥得很高，他说：“按照老板制定的方针，经过坚持不懈的努力，我们取得了可观的成绩。人家不但不发批评报道了，还要给我们发一篇表扬稿。”听了宣传部长传过来的消息，刘湘民也有些激动，但相对比较克制。他对宣传部长说：“事摆平了就好，我给你记功，你抓紧时间回来吧，去给那家公司说说，我们免一年房租，让那家公司与报社联手做个活动。”宣传部长一听，明白了他的意图，说：“好的，老板，我回去以后马上就办。”挂掉电话，刘湘民的心一下子空了，他哪里也不想去，倒在办公室里的床上就睡着了。后来，听说那家媒体，因另一起新闻敲诈勒索案败露，连同此案，上级新闻行政管理部门一并做了查处追责。

可是一波没有平息，一波又来侵袭。那边宣传部长还在回蜜如的路上，这边又有人把城市之门项目私改建筑规划的事情捅了出来。这件事不是捅给了媒体，而是直接捅给了省纪委。省纪委派了一个调查组驻到了市里，来的时候连个招呼都没有打，这让刘湘民很恼火，也很无奈。

这是一件让他头疼的事情，因为这事牵涉到了燕莎，处理不好很可能会查到他的头上。放在以前，市纪委书记是他的朋友，他很容易就把事情摆平了。可是现任市纪委书记叶晨刚偏偏不是他的人，也没有好的渠道跟他沟通。有时候，他甚至想省委把叶晨刚派到蜜如来就是针对他的。可那只是一种感觉，他也没有什么过硬的证据。就算有证据，他也动不了这个人。

市纪委书记一空出来他也想提一个自己人。这样，除了有利于自己开展工作,方便自己行事以外,很多人的位置都可以动一动。在官场,大家都想着动,哪怕不升职,只是向稍好的位置动一动,一潭水,也就活泛了。自己力保的一个人,反复做工作,可省里主要领导一直不表态。开始,他觉得,领导不表态是不满意他所推荐的人选,他就接着向省里推荐其他人选,接着做工作。他团结班子成员,费了九牛二虎之力,领导才松口。领导一松口,他的心也就稍安了。可是就在宣布前一天夜里,省委组织部一位主要领导给他打电话,公事公办地告诉他,市纪委书记人选,省里另有安排。领导知道他一定会有情绪,所以把什么话都说到了前面,把什么路都堵上了,让他服从上级决定,配合组织工作。放下电话,他窝了一肚子的火,抬脚把椅子踢倒了,拿起茶杯就摔到了墙上。办公室里值班的人知道他在办公室发脾气,没有一个人敢进去劝一下。火气平息下来,他无力地坐在沙发上,看着大眼镜秘书轻手轻脚地收拾东西,他无可奈何地叹了一口气。大眼镜秘书跟他许多年了,是个有点思想有点水平的人,是敢在他面前说话的人。收拾完东西,大眼镜秘书倒了杯温水,走到刘湘民的身边说:"刘市长,气大伤身,千事重要万事重要,都没有你的身子重要。你有气,可以骂骂下面的人。那么多的人,都指望着你呢,你不敢气出来个好歹来。"听大眼镜秘书这么说,他的心里才平静了下来。他想,不管人事如何安排,这地盘还是他刘湘民的地盘。只要他在,一切都还有希望。

省里下派的纪委书记叶晨刚,是一个在正义道路上一路狂奔的人。但凡他认定的事情,一旦做了,十头牛都拉不住。他当县纪委书记时,在查处一桩涉黑案子时被人暗算过,省纪委把他调到省里保护了起来。他在省城待过好几个单位,可每到一个单位都跟一把手尿不到一个壶里头,软的不吃,硬的不嚼,活活一粒蒸不烂、煮不熟的铜豌豆。他的工作每动一下,职务也就动一下。几年工夫,也从处级升到了副厅。这样级别的纪检干部在省里就很难安置了。可是刘湘民做梦也没想到省委会把这人派到蜜如当纪委书记。这一下,所有的人,都动不了了。有的人,是自己的嫡系,还好说,口头上安抚一下,可以让他们等机会。那种只是有点关系,是那种只生长着利益的关系,人家也表示过了，动不了，就很难办。刘湘民这个气啊，要是省里早点有这样的安排，要派个纪委书记来，提前给他打个招呼，他也不去乱忙乎了。可一切都盖着盒子摇，摇啊摇，摇得人心如落在了鏊子上，都烙焦了，还没有结果。盼啊盼，一个结果终于出来，可让人的心如下雪天掉到了灰堆里，又冷又灰心啊。纪委书记与自己不和，那后院说不定什么时间就起火了。想一想，都是可怕的事情。放在以前，这纪委书记，不管是谁干，也只是聋子的耳朵，摆设。可自从中央反腐形成高压态势以后，纪委书记的权力无形之中也就大了。权力一大，这纪委书记，不管在省一级还是市一级，都成了重要人物。纪委书记这个位置，不管谁主政，都想用自己人，自己信得过的人。不是自己信得过的人，就等于是在身边安放了一颗定时炸弹，不知道什么时候它就炸响了，不知道什么时候就被炸得粉身碎骨了。卧榻之侧，岂容他人酣睡？现在卧榻之侧不是睡上了人，那是睡上了老虎，睡上了随时发威吃人的老虎。这样的安排，让人连睡觉都得睁着一只眼。

在刘湘民的心目中，叶晨刚不是一颗定时炸弹，而是一颗原子弹。一颗定时炸弹炸了，最多炸掉几间房子，死伤几个人，对于他一个市长来说，这样的事情都是小灾小祸，一切还都是可以控制的。可是一颗原子弹一旦炸响了，所带来的后果则是毁灭性的，他什么都控制不了，不但什么都控制不了，连自己都有可能壮烈掉。市里的烈士陵园他是去过的，可那都是去送别人，他去也只是表演一下悲哀，为了安抚人心收买人心的，那是他工作的一部分。实际上，除了愿意在父亲坟墓前沉思以外，他根本不愿意去给其他人敬献花圈、花篮与挽联。当他知道叶晨刚要被派到市里任纪委书记以后，他悄悄地去了一趟北京，想通过大秘书的努力改变上级的决定。他想阻挡一只老虎睡在他的身旁。而且，那是一只有能力咬他的老虎。多少年来，什么事情，什么人，只要让他心里感觉到不舒服，他都要去做点什么，力求防患于未然。这是他做官这么多年来的心得与体会。

四、贵人

在刘湘民的心目中，但凡帮助过他成长的人，但凡帮他做过事、成过事的人都是他的贵人。为了阻挡叶晨刚到密如任纪委书记，他去北京找的人就是他的一个贵人。那是他在党校学习时认识的一位同学，是一个高级领导的大秘书，同时也担任着一个重要部门的一把手。多少年来，两个人保持着密切的联系。大秘书是他的靠山，在某种意义上，也是他的精神奶妈。

他与大秘书能有深交，也是得益于系主任的穿针引线。他参加工作后第三年，系主任就退休在家了，可他每次去北京都去看他。这在人走茶凉的社会里彰显了一个人的品性。那时候，他去看老系主任，没有功利目的，也不是作秀。他在党校学习时，时间上比较宽裕，再加上老系主任的住处离党校不远，所以，去看望老系主任就成了他的功课。有一天，他又去了老系主任家，家里只有他一个人在。也许寂寞得久了，老系主任很渴望有一个人能陪他说说话。正好，他来了。老系主任就留了他的客。两个人小酌了几杯酒，老系主任很是感慨地对他说："湘民啊，老师老了，你还能来看我，说明当年把那个工作机会给你，我没有看走眼。今天，老师就给你说说掏心窝子的话。说实话，老师喜欢你，不但喜欢你做事认真，而且喜欢你懂得人情世故。懂得人情世故的人才能把官做好。人都说做官容易，其实他们不知道，做官也不易。一个人要是把官做好了，也是大本事。不过，一个人想把官做好做大不能光靠个人努力。你今天来了，我刚好想着了一个人，是一个有大本事的，我给你介绍介绍，对你的将来说不定会有帮助。"

老系主任说到这里，他甚是欣喜，他明白，人家是把压箱底子的资源给他掏了出来。

也是借着喝了两杯酒的劲，他向老系主任表了自己的忠心，说："老主任，要说对我好，你真是对我好。我也说句掏心窝子的话，我一辈子都不知道如何感激你。如果不是你老把我介绍给师姐，我哪里弄得清做官的门道？就算知道了，我哪里有晋身的门路？所以，这一辈子，我一是感激父母给了我生命，再者就是感激你老人家给了我机遇。老主任，你放心，只要我好一天，我都不会忘了你的大恩大德。”

他表态到了这份儿上，老系主任感动得眼泪汪汪。这也更坚定了他挺刘湘民的决心，他当场就约了要介绍的人。那个人就是大秘书。大秘书也是老系主任的学生。就像当年老系主任把他介绍给女县长做秘书一样，在他之前，老系主任把大秘书介绍给了一个大领导。大秘书感他的恩，一直保持着往来。

在老系主任的引介下，两个人有了来往，没多久，就成了朋友。大秘书是见惯大风大浪大世面的人，这样一个人成了他生命中的贵人，两个人的人生交汇在了一起。就像两条河流，一条是小河，一条是大河，本来有着各自的流向、各自的力量，那小河却借了大河之势爆发出了巨大的能量。因而，刘湘民变得神秘起来，变得强大起来，他的人生也开始有了戏剧性的变化。如果不是有了特殊的人生际遇，就算他是个天才，走到一定的地步，他也走不动了。可是他碰上了人生难得的机遇，他的生命就焕发了光华。

在他成功当上女县长文字秘书以后，他人生的主线也就定下来了。跟领导当秘书，就意味着有一天要当领导。跟领导当秘书的人要天天想着如何才能当上领导，不想当领导的秘书不是好秘书。

女县长是一个有来头的人，但具体是什么来头，传言很多，流言也很多，但都证不死。传到他这儿，他听听，笑笑，有些信，也不完全信。不过，他不传。因他传了，假的也就成了真的。不过，一个人，特别是女人，一旦走上领导岗位以后，就成了珍稀动物，像宝贝一样被人呵护着。那女县长一路顺风地走着，职位上层楼再上层楼，就成了副厅级干部，成了厅级干部。刘湘民也因了她水涨船高，先是副科级、科级，后就成了处级干部。到了处级，他就走不动了。这是规律。因为他的靠山是一个厅级干部，一般情况下，他当到处级就画句号了。可是他打破了规律，超常规地发展起来。一个干部，到了处级，学习与考察的机会就多了起来。学习与考察其实都是幌子,通过学习与考察结识了什么样的人,比学习本身,比考察本身还重要。在仕途看似没有前景的时候,他获得了一次学习的机会。那是学姐给他提供的一个机会。有一天,女厅长突然就出现在了他的办公室里。那时候,她已经到了省里工作,而他还在市里,已经不专门跟她当秘书了,可她还是经常找借口见他。那个女厅长到了他的办公室,也没有坐的意思,站在他的面前说:"没有什么事,出差,也顺路,拐来看看你。"他见她站在那里,脸红红的,潮潮的,自己也不好意思坐在那儿了,就站了起来。她拿出一张表格说:"有一个学习的机会,你如果愿意,就出去走走。"看着她,他心里怦怦跳着,去接那张表格时,手都有一些发抖。她的手握住了他的手,他不敢动,任她握。她握了一会儿说:"你的手还那样湿。"他说:"是,是吧,没多少变化。"她说:"我变了。你看我的手干得像老树皮了。女人的手,湿的时候什么都好,干了,人也就老了。"他明白她的意思。不好去说破什么,只是应付道:"哪里就老了,一个人,不同的时期有不同的味道。不管是谁,青春就那几年,归根结底是活味道的。"她当然知道他话里的意思,这是男人对女人说的套话,虽然假,自己听了不知有多少遍了,但隔些时候再听,还是觉得新鲜,还是喜欢,还是想听。听了,心里暖暖的,觉得坐二百公里的车专程从省城跑到蜜如也值了,赶路的疲劳瞬间没有了。她柔声柔调地说:"你还是那样懂事。"他赔着笑脸说:"都是你指点得好。没有你,哪里就有我的今天?"她说:"看你说的啥话,都是命,你的命好。不过,说一千道一万,你好了,我也会好的。一个人能好多久呢,不都得相互帮衬着,才能多好一会儿?对了,啥时候跟我说话不那么客客气气的,就更好了。"他说:"得客气,得客气。论师承你是学姐,论关系,你是领导。"她听了,淡然地笑了笑说:"好了,好了,不说了,那都是过去的事情了。今天呢,我也没有什么事,就是想看看你,司机还在楼下等呢,不能待久了。"一收起情绪,她还是那么干脆,说走就走了。他把她送到门口,送到门口就止住了脚步。看着她走了,才关了门,一个人待在屋里回忆往事。时间过得真快,跟着她时,自己懵懵懂懂,就像个孩子,大人世界里的事情仿佛什么都看不明白。一眨眼，十几年就过去了，十几年过去，也就把她送走了。把她送走了，就没有人可以依傍了，就得靠自己奋斗了。想一想，还是有个人跟好，虽然有时候受点小气，但夜夜都能睡个安稳觉。这样想着想着就又回忆起第一次给她写发言稿的事了。那时，他到岗位上不久，她要在全县妇女工作会议上讲话。他是县长钦点的文字秘书，政府办公室主任就把写发言稿的任务交给了他。他熬了一个通宵把稿子写完了。写完了，看看，感觉洋洋洒洒、文采斐然，以为可以顺利交差了。可是把稿子交出去没有多久，办公室主任回来了，皮笑肉不笑地对他说："刘秘书，县长让你去一下。"办公室主任笑得他心里一下子没了底，他想，这人怎么能那么笑呢，笑得人心里瘆得慌。临出门前他问办公室主任："主任，县长真的让我直接去找她？"办公室主任眯着眼说："我还能骗你？快点，你就快点去吧，别让她等急了。"他就去了。走到她办公室门前，屋里很安静。他抑制住激动的心情敲了敲门，没有响动，他又敲了敲门，还没有动静，他正想离去，那门轻轻地开了。

"小学弟，进来吧。"如开了一朵花一样，她笑在了他的眼前。

他就进了屋子，她把门关上了。

"我们来谈谈你写的讲话稿子。"她说。

"有问题吗？"他说。

"文笔很好，需要大改。"她说。

心里像有一堵墙遇了大暴雨，一下子塌了。她的话很好听，但把他熬了一个通宵干的活儿全都否了。他一下子明白，文墨的差事并不是好干的。三两张纸，千八百个字，那是要功力的，耍些花拳绣腿是要出洋相的。他需要拿出十二分的精力、十二分的本事去伺候他的这个学姐。虽然同出一个师门，但是自己的命运在人家的手里攥着，如果干不好，人家有收货的权利，也有退货的权利。自己万一被退回或者被赶到其他地方去，那一辈子也就完蛋了。想到这一层，他的态度就变得谦恭起来，他说："县长，我去改。"她说："你怎么改？"他说："我先去读一读全县妇女工作文件，再到妇联走一走。"她说："老师果然没有骗我，你聪明得很，知道做事的方法。你去吧。我等着你给我写的好稿子。”他就用了几天工夫，黑天白天连轴转，把该做的功课做完了。功课做好了，只用半天时间就把发言稿写完了。交上去，办公室主任看了，不笑了，一脸真诚地说：“这一稿，语言平实，谁看了都会有亲切感，不愧是重点高校的高才生，这么快就进入角色了。让人刮目相看，刮目相看。”果如办公室主任所说，把稿子再交上去，也就三五分钟光景，他就从女县长的办公室里出来，拿了女县长签过字的稿子交到机要室打印了。他过关了。

搞明白她的需求后，他拿出修学分的功夫去学习县里各种各样的文件与资料，连县志都通读了几遍。跟着其他人下乡，他拿着小本，跟人讲话，有不懂的，他就记下来，就连给搞种植养殖的员工说话，觉着有意思的，他也记下来，回到办公室里，好好地研究，尽可能地消化。他的脑子慢慢就满了、肥了，他成了县里的活字典。他写出来的文稿，她无不满意。他写稿子的水平高，女县长的讲话水平也就高，治县理政的水平也就高了。女县长的形象在县里越来越有光彩。为了表达感激之情，她带着他专程去看望了系主任。就这样，他的前途在很长时间内绑在了一个女人的身上。开始，他只负责她的文稿事宜，后来，因了一些事情的发生，捎带着，把她的情感也管了起来。不知道什么原因，学姐的婚姻问题一直没有解决。一县之长，不结婚就是大事啊，有人轻蔑地说：“一个女人，不结婚不代表着没生活。”人听了，哈哈笑。这样的话，很恶毒，简直就是人身攻击。在县里，女县长的情感生活流传着很多版本，也是县城高等人群的消食片。有眼热她的地位的人说，她是靠权色交易走到今天的地位的。还有的说，她读书读傻了，根本不知道这世上情为何物，只不过是做事的工具。还有的人说，县长也是人，是人就想成家热乎乎地过日子。但一个女人家，都当县长了，一般人，看不上眼，比她水平高的男人，都早早抱得美人归了，哪有等着她的。但凡空着的，不是有毛病，就是二婚茬子，不合适。

女县长忙啊，天天日理万机的，婚姻大事也就一日一日地误着、搁置着。其实，在大城市里，像她那样要单的，多了，是生活中的一种现象，不算啥，但放在县城里，就是人事了。

女县长的私人生活一直为县里人所关注。县政府是县里两大机关之一，机关里的人，播弄口舌的本事大，女县长的事，也议论，图个娱乐，但都不当着他的面，因为他是县长的秘书，和县长又是学姐学弟的关系，当着他的面议论，有风险。所以，许多话，他只能风闻，不能详悉。没想到，有一天夜里，她突然打电话给他，让他去一家酒店接她。他就去接了她。学姐上了车，一出酒店的大门，就嘤嘤地哭将起来。他知道出了事，但不知道出了什么事，也不敢问，只是一味地开车。他不知道她要去哪里，也没有问。再说了，那个当口，也不能问。没有目的地，又不能远去，他只好绕着县城外环一圈一圈地转。转过十几圈，她不哭了，说："停下吧。"他就停住了。她说："借你的肩膀用一用。"他就把肩膀给了她。她就靠在了他的肩膀上。过了很久，她说："真好。"他说："姐，你要觉得好，你就靠，你想什么时候靠就什么时候靠，你想靠多久就靠多久。"她笑了，说："傻。"不过，她就靠着，靠着靠着就睡过去了。

学姐为什么说他傻，他没弄明白。但那句话，比写上百上千个发言稿还管用。那一年，她破格提拔他当了政府办副主任。当秘书，只能负责文稿事宜。当办公室副主任就不一样，不但县长日常生活中吃喝拉撒的事情要管起来，县长走南京去北京的，也要厮跟着。跟着跟着，就有事了，就把她的情感管了起来。在以后的岁月里，她给他一次又一次机会，直到她当厅长了，不再直管他了，她仍坚持给他创造进步的条件。那一次，她只是想找个借口去看看他，那个学习的机会只是顺水人情，可是他抓住了那个机会，让自己的人生又上了一个台阶。

那位跟大领导当秘书的同学是一个有追求的人，也是一个不甘寂寞的人，喜欢结交有志向的人，也喜欢帮助有追求的人。在同一恩人的引介下，两个人成了莫逆之交。

自从结交那个大秘书以后，刘湘民的人生变得顺风顺水。本以为到了处级他的上坡路就走不动了，可有了大秘书相助，他的上坡路就变长了、变顺了。

大秘书也是一个有姓有名的人，而且名头很响，可是在刘湘民的心里，他更愿意叫他大秘书。或许自己也是当秘书出身的缘故吧，他觉得叫大秘书亲，不但能给他力量，更让外人产生神秘的感觉。人啊，有时候，就得给人一种神秘的印象。哪怕装，也要装出神秘感来。在社会上混事，很多人认人，就认那股神秘劲。

刘湘民的仕途除了有学姐的帮助以外，更多的，得益于大秘书。后来，他能够坐上市长的宝座，大秘书也起到了至关重要的作用。

他是在一个黄昏见到大秘书的。大秘书在西山的大觉寺接待了他。

那天，正赶上大秘书在大觉寺里坐禅。坐禅是大秘书经常做的一项功课。不管是谁，禅定以后，是不允许人打扰的。大秘书禅定以后自然也不允许其他人打扰。他一直等到天要黑了，才见大秘书出了禅室。

“一段时间不见，师兄禅定的功夫又见长了吧？”他恭维大秘书。

“我这算什么禅定啊，充其量也就是打打坐，躲躲烦恼罢了。”大秘书在坐禅以前就知道他来了，这个师弟的前世今生，他了如指掌，见他候着自己，并不觉得惊奇。

“噢，难道说打坐与禅定还有分别？”他问大秘书。

“你不知佛，有这一问也不奇怪。简单地说吧，禅定净心无碍，是灭烦恼的。而打坐是为求得清静心，所以只能说是躲烦恼。这里面的水也深，不说它了。你大老远跑来找我，是无事不登三宝殿吧？”大秘书无心给他讲佛学，三两句话，就过了。

“师兄果然厉害，一下子就猜中了我的心思。”他说。

“不急着说事情，走，一起吃点素斋吧。你喜欢风，饭后，我们一块儿走一走，听听大觉寺的风声。”大秘书说。

本想直接说事，没想被大秘书给挡住了。他只能顺从大秘书的意思。

在院子的一处石桌上，素斋早已是备好了的，两个人一起坐了下来。

一边吃，一边说，很快就把市里的情况与自己的想法说清楚了。可是，大秘书只是听,没有表态。他不知道大秘书是什么意思,也不敢过深地问。求人办事,你有你的想法,人家有人家的想法,要把想法合在一起,事呢,才能成。饭吃过了,大秘书说:“起风了,我们走走吧。”

一弯月牙,黄在半天上。两个人走出了大觉寺,沿着一条小径走,走着走着就到了山的幽深处。

“你知道这个地方为什么叫大觉寺吗?”大秘书说。

“不知道,你说说,我好好听听。”他说。

“老北京人都说这个地方是顺治皇帝出家的地方。这里以前是皇家禁苑,后来,运动时被毁掉了。运动过去,因为有故事,又恢复了,香火也旺。”大秘书慢悠悠的,仿佛要告诉他点什么话,又不想直接讲明白了,让他去悟。

“师兄啊,那个人,我怎么弄啊?”他没有心情去悟大秘书的话,又递上了话头。

“省里既然安排那样一个人到你那里,或许是有深意,你不接不好。”累了,到一棵树下,停住了,大秘书如此说。

“那我一接住,不等于在自己身边安了一颗定时炸弹吗?不,是安了一颗原子弹。它随时都会炸响啊。”刘湘民说。

“原子弹?你说的也有道理。”大秘书说。

“那我该怎么办啊?”他向大秘书求计。

“说实话,这样的事,我并没有好办法给你。或者说,我根本就帮不上你。这个世界上,有许多事情,是别人帮不上忙的。你之所以这样说,是因为这个人让你觉得不安全。可反过来想想,就算没有这个人,你就安全吗?你提到了原子弹。是,原子弹很厉害,但又炸响过几次?现如今,这个世界上的原子弹足可以把地球毁灭几百次甚至是几千上万次,可是这个世界的原子弹会爆炸吗?不会。世界上掌握核按钮的那几个人是最不同寻常的人,也是最理智的人。他们只是保持按按钮的权力可根本不会去按按钮。现在这种情况,你只能接受省里的意见把这个人接过去,而且要装作心甘情愿的样子接过去。人啊，活在这个世上，不能少了朋友，但也不能少了敌人，少了对手。如果没有了敌人，没有了对手，那你掌控这个世界的能力就会慢慢地弱化。那个时候打倒你自己的往往不是你的敌人，也不是你的对手，而是你自己。人活到我们这个地步上，什么事都不能较真。一较真，就真的输了，惩罚就来了。遇见这样的事情，不去较真，就那样放着，磨着，可能对自己反倒是一件好事。”大秘书的一番话深富哲理，他听懂了。

听懂了大秘书的话，他感觉很惭愧。他没有想到，在帮助领导处理大量事务的同时，大秘书并没有放松对自己的修炼，对一件事情领悟得出神入化。与他相比，自己在做市长的这几年还真是放松了思想上的修行。与大秘书相比，他几乎成了处理问题的机器。虽然大秘书并没有在实际上帮助他什么，可是他觉得通过一次会面与会谈，他学到了许多东西，他有一种重新悟道的感觉。这种感觉提升了他的自信心，他觉得自己仍然有能力把控一个城市的走向与命运，有能力掌握自己的命运与其他许多人的命运。

“这里的风有什么味道？”走了一段路，两个人要往回走了，大秘书问他。

“素。这里的风是素的。”他说。

“你说得对，这里的风是有一点素。城市太大了，空气都是稠的，闻起来呛得慌。这里风的素味让人喜欢。”大秘书说。

“那明天，我就回吧？”思想上通透了，就不想再麻烦人家了。

“好。你走，我就不送你了。”大秘书说。

他听从了大秘书的话，决定热热闹闹地把叶晨刚接到市里。

在从北京往回走的路上，他打电话给省委组织部长，告诉他，自己同意叶晨刚到蜜如去工作。并且，他把自己的想法也给蜜如常年有病在身的市委书记做了汇报。

组织部长很高兴，建议蜜如市的主要领导到省城来，一起与叶晨刚吃顿饭。刘湘民表示同意。组织部长说，要邀请省纪委主要领导参加。一再表示，要把面子给足蜜如。

组织部长与刘湘民也相熟，与大秘书更是好朋友。但他已经是一个白发老头了，再等两年就到站了，已经想着如何平安着陆的事了。刘湘民给他说过，不愿意叶晨刚到蜜如去。但到了他这个年龄，地方人事上的浑水他就不想再蹚了。他就劝刘湘民，要认清形势。不管怎么说，刘湘民只是市长，在蜜如不管如何说了算，都不能阻挡组织上任用干部。可是刘湘民根本听不进他的话。组织部长知道他闹情绪，也深知事情的复杂性，就把这件事情搁置了起来。刘湘民突然打电话给他，表示愿意来接叶晨刚，他推断，刘湘民一定去过北京，征求过大秘书的意见了。这件事他没有给大秘书说过，但是他与大秘书的心意是相通的。熬到他们这个地步上的人，什么事，怎么处理，都有程序在那儿摆着呢。万事不着急，到了时候，该出来的结果也就出来了。一件大事终于要尘埃落定了，作为组织部长，做些颜面上的事情，还不是小菜一碟？

组织部长在省委机关食堂里摆了一桌酒席。菜是机关大师傅做的，酒还是茅台。人到齐了，就开席了。叶晨刚与刘湘民分左右坐在了组织部长的两边。省纪委主管人事的副书记在组织部长的对面坐了。蜜如市来的其他人等也分别坐了。

组织部长说："今儿个的饭，我给起了个名，叫面子饭，是大家给我面子，所以呢，我从家里拿出来藏了二十年的酒，饭钱呢，从我伙食费里面扣，说白了，是我个人请客。"他这话一出口，大家就知道这顿饭非同寻常，分量重。三杯酒过，刘湘民就表态了，说作为一个蜜如人，热烈欢迎叶晨刚同志到蜜如市工作。刘湘民的态度一出来，大家就都把心放到了肚子里，知道可以放心吃饭了。很多人知道，刘湘民是极力反对叶晨刚到蜜如任职的。省纪委那位副书记就是怕刘湘民做出什么不好收拾的事情才参加饭局的，他早已经做好当消防队员的心理准备，一旦起火，他就要做好灭火工作。他要保叶晨刚顺利就职，不然，他也不好给组织上交代。刘湘民一表态，省纪委副书记就开口说话了。他说："有湘民这句话，我就放心了。这样吧，作为长兄，我敬湘民一杯。"两个人就喝了。省纪委副书记的酒一喝，叶晨刚笑着就站了起来，他说："我敬一圈，我敬一圈。”他的笑模样一出来，气氛也就活了，大家也就放松了。跟刘湘民来的人，也就放开了。平时在下面工作，这样级别的领导难得见着，也难得在一起吃饭，大家纷纷起身给组织部长与省纪委副书记敬酒。接下来，组织程序一走，叶晨刚走马上任，到蜜如市做了市纪委书记。

五、手法与脚法

起初，刘湘民想，省里既然要用这个人，那他就帮这个人走走过场，镀镀金，有个经历。再说了，强龙不压地头蛇，他已经把蜜如经营得铁桶一样，这么多年来，不管什么人来蜜如任职，都要拜他的山头，看他的眼色行事。就算是来当市委书记的，也要让他两三分。那些人，在蜜如待几年以后，不管是升官还是平调他处，他都平平安安地给送走。那些人走了还很感激他，在人前人后说他的好话，称他是“平安市长”。他想，就算这个外来的和尚再会念经，也很难破他的铁桶阵。刘湘民本想拿叶晨刚当一尊佛供着，可是人家并不领情。一到任，就点起了火，这让他很生气，也很郁闷。

叶晨刚到任以后，在三个月内接连处理了两起大案，让人觉得这个纪委书记有些疯狂，有些不可思议。第一起案子是撞到他枪口上的。市供销社主任跟一位开发商合作，中午喝多了，从酒店里一出门，正碰上叶晨刚。他在市委的会上见过叶晨刚。他认得叶晨刚，叶晨刚并不认得他。这样一个情况下，打个照面也就过去了，也不知道他哪根筋搭错了地方，忘了其中的利害，踉踉跄跄上前拦住叶晨刚的去路炫耀道：“叶书记，我今天签了一个上亿的合同，钱三天就打到账上。我给你打包票，我一分钱的好处也不会收，我只想好好地为蜜如的老百姓做点事。”叶晨刚见他喝醉了酒，也不好当面责怪什么，可是也不能一味地任他胡说，便打个电话叫了个人安排他去休息。可是那人误会了他的意思，还以为他让查那位供销社主任，便直接把人带到纪委大院里。晚上，有人向刘湘民汇报，那供销社主任酒醒以后，交代了很多违犯法纪的问题，其中在经济方面收受贿赂就有五百多万元。这样偶发的事件惊出了他一身冷汗。他心想，蜜如并不是一块净土。不过，这样的事情他并没有太往心里放，天下这么大，哪里都有些问题，遇见了处理一下就行了，故而，他也没有向有关方面的领导汇报。可没过多久，又发生了一件事，让人心惊，逼得他不得不向上级反映蜜如的问题。

蜜如下面有个阳城县，在山里，只有五十万人，偏僻，贫穷，不招人眼热，也不招人待见。阳城县县长是一个女的，叫古月明。女县长胖胖的，就像邻里大嫂，一见人就笑，给人印象很好。这个古县长当了三年县长，一门心思想当书记，准备着当上书记以后调到其他富裕的县里去。县里书记的位置空出来以后，她就从省里找了一位领导专程到蜜如说项。那是一位老领导，已经退下来几年了，但是影响力还在。他之所以愿意帮忙，是因古县长与他是老乡。小老乡找上了门，他觉得闲着也是闲着，能给人发挥一下余热也是好的，便走了一趟蜜如。在酒桌上，他借着几分酒劲摆起了老资格，说："阳城县条件差，不好摆治，俺这个小胖妞没有功劳也有苦劳，也该往上升升了。"酒桌上，书记、市长都在，他不看书记，他知道书记在蜜如只是一幅画，被人供着，中看不中用。他一个劲地看刘湘民，想让刘湘民这个市长先表个态。只要刘湘民表态，书记那一关自然也就好过了。刘湘民心想，按照常理，县委书记的位置空了，也该县长接了。他说："人的事是书记管，只要书记同意，我没有意见。"他这么一说，事基本上就定了。

古县长的事情有些眉目了，那位老领导也回省里去了。可这个时候，发生了一件事，所有的事情就都坏掉了。阳城下面有一个阳城镇，镇上很多人以做烟花爆竹为生。一天晚上，市委常委开会正研究古县长升迁的事情呢，突然传来一个消息，阳城镇上一家烟花厂当天下午爆炸了，有死有伤，但死伤情况不明。事情发生以后，古县长也很及时地到达了现场。她看到现场一片狼藉，死伤很多。这是一个生产事故，要上报的，可是她知道正研究自己当书记的事呢，她怕受影响，就自作主张瞒报了死伤数字，并安排人收买了死伤人员的家人。可是，事情做得不密，泄露了，被媒体曝光了。为了在最短的时间内弄清楚事情的真相，市委、市政府委派叶晨刚带队进驻了阳城县。经过调查，真相出来了。真相一出来，所有的人都被吓住了。整个事件死伤超过了三十人，属于重大事故。但更让人心惊的是，为了减轻自己的罪责，古月明交代县委、县政府领导班子中存在严重的贪污受贿问题，她向叶晨刚交出了她精心记录的一个小账本。就是那个小账本引发了阳城县一场官场上的大地震。事情查清楚以后，阳城县有问题的领导干部，该免的免了，该判刑的判了，本来要当县委书记的古月明县长也被开除党籍公职，回家做了家庭妇女。这一件事情让阳城这个小地方在全国都出了名，捎带着，也让叶晨刚在全国的纪检系统出了名。社会上也开始有他的传说，有些文人还以他的事迹写了书，编了电视剧。民间就流传他是包公转世，海瑞再生。查处这件事情，他专门向省纪委书记做了汇报。省纪委书记是中央下派到省里的，以手腕硬、办案铁而出名，对叶晨刚汇报的问题很是重视，他对叶晨刚说："腐败不除，国无宁日。你只管放手去做，争取把蜜如做成一个反腐倡廉的样板市。工作上有困难，你尽管来找我。"有省纪委书记的支持，叶晨刚信心大振，他觉得他可以在蜜如做点事了。

在蜜如，叶晨刚做的很多事情都让刘湘民反感。他觉得，叶晨刚到蜜如以后，几乎所有的事情都乱了套。蜜如是有一些问题，但和其他的城市一样，蜜如的问题是发展中出现的问题。发展中出现的问题应该在发展中解决，而不是简单地使用霹雳手段去处理。抓人关人是最简单的了事方法，却会给一个地方带来长久的伤痛。作为一个外来的和尚，叶晨刚没有把一个地方的经济发展作为头等大事来抓，这对于蜜如来说并不是好事情，他一直想找个机会把这件事挑明了。什么事，如果一直盖着盒子摇，真的不知道会摇出点啥。借一次民主生活会的机会，他对叶晨刚的工作作风提出了严厉批评。他说党的干部不能做公事，扬私名。那时候，叶晨刚的青天名声已经在社会上传扬开了。这个问题提到了常委办公会上，人家又说得在理上，为了不激化两个人的矛盾，叶晨刚接受了他的批评，在会上做了自我批评。叶晨刚表态，以后在工作中要尽量做到公事公办，不存私心。可就在民主生活会之后不久，城市之门项目就被调查了。他觉得叶晨刚说一套做一套，是个心口不一的小人。城市之门是他抓的项目，明摆着，枪头子是冲着他来的。这件事情让他心里很是不爽。叶晨刚这样做，明显是跟他对着干的嘛。他心想，来吧，玩就玩，谁还怕了不成？要是没有几下子，自己怎么能坐到市长的位置上？经过那么多的人与事，他早已经悟透了当官的道道。当官，说白了，就是弄权。弄权是什么活儿？弄权就是玩人的活儿。不会玩人，就被人玩。做市长这些年，有多少人被他玩残了，玩废了，玩得消失在茫茫人海，没有踪影了。他在这城市里都玩得有些索然无味了。甚至，他连性欲都下降了。他想，要玩就玩点刺激的，就像黑夜里坐车走在平坦的路上，突然驶过铁道，而司机又来不及减速，咣地一下过去，那种感觉，像过电一样，比跟一个妖女人做爱都爽。

当城市之门项目被调查以后，起初，他有些心烦，但是想到大秘书，想到大秘书说的那番话，他又提起了精神头。他心想，既然人家都出招了，那就接着吧。他想象着，手里拿着一根大竹竿，呼地一下扫过去，哗地一下，有成群的人倒下，而他站在一处高地呵呵地笑着，庆祝胜利。可经过三五个回合，他觉得远不是那么回事，不但一个人没扫倒，自己反倒被累着了。他想，难道自己真的老了？难道玩了半辈子人，这回真的就被人玩了？刘湘民不甘心，他想自己只是一时疲惫，休息休息就好了。没想到到了果岭山庄，到了八卦天坑中，他还是累。当燕莎说完那番话，他失望了。他对什么失望了呢？

六、上位活儿

不管刘湘民的心里有多少种情绪在缠绕着，只要一进入办公室他就会生出精力去处理千头万绪的工作。多少年来，他已经养成了工作的习惯，他喜欢听人汇报，喜欢在各种文件上签字，他觉得这个城市在他的笔尖下在不断地发生变化。那样的感觉，让他的心理得到了巨大的满足，那是权力带给他的满足感。男人,只要有了权力,就会拥有外部世界的主导权。权力,是死也不能让的东西。其他的,又算得了什么呢?

在权力的指挥棒下,他喜欢参加各种各样的剪彩活动。他觉得能用一把剪刀剪断这个城市的离愁别绪,让这个城市变得缤纷多彩。他喜欢视察已经开工的工地,喜欢看人们蚂蚁一样在工地上忙碌。他觉得他在工地上走一走就能激起人们更多的干劲,就能推进工程的进度。有一天,看完一个工地,他赶走了所有陪同的人,独自走到一处高地上,坐在石头上抽烟。他的车停在广场上,在太阳光下闪着亮光。他突然想,自己要是消失一两天会是什么样子呢?有了这种想法,他突然兴奋起来。他看了看那辆奥迪车,车窗开着,司机老许正眯着眼睛,好像睡着了。他看了看高地的另一侧,正好有一个出租车停靠站。他从另一侧走下了高地,到出租车停靠站拦住一辆出租车,坐上了车。

"师傅,你去哪里?"出租车司机问。

"蜜如山。"他脱口而出。

蜜如山是他出生的地方,也是他成长的地方。那里埋着他的父亲母亲,也埋着他的初恋。那里有他的亲与情,也有他的痛与爱。离开大山以后,他无数次地回去,每回一次,心灵好像就丰富一些,心智就成熟一些,处理问题的手段也就会圆润一些。

到蜜如山里面,为了梳理自己的心绪,他会选择不同的地点去听风,每一处的风声带给他的感觉都不尽相同。每到一个地方,他都把自己的隐私藏起来一点。他觉得,如果有人研究他的话,就必须把蜜如山读懂。不过,这根本就是不可能的事情。有谁能把一座山读懂呢?所以,世间所有认识他的人,包括名人与神仙,都不可能真正了解他。而他了解这一座山,这一座山是他的命之所系。蜜如山不但给他爱,让他倦怠的身体得到休养,让他受伤的心灵得到安慰,更给他以灵感。蜜如山啊,那是一个他深深爱着的地方,那也是一个可以带他进入梦乡的地方。

蜜如山离蜜如市有一百多公里,出租车司机以为接上了好活儿,也兴奋起来,开起车像飞。可刚走一半的路,前方有一辆黑色奥迪停在路中,挡住了去路。出租车司机以为是那车出了事故,减了车速。一个人从那车里闪出来,像只大鸟,张着两只胳膊拦住了出租车。刘湘民看见是司机老许,他叹了口气,招呼出租车停住了。

"你找死啊?"出租车司机伸出头去,他不明白为什么会有陌生人突然拦住了他的去路。

"不要骂人,他是我司机。拿上钱,你走吧。"刘湘民塞给出租车司机一百块钱,下了车。

"真是,脑子进水了,放着自家的好车不坐,偏要打的,这不是拿人开涮嘛!"出租车司机用手摔了摔那张红票子,他搞不明白,这个世界上还有这样莫名其妙的人。

"你——"老许想拦住那个出租车司机理论理论。

"老许,算了吧。怪不得人家。"刘湘民一句话拦住了老许,那个时候,他才觉得自己做的事情有些荒唐。自己是什么人,怎么会做这等事呢?传出去,民间不知道又会传成什么样呢。

刘湘民上了车,老许问也没问就往蜜如山的方向开。跟着刘湘民十多年,他已经摸透了他的心思。

"这件事情,就只当没有发生过。"刘湘民说。

"嗯。"老许点了点头。

其实,他这句特意的安排也是多余的,有关他的任何事、任何话,老许对外界守口如瓶,要不然,他也不可能跟他那么多年。

"刘市长,我有句话,说了,你不要放在心上。"老许像鼓了鼓勇气才开了口。

"你说吧。"刘湘民说。

"就算有天大的事,也要慢慢做,你不要苦自己。"老许说。

"老许,你跟了我快十二年了吧?"老许的话很宽他的心,他没有正面回答老许的话，而是反问了一句。

“再有一个半月就满十二年了。”老许不明白刘湘民为什么突然问他这个问题。

“高新区交通局有一个副局长退休了。职位空出来，狼争肉样，很多人想干。我在常委会公开讲过了，那个位置留给你养老用。我说过了，就没有人再争了。等几天，开个会，走一下程序，你去那儿报到吧。”刘湘民说。

“刘市长，你，你是嫌我老了吧。我给你说实话吧，我命中注定是跟你一辈子的人。换了别人，我也不放心，家里人也不放心。”老许的眼里一下子就有了泪。

“我不是嫌你老了。你想想，谁能跟谁一辈子啊，早晚得有一个归宿。”

“要是这个情况，我就跟着你，伺候你，我哪里也不去。什么副局长，我根本就不是当官的料，也操不了当官的心。”老许说。

老许的话让他心头一热，他觉得当年留下老许当司机是一个英明的决定。

老许名字叫许忠，个大身长，手长得像蒲扇一样，是把开车的好手。自从跟了他，他就老许老许地叫，几乎把他的名字都忘掉了。

老许开了半辈子的车，跟过许多人。从他当代区长时就一直跟他。在跟他之前，还跟过一个人，也是区长，是他的前任。前任区长跟区委书记不和，常常因为一些陈芝麻烂谷子的事俩人闹得不可开交。在辖区内，有一块地，两个人，许给了不同的开发商。一个闺女嫁两个婆家，想不出事那是不可能的。那块地在城区中心位置，是一家老菜市场，如果做地产，有十多亿的利润。相持不下，两家企业都开发不成，于是两家的老板就坐下来谈判，同意联合开发。协议也签下了，两家企业却展开了暗战，都拼命找关系、使手段，那么一块肥肉，都想独吞。区长是一个爱江山更爱美人的人。爱江山，是好事，但爱美人就是毛病了。很快，他就中了人家的美人计。中了美人计，也就坏了事。坏事以后，区长被判了十年，进了那四面不透风的地方。领导没了，司机当然也就被晾了起来。

区长的位置空出来了，便有很多人盯着。但凡有点能力的都开始活动了。他当时已经是处级干部了，可干的仍然是伺候文墨的闲差事，坐的是没有实权的闲位置。可是这样的闲职却与区长一个级别。官场上，级别到了，想到肥差上去，就看你会不会运作了。想一想，自己当区长的条件够了，机会来了，如果不运作运作，怎会知道自己不行呢？他跟别人一样动了心思。那时，他刚在北京学习结束，很多关系都是新的，他就试着用。那些新关系中，就有老系主任递交到手上的那个大秘书。其他的新关系在大秘书的关照下，用起来得心应手。他就像推牌九一样做了一个结构开始运作。没过多久，事情就有了眉目，他就当了代区长。当了代区长，他的专职司机也不是许忠，许忠他只是偶尔用用。之所以偶尔用，是因为他技术好，工作上离不了。但因为不是自己的人，心里有隔膜，不敢往深处用。前任的事了结以后，有人召集说，大家共事一场，尽尽情分，去看看人家。在世面上混，这也是人之常情。他当时是代区长，正需要人缘，所以，有人一建议，他偷偷去了。去时，带了老许。

前任是一个明白事理的人，人到了那个地步，来看他的人，他拿谁也都不当真，拿谁的话都当作耳边风。他心里知道，来看他，都是由于以前共过事，有过利益关系，看看他，只是尽尽心，走个过场，看过以后，一些人就永不相见了。可是轮到见他，前任的眼睛亮了、湿了，求了他一件事，不是自己家里的人，也不是自己的事，就是老许的事。他求他用老许，好好地待老许。

当时心里想，也就是一个司机的事，用谁都是用，放在一个代区长身上，也不算是什么事，他就应了下来。后来，他就真用老许当了专职司机。时间长了，用老许，不但顺手，而且顺心。只要坐上他的车，就像躺在自己家床上一样舒心。老许嘴严，从不多说一句话。自己家里的事也从不跟他多说一句。但是，前任区长为什么求他留下老许一直是一个谜，他要揭开那个谜，因为他身边的人，他都要了解清楚，可是他不知道跟谁了解。后来，是他悟透了那个谜。听人说，老许媳妇是个农村人，是个家庭妇女，家里有三个儿子，也都没有上班。一大家子人，就靠老许的工资生活，日子过得苦。前任区长答应给他三个儿子安排工作,结果一直没安排,一直到东窗事发都没安排。一朝天子一朝臣,前任区长也明白,任谁接他的位置,都不会再用他的旧人。其他人,他不想管了,也管不了了。但是对于老许,他心里觉得愧疚得慌,如果没有人用老许,那不仅仅是老许一个人的事,而是一个家庭的事。一个人的事是小事,但是带累一个家,那就是有罪了。他就求了刘湘民。悟透了真相,刘湘民就把老许当成自家人。没有多久,他就开始给老许解决一些实际问题。几年过去,他给老许家办了很多事。老许的三个儿子相继有了工作,也相继成了家、立了业。连老许大字不识一篓筐的老婆也到一个区文化局上了班,每天领着一班子老头老太太跳舞跳得很欢快。他成了老许一家的大恩人。为此,许忠老婆就告诫自家男人,不要想着家,也不要想别的事,一心一意地把领导伺候好也就算报了人家的大恩德了。出于感激与感恩,老许一直跟着他干。不管是谁,跟领导当司机,都想着干个两三年能找个地方当个小头目,也算出人头地了。这在官场上,也是一个不成文的规矩。所以,一想到老许那么长时间跟着自己,他总觉得欠人家点啥,但是老许不以为意。

跟刘湘民十几年,经见的事情多了,老许也变成了一个深沉的人。老许知道,刘湘民能坐上蜜如市市长的宝座十分不易。这样的位子,除了市里那几个有能力的人在盯着,还有省里那些有资历的厅长局长也在盯。只要位子空出来,就会有一番明争暗斗,一直到省里明确了人,文下了,人到了,大家的动作才会画上一个休止符。不过,那也只是暂时的消停而已。位子再空了,就会再来一次争斗。一个人倒下了,数十个站出来,接着来过。这样的情形用残酷来形容一点也不过分。

十年前,当蜜如市老市长被查出得了癌症以后,他还只是一个常务副市长,是干活儿顶雷的人。用他自己的话说,他是作为一粒沙子被报到上面的。

什么是沙子呢?比如那些有背景有家世的人,是水晶。那些有后台的,有关系的,算是石头。他这一层面的,也只能算是沙子。

水晶不用说了,是宝贝玩意儿。石头呢,经高人开光,也会变成玉,变成宝贝。沙子呢，只是比土强一点，想成宝，难。

在某种意义上，他就是个陪衬，需要陪着走个过场。

不管是水晶还是石子，人家各有各的位置，都有人给撑着腰呢，都有人给支口锅，给备着米呢。过场走完了，人家各有各的位子。陪衬的主儿呢，还得回来，以前坐藤椅，还坐藤椅，以前坐板凳，还坐板凳。因为人家什么也没有给你预备，但是需要你陪着走一趟。让你陪着走，你就得乖乖地陪，让你咋陪你咋陪。吃饭不能坐错了位，端错了杯。说话不能荒了腔，走了板。用官场里一句话叫扎扎实实走过场。可谁想这过场一走，他竟然走得与众不同，走得石破天惊，沙子一下子闪出了光，沙子一下子就变成了金子。

当时，老市长有病的消息一传出，就有人开始活动，省里市里但凡觉得能当市长的就都开始活动。社会上有心的人算了算，各色人等有八十多个人参加竞争，比唱戏还热闹。

经过组织筛选，那八十多个人中有九个人的资料报到省委组织部。部长看了，笑着对办事的人说："能不能再报一个？"

办事的人明白了，部长是一个追求完美的人，十个人不就是十全十美吗？可这种事，下面的人哪敢定啊，就挑了六个人的资料让他选。刘湘民就是那六个人中的一个。他翻着刘湘民的资料，问具体办事的人："这个刘湘民是什么样的人啊？"

具体办事的人说："他搞五万农民艺人演出，中央电视台都报道了，有点能力，不过才当常务副市长一年，资历不太够。"

"他很年轻嘛！"部长说了一句意味深长的话。

"就是，年轻就是优势，如果这样的干部上去了，可以作为组织部培养年轻干部的典范。"具体办事的人说。

部长的意思是让刘湘民进入候选名单，但他需要下面的人说话。具体办事的人也猜到了他的心思，配合得天衣无缝。他同意推刘湘民不仅仅因为刘湘民脑子活络、人能干。像这样的干部，他手里一抓一大把。想想，没有点能力能当干部吗？他推刘湘民是因为大秘书给自己说过话，刘湘民是他的小兄弟，但凡有事让他关照一下。大秘书是他的老同学，他到北京去，不管办事不办事，都要见见，哪怕只是说上一两句闲话。这样的关系，他因为公事私事，麻烦大秘书的时候就很多，就总想着回报一下，他下定决心，不管什么事，只要是自己能办的，只要大秘书张口了，他都要努力办好。有次他因公进京，拜访大秘书，临告辞时，大秘书把他叫住了，说："有一个人，你照应一下。"他问："谁?"大秘书说："刘湘民，是你的一个手下，在蜜如当副市长。"他一听，满口答应："没问题。老同学要关照的人，我当然得尽力。"一个省委的组织部长，管着多少干部啊，像刘湘民那样的，没有人安排，他连名字都记不住。后来，到蜜如视察工作，他专门点名让刘湘民陪，刘湘民这才进入了他的视野。那个机会出来，他也知道刘湘民的资格不够，他也就是想让他历练一下，为以后的进步打个基础，这样也给大秘书一个交代。再说了，省委大老板还欠着人家一个人情呢，说不定要着了呢?

名单被提到了省委常委会讨论。

会开得很长，一个个名字被黑色铅笔画去。

深夜了，大家困了，有些人肚子饿了，眼前出现了幻影，别说是山珍海味了，就算有个大饼子，也恨不得给吞到肚子里去。有些人的眼皮涩了，恨不能拿根火柴棍撑着。不管是谁，都盼着能快点有个结果。有个结果，大家就都解放了。大家心里都清楚，名单中的这些人，都是有能力的人，谁干都成。就算能力不太行，但是一个市，是一个庞大的组织系统，只要有一个人支应着，它就会运转起来。争来争去，无非是要搞平衡。其实，大家心里更明白，大老板的心里也有本账，不管下面怎么忙乎，都要看大老板的那本账怎么算。所以，大家把眼光投向大老板，希望大老板来个一锤定音。这个时候，大老板的秘书进来了。他在大老板的耳边说了些什么，大老板便神秘地对大家说："你们先讨论，我去接个电话。"

五分钟后，大老板回来了，接着开会，就讨论到了刘湘民。

大老板说："这个刘湘民是什么人啊？这个名字有点熟啊。"

组织部长一听大老板这么问，便明白了八九分，心里也是一喜，觉得刘湘民有戏，便也乐得顺水推舟，说："这个人，有些本事，也是个文化人，他搞过一个事情，把五万农民艺人集中起来一起唱《同一首歌》，还上了央视的新闻联播的头题。"

组织部长特意强调了一下"头题"这两个字。在场的都明白这两个字的分量。

大老板说："是这样啊，怪不得熟悉呢，这条新闻我有印象。"

所谓的五万农民艺人合唱《同一首歌》是一个特别的策划，也是一个成功的策划。

早些年，蜜如市下面县里一些民间艺人长期没活儿干，没活儿干就意味着这一个群体没人管，也没有饭吃。人没饭吃了是会急眼的，他们就联合了一些有名头的人去找政府。

找县一级的政府没有解决问题，他们就接着往上找，找到了市里。问题已经出来了，就得有人解决。那么多的人要饭吃，这不是一个小问题，再加上艺人当中，藏着龙卧着虎呢，说不定就把事情闹大了。市里的领导很重视这件事情，书记跟市长专门找了刘湘民，安排他妥善处理好艺人上访问题。刘湘民是常务副市长，按照常规，他把这样的问题推给文化局长或者是文联主席去解决，他只要一个结果就可以了。可是他没有，他觉得既然是书记跟市长同时安排下来的事情，他要亲自处理才显得他重视这个事情。

他让文化局长选了两三个代表进行座谈。待谈过了，他笑了。如果不懂其中的道道，那些艺人反映的问题很难解决，可是他感觉自己能找到解决问题的办法。

他说："艺人之所以是艺人，是卖艺生活的人。艺卖不出去是什么原因呢？农民生活靠地，工人生活要靠技术。艺人生活要有名才行。归根结底是我们名气太小。"

他说得很有道理，让那些艺人觉得找政府讨生活有些近乎无理取闹。不过，刘湘民并没有就此将他们打发了事。他觉得这里面有文章可做，但具体是什么文章，一下子没有想透。接下来，他给那些艺人吃了一颗定心丸。他说："你们来找政府，也没有什么错。政府不可能直接给你们工作，给你们米面钱粮，但是政府有义务帮你们找到活路。如果你们相信我，就先回家去，我会给你们想办法，让你们过好以后的营生。"

一个常务副市长，放出了这样的话，多多少少算个希望了，艺人们就都回家了，老老实实地等消息。可怎么安排他们呢？给他们安排工作，哪里有什么岗位啊。真的不太现实。给他们发点钱，也只能解燃眉之急，并不能解决根本问题。那时候，快到国庆节了，如果没有很好的办法帮助艺人解决问题，他们很快就会杀个回马枪，那样闹起来，不但他没有面子，书记、市长也没有面子了。他没有面子就算了，如果闹得书记、市长没面子，事情就大了。也就在着急上火的时候，他看到了一个资料，全市像那样的农民艺人有五万多人，他想，如果把他们集中起来演一个节目该是多么壮观啊。他当即找来了文化局长与电视台台长开会。当他把这个想法说出来以后，文化局长建议，演太复杂的节目不现实，要是同唱一首歌倒可以试试。电视台台长说："那就同唱一首歌，向伟大的祖国生日献礼。"刘湘民一听，说："好。"文化局长说："五万农民艺人同唱祖国好。弄不好可以上新闻联播。"刘湘民说："动员一切可以动员的力量，一定要上新闻联播。"经过策划，五万农民艺人就真的同唱了一首歌。五万农民艺人同唱一首歌，共祝祖国好的新闻果真就上了新闻联播，而且是头题。从那起，蜜如的农民艺人也就美名远播了。蜜如艺人也就把艺卖到全国各地了。刘湘民也因为那件事情出了大名。

"把五万农民艺人集中起来同唱一首歌，新鲜。"大老板说。

大老板说这话就是让表态了。既然大老板都有了态度，其他人还有什么好说的。常委们就变着法子表扬刘湘民同志，刘湘民就成了一粒幸运的沙子。在大家的表扬声中，大老板就拿红色铅笔在刘湘民的资料上画了圈，刘湘民就从沙子变成了金子。

参加会议的人，除了组织部长，还有一个与刘湘民是相熟的，他看着组织部长露出了舒心的微笑，就给刘湘民发了一条短信，告诉他工作有变，却没敢说变到什么位置上。当时刘湘民在北京参加一个中青年干部短训班，接到短信，他的心一下紧了起来。

那天，虽然天色已经很晚了，但他的心情很好。他的心情很好是因为他正与一位美女在嘉里中心一间茶社里喝茶。那个美女就是燕莎。

接到短信，他慌了。老市长有病的事他清楚，那个位置，他也想过，可也只是想想。凭他的资历，他根本排不上号。在此之前，他一直想解决正厅级，他只要一个级别，可是活动来活动去，只能活动到省总工会当机关党委专职副书记。他不想去那个位置，真要到那个位置上，他的政治生涯也就走到头了。这件事情，他跟大秘书说过。那时候，他跟大秘书同在党校学习，两个人经常在一起。刘湘民冥冥之中觉得人生要发生点什么变化，却不知道会发生什么样的变化。每日里，他只是跟大秘书泡在一起。跟大秘书泡的时间久了，他才知道，在这个世界上，是天外有天，人外有人。他觉得大秘书所拥有的天就是那天外的天，大秘书就是那人外的人。

刘湘民是学中文出身，对文字有着天然的爱好与敏感，在官场历练久了，不管是自己讲话，还是需要发表文稿，他都亲力亲为，自己搞定，这是他征服许多人的手段，也是让身边人服气的本事。但是经见了大秘书的本事以后，他就有一些怵了。大秘书本科念的是中文，研究生读的是历史，博士攻的是经济学，基本功好，是一个大杂家。

大秘书精读过二十五史，对于那些历史重要人物与重要事件他如数家珍。特别对于《史记》，更是精熟，随便点一篇，都能背下来。大秘书说，他跟的领导是一个学问人，经常问他一些诗文与成语的出处，读书对于他来说是最基本的功课。

读书如此，大秘书写文章也是一把好手。大小文章，一经出手，闪着光，透着亮，像有魔力般，引人入胜。与人一比，刘湘民觉得自己是小巫见大巫。

他们两个人都喜欢书法。刘湘民喜欢写，大秘书喜欢收藏与欣赏。这共同的爱好让刘湘民与大秘书的关系百尺竿头更进一步。

刘湘民写书法，有童子功。那时候，父亲对他的管理很严，不但要求他的课业好，对他的书法也有要求。过春节时父亲是不买春联的，春联都是刘湘民书写的。他不但要写他们家的春联，但凡有求上门的，他都一一满足。所以，过春节时他最为辛苦也最为兴奋。许多人家的门上闪耀着他的字。那是他的骄傲，也是他的自豪，更是父亲的骄傲与自豪。

因为他喜欢书法艺术，做官后，自然而然地，就团结了一批地方上的书法家。那些书法家，各有神通，与全国各地的书法家都有勾连，有的甚至与国家级的大名家都有交往。他做过一件事，对此有所印证。那时，市里领导出外，也没有啥带的，便让他想办法，他就把任务安排给了市文联。市文联给他交上来几份策划书，其中一份创意很大胆，邀请国宝级书法家欧阳月明书写《道德经》，然后做成礼品书。那时，欧阳月明早已退出书法江湖，封笔养老了。不知内情的，还以为他成了古人，早就去找康有为、梁启超喝酒去了。他当时觉得，这样的东西要真的做出来，送谁谁都喜欢。事是好事，但能不能办得到，他心里没底。于是他就把文联主席喊了来。文联主席给他拍了胸脯，说只要给批钱，办不到就拿掉他的乌纱帽。他对文联主席说只要事能办成，钱不是问题。后来，还真的办成了。那东西做出来，真成了市里的宝，谁拿到都觉得贵重。那时候，他才觉得手下那帮人并不是虾兵蟹将，个顶个的，还真有些本事。因此，他想要谁的作品，只要点个题，那帮书法家都能给弄到，且装裱精美地给他送到门上来。

大秘书虽然不长于书道，但对字画很是喜爱，于名人字画，但凡是看上眼的，他想方设法也要弄到手。有一天，两个人谈论当今的书法艺术家，大秘书提到了一个叫李济的人。当这个名字从大秘书的口中出来，刘湘民当下一阵暗喜，觉得一切犹有神助。这个人虽然名气很大，却是他辖下的一名书法家。

李济出身很低,长相奇丑,最早时只是一个煤矿工人。他酷爱书法艺术,是一个写字的天才。换句话说,是一个替古人写字的人。四十岁时,那家伙就拿了中国书法兰亭大奖。中国文化奖项中,唱戏的有文华奖,文学有茅盾奖,书法就是兰亭奖了。对于书法家来说,那不是简单的奖,那就是一块金砖,但凡在中国写大字的人做梦都想着那金砖有一天能砸在自己头上,哪怕砸得头破血流也认。得了这个奖的人,不是在写字了,那是在写钱。李济得了中国书法兰亭大奖,一夜成名,字很快就值钱了。但是成名以后,他的个人命运并没有得到改变,他仍然待在煤矿上吸煤灰。因为他没有勇气像其他艺术家那样在获得一定知名度以后去混江湖,去做北漂或者南漂,利用一技之长养家糊口。他所在的天地太小了。他只是井底的一只青蛙,他不敢一下子就跳到天上去。可是刘湘民看到了这个人的价值,他觉得他是一个对自己有用的人,是他想办法把李济调到了市文联,而且到市文联上班一年以后就破格提拔他做了市书法家协会主席。李济因为他的青睐改变了命运。因此,李济也成了他的御用书法家。其实,除了李济的才华以外,他还有其他目的,他的心思藏得深。身在官场,有很多事情,他不能跟人说。不但不能跟人说,还得提防着人,要防着上级,也要防着同事,就连身边的女人也要防。但他也是一个人,他也需要感情出口,不然,就憋坏了。他的仕途要一步一步往上走,他就要去做一件一件的事,有事在心里就会憋得慌,他可不想憋坏了自己。不想憋坏就得找出口,当他偶然发现李济,就喜欢上了这个人。这个人把自己的书法作品看得比天上的月亮还主贵,但没有多少心机。他觉得这样的人非常适合当他的感情出口。可是这只是他心里的秘密,他不能给李济说,也不能给别人说。发现李济以后,他就经常去李济所在的煤矿视察文化建设工作。有一次去,到饭点上,煤矿公司的老总请吃饭,安排了两个美女陪。他没有正眼去瞧那两个美女,一个人混到他这个份儿上了,什么美女不美女的,早就不是什么事了,早就不放在心上了。一个人混到他这份儿上了,只想活一种感觉,他就是冲那种感觉来的。他抬了抬眼皮子对煤矿公司老总说:“听说你们这儿有一个人,字写得好。”煤矿公司老总一听就明白了，忙赔着笑脸说：“有，有这么一个人，他叫李济，字，写得好极了。”话没落音，他连忙派人去叫李济。李济字写得好，人却极普通，连一般干部都不是，有人叫，那是必须要参加饭局了。李济到时，他使劲吸了吸鼻子，仿佛闻到了墨香味，觉得气味相投，没有白费了心思，心里就很愉悦。他心里一高兴，说话也就好听了。他的话一好听，陪吃的人也就放松了，饭也就吃得有点意思了。以后，再到矿上，李济就是固定的陪客了。有一天下午，他本来去其他地方看项目，路过那煤矿，就临时起意要在矿上吃饭。吃完了饭，天黑得一塌糊涂，又加上有几十公里山路，不好走。为了副市长大人的安全着想，矿上就安排他住下了。住下了就得安排节目，不然让副市长寂寞地过一夜也是很失职的。刘湘民是一个喜静不喜动的人，矿上就安排了一个去处，先喝茶，后写字。那一天，刘湘民写字的热情很高涨，先写了两张，后来就安排李济写。李济写字，如古人拿了现代化的工具在写作业，写得好，可谓神品，刘湘民越看越喜欢。他心想，这样宝贝的人如果得到一个合适的平台一定会有所成就。这个人如果因为自己改变了命运，那他会为自己所用吧。

那个晚上，但凡在场的人，都得到了李济的作品，这在平时是不可能的事。在平时不可能发生的事，因了刘副市长，大家都得遂了心愿。大家看出来了，李济有话要对刘副市长讲，刘副市长呢，也想单独与李济待一会儿，于是，就纷纷找借口走掉了。

“刘市长，我有一个请求，不知道当讲不当讲。”众人走后，李济鼓起勇气开了腔。

“你说，你说。我拿你当自己人，有话你就直说。”刘湘民说。

“我想换个环境，到市里去工作。这样对创作也好一些。”李济说。

“这个嘛，有点难度。”等李济开了口，刘湘民并没有爽快地答应李济，他想压一下眼前这个书法艺术家，不能让他觉得机会来得太快、太容易了。

“我知道有难度，要是没有难度，我也不会给你讲的。我都问过了，这个事你能办。”李济的话说得刘湘民心里很舒服。话说到这地步上了，他就不想再难为人了。

“办，我是可以办的。不过——”他留了一个话头，想让李济来完成后半句话。

“我，我以后就是刘市长的人，我只听刘市长你的，你让我写什么我就写什么，你让我给谁写我就给谁写。”李济把那句话接了上来。

就算是个笨蛋也明白人家在等着什么，何况他李济也是一个明白事理的人。他知道，他如果不表态，他就会失去改变命运的机会。要是那样，他一辈子就可能埋在煤矿上了。在这个社会上，不管从事什么行业，不管一个人有多大的才能，都是需要有人发现，需要有人提携的。但是你不能让人家白发现、白提携，做任何事情都是需要成本的。不管是什么生意，不扎本，就难求利。况且，人家并没有让你拿金山银山去换，人家要的就是一句话，要的就是一句忠心话。对于一个写字的，没什么地位，最不值钱的就是话了，人家让说就说呗。李济的话说得刘湘民很欢喜，他觉得没有费什么力气就收了一个人，而且是一个对自己有用的书法家。他也就答应了李济，把他调到市里去工作。与其他诸多事情比起来，他觉得这是一桩功德，这件事做得他心里很愉悦。他把李济调到市里以后，就很少再到煤矿上去视察了。就算有公务，矿上请，也是例行公事而已，不吃饭，也不住。

当刘湘民把李济一些作品送给大秘书时，大秘书简直对那些作品爱不释手，大秘书觉得，这个小师弟，也真是个有神通的人，也真是个舍得下本钱的人，可他哪里知道事情的真相。两个人的距离又拉近了一些，感情又加深了一些。这正是刘湘民要的效果。

刘湘民呢，只是送东西，当然不敢把事情说透。他是一个懂点艺术，也懂点行情的人，艺术品这个东西，如果得到的比较容易，那就不主贵了。什么东西多了，人也不会再珍惜。见送的东西出了效果，刘湘民在心里暗暗地欢喜，不管怎么样，当年把李济收到自己手下真是一件正确的事情。

除了这些，两个人还探讨棋道。有一天，两个人下棋，在棋道上大秘书给他说了掏心窝子的话,那一番话对他启发很大。

大秘书说,做领导的一般都喜欢象棋。原因很简单,象棋是中国的国粹,做领导的大都是爱国的人,喜欢国粹是应当应分的事情。作为服务领导的人,其他的爱好,可以跟领导保持一致,但在下棋方面万万不能跟领导保持一致。领导下象棋,你也下象棋,领导要是找你娱乐一下,你是陪还是不陪?如果陪,你是输还是赢?输了,自己不舒服;赢了,领导不舒服。所以,这里面的讲究很多,服务领导的人最好学会下围棋。

刘湘民问其原因。大秘书说,象棋是中国文化的一种形态,讲究一个少字,不管拥有多高的拼杀技巧,棋子都是越下越少。作为领导,拼杀技术是必须拥有的本领。还有,在工作中,需要领导处理的事情是越少越好。在生活中,领导的麻烦也是越少越好。这是许多领导喜欢象棋的原因。围棋呢?讲究一个多字,不管水平多高,棋子也是越下越多。这意味着,做的事情也是越多越好。这样不但能提高处理问题的能力,也会得到领导的青睐。

对于大秘书的这一番理论,刘湘民十分折服,也很受用。在党校学习,说白了就是镀金,对于课业的要求不是太严格,所以,他们有大把大把的时间做些自己喜欢做的事情。刘湘民跟大秘书一有空闲,就会到潘家园以及一些有名的文物商店淘宝。大秘书对于名人书札特别留意,只要有中意的,觉得有价值的,他就会收罗下来。不管大秘书收罗多少东西,花多少钱,刘湘民都想办法帮助解决掉,两个人的感情不断往深处走。

书道是一个人的战争。围棋是两个人的决斗。都要求人具备很高的智商。但凡天气不好,不能外出的时间,两个人就会排开棋盘,你黑我白地下几盘。

有一次,两个人又下围棋,刘湘民因心里存着事,下起棋就大失水准,连连输给了大秘书。

大秘书问:“你是不是有心事啊?”

刘湘民说:“要说心事,也真的是有。”

大秘书说:“你说说,看我能帮上你不能?”

走着棋,刘湘民把自己的心事说了。

他说完,大秘书笑了笑,不经意地说:“这件事,我记在心上了。有一个老领导,我呢,跟他熟。你们省的组织部长找他办过事,我替你说说。”

大秘书的话说得轻描淡写,让人有被敷衍的感觉,刘湘民也不敢当真。他心想,再怎么说他也只是一个大秘书,能不能帮上忙不取决于他。当接到自己工作有变的消息以后,他开始心慌意乱,给那个朋友发短信求证,没有回。打电话,关机。他急得火上房。

他把电话打到市委组织部,刚好市委组织部长在值夜班。他跟他是老伙计了,一接到他的电话,组织部长激动地说:“伙计,我也是刚刚接到通知,正想给你打电话,你的电话就来了。省里开会决定了,由你任本市的代市长。”

“接任代市长?”刘湘民心里一喜,大秘书真的起作用了。

“是,刘市长,我们连夜去北京接你,找你要赏呢。”市委组织部长说。

“要什么赏啊?做什么不都是工作嘛。”他打起了官腔。

“哎,伙计,你说这话可不对了。我又不是给你要金山银山,你怕什么啊,空闲时候,你带我去山里听听风就行了。”市委组织部长说。

他明白市委组织部长的意思,人家都送上门了,再拒人于千里之外就是自己的不是了。再说了,作为组织部长,人家也是一股不可小觑的势力,一旦成为自己的帮手,那就是如虎添翼了。想到这里,他乐呵呵地说:“你们来北京吧,我在北京的高楼大厦上请你们听风。”

市委组织部长一听,笑道:“哎,这就对了。你好好地等着,我们不见不散。”

在没有得到大秘书的帮助之前,作为代市长候选人提名,他明白自己只是一个陪衬,是众多金子中的一粒沙子。是大秘书将一粒沙子变成了一粒金子。他想到了大秘书,他不知道如何表达自己的感激之情。他给大秘书打了一个电话,把自己成为代市长的消息告诉了他。大秘书听了,淡淡地说:“以后你再也没有时间陪我下棋了。”大秘书的这句话让他确认,真的是人家改变了自己的命运。想一想,有些事情,自己觉得很难的事情,到了一定程度,就变得很容易。想到这个层次上,他的眼睛潮湿了。这种情况,只在父亲病危时出现过,可同样是落泪,心境却是两重天,他说:“怎么会,你只要需要,我随时陪你下棋。”

大秘书还是淡淡地说:“主持一个大市的工作,每天有成百上千件事情等着你处理,你哪里还有下棋的时间,以后能有时间在一起走走路,说说话就不错了。”

听大秘书这样说话,他不再言语了。站在大秘书的立场上,大秘书的话自然有他的道理。挂掉电话以后,他心里就开始激动起来,而且抑制不住,想找人分享一下。可眼前只有一个美女,他只有跟美女分享他的成功与喜悦了。

“燕莎。我的工作变了。”他说。

“升了?”她惊问。

“是。”他说。

“副书记?”她又问。

“是代市长。”他回答。

他端起一杯茶,茶杯直晃,他的手一直在抖。

“我的天！那你以后不就是市长了吗?那么大一个城市不就在你的手里了吗?”燕莎激动得站了起来。什么是平步青云?这就是平步青云。她隐隐地感觉到自己的机会也来了。

燕莎是北京一家房地产公司的总经理。在一个老乡会上经大秘书介绍才结识了刘湘民。

那是一个名流大腕云集的聚会。那样一个聚会,一个地级市的常务副市长根本不起眼。所以,刘湘民自觉地待在一个角落里喝闷酒,几乎没有人注意到他的存在。

正闷着,大秘书来了,给他带过来了一个人,一个美人。那美人身上像带着电样，远远地，就吸住了他的目光。

大秘书领着燕莎走到刘湘民跟前，笑着对刘湘民说："老同学，我给你介绍一个大美女，地产公司的总经理燕莎。在北京，若是没趣了就让她陪你喝喝茶、聊聊天。"

他明白，这是大秘书的好意。大秘书的好意他必须得领。对于他来说，这也是求之不得的事情。他站起身来给燕莎握了握手。

"你好，我叫刘湘民。"

"你好，我叫燕莎，很高兴认识你。"

一见之下，燕莎觉得眼前的人有些土气，还有些忧郁，但她相信大秘书，大秘书不会无缘无故地介绍人给她的。大秘书介绍的人，肯定有用处，肯定有深意。大秘书介绍后，她主动地坐在了刘湘民的对面。

"我们可以喝一杯吗？"燕莎微笑着对刘湘民说。

"当然可以。"

眼前突然出现这样一个美女，刘湘民心里为之一动，两个人就喝了一杯。这就算认识了。

"你们好好聊。我还有些事要处理，先走了。"

大秘书找了个借口就走了。走时，燕莎紧跟着把大秘书送到了门外。

刘湘民本来是被大秘书拉来一起玩的，大秘书一走，他的心里就没底了。看着其他人谈笑风生，频频碰杯，他觉得自己就像一个乡下的小子突然闯进了富贵人家的客厅，没人认得他是张三还是李四，相当不舒坦。

"我们跳舞吧。"燕莎回来了，他空下的心一下子又充实了起来。

燕莎主动地给了他一张名片。当然，他也不失时机地给了燕莎一张名片。有了联系方式，后来，又有了几次交往，两个人就成了朋友，刘湘民就开始约她吃饭喝茶。

"就算是代市长也没什么了不起，在北京，像我这样的市长一抓一大把，算得了什么官？"刘湘民说这话的时候心里很激动，但他不想在燕莎面前有所表露。他不想让这个美丽的女人小看了自己。

“人在广东嫌钱少,人在北京嫌官小。北京是什么地方,是高官云集的地方,一个地级市市长当然不算什么,但你要从另一角度想一想,在蜜如市你是什么? 你一巴掌就把蜜如市盖住了,在蜜如市,你就是皇上。”燕莎激动地对他说。

“皇上? 可笑。皇帝是要有皇宫的啊,蜜如连一栋像样的高楼也没有。我算什么皇上啊。”

“没有可以建啊,你忘了,我就是盖房子的。”

“你?”

“你信不过我的水平啊。”

“你什么水平啊?”

“我在床上是什么水平,我盖房子就是什么水平。”

“这句话,我爱听。”

“就只听听啊,不做?”

“你说呢?”

“我是个痛快人,喜欢直来直去。”

“城门如果打开,那我就要进去。”

“好,我为你打开城门,我看你如何进来。”

那夜,燕莎就带他进了城。他们在一家五星级酒店的顶层开了一个房间。

“打开窗,打开所有的窗,让风进来。我要听着北京的风干你这个风情万种的女人。”刘湘民气喘吁吁。

“好,听你的,一切都听你的。这个时候,你就是皇上,天底下所有好东西都是你的。我也是你的。你知道吗,我是天底下最好的女人啊。”燕莎打开了所有的窗户。北京在窗外,美人在窗内,月光进来了,风也进来了,所有的一切都白了起来,所有的一切都飘了起来。纠缠再纠缠,翻滚再翻滚,进去,出来,再进去,再出来。床上盛不下那欢乐了,就滚到了地上,地上也盛不下那欢乐了，就贴到墙上了。刘湘民出了一身的汗，他喘着粗气说：“北京的风，这北京的风跟大海边的风一样，是腥的。腥，腥啊。”可是有风吹着，他觉得很是舒心。很长时间没有那么痛快了，江山得了，美人抱了，刘湘民觉得做一个成功的男人如同做神仙，有一种飘起来的感觉，有一种空的感觉。那是可以让一个男人终生回忆的感觉，每次回忆起来都幸福。

七、仙人

蜜如山是一座神秘的山，神秘的山里自然有一些神秘的人，自然会出一些神秘的事。在诸多神秘的人中，程大仙不但神秘，而且让人畏惧。

程大仙主要靠算命生活，自命是蜜如山的守护神。蜜如山里，但凡有人遇到难处或者活得不如意时，便会求到他的跟前，让他说道说道，悟一悟人生的前面有什么，要做什么。在山里，他也就成了一个人物。

蜜如山人，但凡有点出息的都直接或者间接找他算过命。他也时刻关注着那些出息人的动向，那些人是他的招幌，更是他的饭碗。

刘湘民是从蜜如山中走出去的最大的官，受到过他的诸多指点。刘湘民当上市长以后，程大仙每天晚上雷打不动地收看蜜如电视台的蜜如新闻，关注着刘湘民的一举一动。在学术上有成就的马立不但是程大仙关注的对象，更是他研究的对象，虽然这个学术有成的年轻人在年纪很小的时候就给他办过难堪。

市长刘湘民从小到大都是他的客户，而且是重要的客户。刘湘民上小学时，父亲就带他算，算他长大成人以后的命运。上中学时，父亲也领他算过，算他能不能考上大学。父亲是有私心的，那时候，父亲虽然不做官了，但已经摸着了生意的道。儿子如果考不上大学，他想让儿子接自己的班，在山里当一个草头王。可是每一次，程大仙都让父亲又兴奋，又失望。程大仙告诉这一位在山外失意、山里得意的包工头说，他的儿子如果走出大山前途不可限量，一旦窝在家里则会把家产败光，克人性命。程大仙的话让父亲很吃惊，他也很相信这话，他相信儿子的前途在山外面。他就再也没有了子承父业的想法。后来，刘湘民真的走出了大山。刘湘民考上大学那年，父亲专诚备了礼物感谢程大仙。刘湘民也专门在程大仙家里住了一夜。程大仙说，一个人，不管走了多少路，不管读过多少书，也不管做了多大的官，都不能忘本。

那个时候，他已经是科级干部了，已经是整个蜜如山最大的官了，他的人生已经是另外一个境界了，他都有些飘了。这时，他迎来了人生中一次非常凶险的磨难。县委书记因为贪污受贿被纪检部门“双规”了。他曾经求县委书记办过一件事，事后，他给那个县委书记送了一万块钱表示感谢，县委书记把他咬了出来。他如果如实交代，他的政治生命会因为那一万块钱而终结。他痛苦得睡不着觉，这个时候，他想到了程大仙。在一个星星辉耀天空的夜晚，他一个人来到了程大仙的家里。他记得很清楚，那是一个夏夜，有风，是那种微微的山风，吹得心里舒服，是个好兆头。仿佛他是为了享受那风才走在山路上的，而不是为了寻找解决问题的方法，为以后的人生寻找一条出路。

“你用的是什么钱?”在星光之下，在一片黑暗之中，程大仙抽着烟，淡淡地说。那话语就像来自另一个世界。

“家里的钱，父亲的钱。”他看着那烟火一闪一闪，如同希望在闪动一般，他如实回答了程大仙的话。

“好了。你欠你父亲的，你还你父亲。你不欠这个世界的，这个世界也不能让你还什么。”程大仙的话寓意很深，但他明白了那话的意思。听了仙人的话，他拿定了主意，决定赌一把。纪检人员找他谈话时，他拒不承认向那个县委书记行过贿。他认定，县委书记交代的问题很多，他的事情只是一个枝节问题。出了那么大的事情，组织上不会抓住枝节问题不放。再加上，有学姐保他，他觉得会熬过那个难关。县委书记出事了，学姐是县长，有可能接任书记。但如果他出事了，学姐就会受到影响。所以，他不能出事。只要坚持，就有希望，他相信学姐不会不管他。在他被关押的日子里，他每天都这样鼓励自己。

果然,过了一段日子,他的事情就不了了之。重新获得自由,作为奖赏,学姐放了他的假,让他去山里休息几天。那时他很庆幸有程大仙在关键时刻的点化,他觉得神仙也是他的贵人,他备了厚礼专程去感谢了神仙。他与程大仙聊了很多。虽然没有行拜师礼,但在他心里,他认神仙做了老师。几十年如一日,一直到他走上仕途的巅峰,他都认这个老师。这个老师藏在他的心里,哪怕心思如海,这个老师都像压舱石,有这块石头在,任有多大的风,都掀不起浪来。但凡有难以解决之事,他就去找程大仙。就算后来有了名人做顾问,遇到心结难开,他仍然会去找程大仙。更多的时候,并不是去求什么箴言,只是去走一走,去想一想,去吹一吹那山里的风。觉得有一个人在,有一个人陪在自己的身边,那一个人,他了解自己的心事,知道自己的需求,能说几句体己话就够了。

程大仙有一句名言:当官如开车,安全为上。那句话,他深深地记在了心里。

听从程大仙的话,他做任何事都三思而后行。同女人做爱也一样,也一样是安全至上。包括他跟燕莎在北京时的激情,虽然兴奋得忘乎所以,但临阵的时候,他仍然不忘记戴上套子。

他很爽,燕莎却不满,她说:"戴着套子,安全是安全了,就是不够爽。"

他坏坏地笑,说:"要想爽,你找别人。和我,必须戴套。"

燕莎说:"你坏死了。以后,我的城门专为你开。"

他说:"有城门了,我也就有当皇上的感觉了。"

刘湘民前脚回到蜜如,燕莎后脚就跟了来。

商人的天职是赚钱。一般的商人遇到商机是不会轻易放过去的,况且燕莎不是一般的商人,她遇到的也不是一般的商机。以前不管挣多少钱,不管是白领银领还是金领,她都是给别人打工,现在有做老板的机会,她当然不会放过。她与刘湘民黏在一起,就是想有一天能利用他做点事情。以前,只觉得他不过是一个常务副市长,看着是一个官,不过是一个腰里别着钥匙的大管家,不当什么家,用处也不大,她只保持着若即若离的关系。刘湘民当上政府的一把手,从管家的丫鬟变成当家的主人了,她当机立断就把关系推进了一层。美人枕头英雄靠,能让燕莎这样一个才色双兼的女人以身相许也让刘湘民感觉到了权力的可贵。一个男人,有了权力,这个世界上的一切都是可以重新定位的。这样的感觉,比送他金山银山都好。

起初,与燕莎在一起,刘湘民真的有做神仙的感觉。可时间一长,他便觉得支持燕莎在蜜如发展是个天大的错误。这个女人什么都敢伸手,什么都敢要,而且胃口出奇地大,消化能力也出奇地好,可谓一朵奇葩。一些事情,如果一时没有满足她的欲望,她就会私自做主指使人去做。在这个城市里,他是老大,她俨然就是老二。但凡有点事,她就会找上门来,因为一根电线杆拆迁的事,竟然也荒唐地找他协调解决。难怪社会上有流言,说她的果岭山庄是蜜如的第二个市政府。因为过分地偏袒燕莎,省委一位主要领导也敲打过他,可是当他感觉不妙时,他已经成了她的奴隶。与这样的女人玩,戴上安全套,也不一定安全。

"安庆,你把一号别墅的门打开。"一进蜜如山,确定领导没有别的去向了,许忠就打电话给蜜如山风景区里的蜜如山宾馆的总经理李安庆,让他安排接待事宜。跟他一样,李安庆也是伺候刘湘民的人。

八、假面奴仆

蜜如山风景区蜜如山宾馆的总经理李安庆也是蜜如山里长大的人,论起来,是刘湘民的远房亲戚。小的时候,他跟在刘湘民的屁股后面玩过,是一个典型的马屁精。只要人对他好,他就把好话一箩筐一箩筐地送上,从来不管别人怎么看他。在刘湘民的队伍里,他只是一个小角色,刘湘民也从来没有拿他当盘菜。高中毕业以后,他没有考上大学,托关系去了部队。可是他当兵也当得很平庸,虽然使出吃奶的劲巴结那些个有点权、有点地位、有点背景的领导同志，得到的，最多也就是不花成本的一两句表扬，人家根本不愿意给他一个糖的好处。这样的人没用时一点用也没有，有用时也真的离不了，故而，不管是谁领导他，不给他好处，但也不让他复员，只把他当作公共备胎放在屋檐下，反正也占不了多大的地方。

在部队里一直熬了十二年，都快熬老了。不管怎么努力都看不到希望了，他强烈要求退伍回家。部队是一个大家庭，人少一个多一个无大碍。既然心不在军营了，部队也就不再留了。办了退伍手续，李安庆同志就成了一个光荣的退伍军人。回了家，他发现自己竟然无处可去，想起小时候跟过的玩伴早已是一方大员了，便托人求刘湘民给找碗饭吃。他求对了人，他求到了毛姑姑的头上，毛姑姑说话了，刘湘民就把他安排到蜜如山宾馆工作。毕竟是在部队混过的人，又是市长安排的，在一个小地方混事便显出了一些本事，也就两三年的工夫，他竟然就做了宾馆总经理。

刘湘民的车还没有到，李安庆就带着宾馆的四个女子站在了广场上。远远地看见那黑色的车来了，他便提醒那四个女人拿出精神劲迎接他们最敬爱的人。

“刘市长，你来，提前没有接到通知，也没有什么准备，你多多担待。”

以前，刘湘民回蜜如山，提前一星期就通知了。每一次，他都把吃穿住行的事安排得妥妥帖帖。可这一次，说来就来了，他什么都来不及准备，就是迎接的人，也是临时抓了几个迎宾，李安庆心里惴惴不安。

“都是自家人，用不着那么多虚礼。”

刘湘民下了车，大步向别墅走去。老许与李安庆急急地跟在后面。四个女孩子穿着旗袍，迈不开步子，只能远远地跟着。

“不要让她们跟着了，你们两个跟我到房间里来。”刘湘民说。

李安庆向四个女孩子挥了挥手。在宾馆里混事的女子，都是见风使舵的主，见老总挥手，便知是怎么回事，个个回转身，快快地去了。

到别墅里，刘湘民一坐下，李安庆便泡上了一壶铁观音。刘湘民是一个老茶客,喜欢喝不同口味的茶。他不但喜欢喝茶,更喜欢研究茶。什么茶,什么品性,他闻一闻就知道。而在众多名茶之中,刘湘民最喜欢喝铁观音。经过研究与比对,他得出一个结论:男人喝铁观音有利于提高思考力。

就着热乎劲,刘湘民连喝了三杯铁观音。喝完茶,停了大约有两分钟,他才对两个人说:“你们两个,现在就去找程大仙,告诉他,我上山了,我要见他。”

两个人都知道,程大仙是刘湘民思想上的磨刀石。最早,他有不决的事,就上山找程大仙磨,整夜整夜地磨,直到有了主意才下山去。后来,有不决的事,还找程大仙。但就不聊那事了,挨着那事聊别的事,聊得眉飞色舞的,心里有了主意就高高兴兴地走了。再后来,找程大仙,摆上好吃好喝的,两个人坐着,只扯闲篇了。有了名人,他找程大仙的次数就少了许多。如今,老板突然要找大仙,看来真有什么事情难住了他。两人的心情一下子阴郁起来。眼前这个老板是他们的衣食父母,老板的事就是他们的事。其他的,就算他们有天大的事也要放下。两个人相互使了个眼色,便出了门。他们打程大仙家的电话,电话无人接听。他们便开车直奔程大仙的家。可是到程大仙的家门前一看,他们傻眼了。程大仙的家铁将军把门,很明显,神仙不在家里。

他们向程大仙的邻居询问,有人说神仙被一辆黑色的小轿车接走了。还有人说,大仙进山闭关了。问一个人一个版本,两个人面面相觑,不知道如何是好。

“老许,怎么办?”李安庆心怀忐忑地问许忠。

“那能怎么办,如实地给老板汇报呗。找不到人,我们也没有法子。”许忠说。

“那只能如此了。”

坐上车,李安庆不停搓着手,眼睛不住地向车窗外瞄,好像神仙会突然出现在路边一样。

“你不要紧张好不好,好消息要加倍渲染,坏消息要缩水处理,最多是如实汇报。老板也不会把我们怎么样的。”见李安庆一副神不守舍的样子，老许安慰他说。

“有你这句话，我就放心了。好歹你天天跟在他身边，有你在，就算有天大的事，那天也不会塌下来不是？”毕竟是老板的外围人员，又是托关系一步一步爬到这个位置的，凡是跟老板有关系的事情，不管怎么做他心里都没底。但老许早已经摸透了老板的脾气，掌握着办事的规律，总结出了一些办事方法，那些个方法让他处理事情的时候能够得心应手。

知道神仙不在的消息以后，刘湘民的心里像着了火一样焦躁。以前，只要刘湘民需要，事先安排人打个电话，程大仙都会等着他。因为他答应过刘湘民，只要有需求，他可以随时来找自己。就算不通知，只要知道他上山的消息，程大仙也会等着的。可是现在，他来了，大仙却不在。这是一个很不好的信号。但是为了祛除心中的不快，他决定在蜜如山里等程大仙。有些事情，在没有更好的办法处理以前，最好的办法就是等待，让时间一点一点地去消化。等到消化得差不多了，再出手就好弄一些了。

他让许忠放出消息，他在山上休息。他心想，就算等不来程大仙，如果有其他的事情要处理，其他的人，也要到山上来见他。在山上，他处理事情有灵感。这是他的智慧之地，是他的灵感之源。这里，就是他的行宫。

晚上，李安庆陪他吃饭。看着一桌子的美味佳肴，刘湘民没有食欲。饭，吃得索然无味。李安庆能感觉出来他心情阴郁，他不敢多说一句话，气氛就更是沉闷。一顿饭吃下来，他觉得像在监狱中待了十年一样。

吃完饭，刘湘民出了宾馆，就走到了蜜如湖畔。可是湖边一点风也没有，在黑的夜里，一切如远古一样沉静。他的思想也仿佛停滞了。他的心思很乱，也很烦这样一种状态。他想，能有一股风刮刮也好啊。他想起了多年以前那个夏夜，他走在去程大仙家的路上，享受着山风，到了大仙家里就能得到一条妙计，就能解决自己的实际困难。那是多么好的时光啊！可是现在他最需要神仙的时候，神仙却不见了。这一切又预示着什么呢？他一边走，一边努力思考，身上出了汗，黏黏的，他的思想也仿佛黏黏的，他想不出解决问题的办法。李安庆远远地跟着，不敢靠近他。

刘湘民在黑暗中慢慢地走着，蜜如湖沉静如处子，它不知道它接纳了一个心事重重的人。在一堆石子前，他站住了。看着静静的湖面，他想打破点什么。他弯腰捡起几块小石块，每隔几分钟就扔一块到水里。

“嗵——”

他扔一块石头，水面上空就响一声。听着那声音，他紧着的心松一下，再松一下。他用这种方式放松着自己。

这样的行为很反常，也让李安庆很纳闷，老板到底有什么不高兴的事情呢？也没有听说上面有什么大领导来蜜如啊。没有上面的大领导造访蜜如，那么在蜜如这个地方，有什么事情能难住他呢？是什么事逼着他上了这蜜如山呢？他能想点什么法子让他高兴起来呢？如果不是他照应，他还不知道在哪个低档地方讨生活呢！他许多战友，转业都去了偏远的派出所或者地方武装部门。那些地方是一只只饭碗，可那些只是盛着大米面条的碗。那些碗里永远也不会有山珍海味、鱼翅燕窝。在其他战友带着警棒去巡逻的时候，在冬天的夜里跺着脚喝凉风的时候，他可以在软玉温香的宾馆里享受山珍海味，享受很多人想象不到的福。而这些，都是眼前这个人给的。离了他，那些高官显贵、名人大款，谁认识他是谁啊。眼前这个人，眼前这个经常在电视上风风光光讲话的人，也会遇到解不开的结，也会遇到过不去的坎儿吗？不会的，不会的。他相信，不管多大的事，对于他来说，也不过是鸡毛蒜皮的小事。他要做的，就是让他高兴。他一高兴，心境就开阔了，许多事情也就迎刃而解了。

“刘市长，要不，我们去看看鹦鹉。”李安庆满脸堆着笑走上前，赔着小心说。

“什么鹦鹉？”

他知道李安庆只是一个溜须拍马之辈，但他需要这样的角色，许多事情，其他人不一定做得来，但是无论什么事情，只要他需要，李安庆都能做得来，他对李安庆的工作还是很满意的。所以,他用李安庆,不只因为他们是亲戚。李安庆跟他是什么亲戚,他说不上来,李安庆也说不上来。在山里,像这样的亲戚他有很多。他当处长时还不太明显,他当上副市长时,找上门的亲戚就越来越多,有要求上班的,有要求上学的,还有人求他说官司的。五花八门,什么样的亲戚都有,求什么事的都有。自从他当了市长,好像整个蜜如山的人都成了他家的亲戚,他每天都被这些亲戚烦扰着,有些事情可以推给其他人管,可是有些事情又必须自己管。毕竟,这些亲戚的事情关乎着他在蜜如山的名声。

李安庆的事情,他本来可以不管,打心底里也不太想管。这样的人、这样的事情太多了,那些对他的名声有帮助的人和事他管一管,但如果都管,对他来说就是负担。可是后来,毛姑姑找了他,他也就管了。毛姑姑是他在心里面藏着的一个女人。

“那只鹦鹉是毛姑姑送来的。说是你心情不好的时候,可以逗它开开心。”李安庆说。

“要是她的心意,我就去看看。”刘湘民说。

毛姑姑是他经历的第一个女人,也是他心中分量最重的女人。他家的老房子,就是这个女人亲手点着的。后来,他找到她,她很痛快地就承认了。她说:“火是我放的,你想怎么办就怎么办。”他问:“为什么?”她冷冷一笑,说:“你还有脸问为什么?你拿了我的一切,而你爹却挡着不让我跟你。我放火就是要告诉他,这个世界上,有些事情,做了,是要付出代价的。有些事情,也不是他想怎么样就怎么样的。”听了毛姑姑的话,他一下就明白了,为什么父亲不让他去调查老房子失火。

在他的印象里,毛姑姑是个极难说话的人。他不知道李安庆是怎么求毛姑姑开的口。这一些背后的故事,他不想知道。他安排一个人,只是一句话的事,他顺手就给办了。况且,办那样一件事又能安慰一个女人的心,他何乐而不为呢?

起初,他只是出于人情安置了一个人,可是后来发现李安庆竟然是一个怎么用怎么顺溜的人。李安庆就像他肚子里的一条蛔虫,他想什么,不用说,只需一个眼神、一个动作,事也就办好了。通过李安庆,他想到了历史上的许多事情。那些皇帝,为什么要用忠臣的同时也重用奸臣?忠臣可以保着江山不倒,而奸臣可以让皇帝舒服。人啊,不管是谁,都想把自己搞得舒服一些。

想来想去,这世上,也数做官最舒服了。那些大款算什么啊?挣几个钱,不知要费多少心机。有钱又能怎样,累啊。其实,做官,也累。可是那种累,与挣钱的累不一样,主要得不停地斗才显得累。跟上司斗树智,跟身边的人斗树威,给自己斗树力。对象不同,收获也不一样。而且,那种斗,要粉面含春威不露,要不战而屈人之兵。大动干戈,就算胜了也是败了。杀人一千,自损八百。惨胜如败,这个理,他懂。这种事,他也不干,要干就干技术活儿,官场斗争拼的就是技术。

官大一级压死人,可他从不干拿官帽子压人的事。那种事,就是黑天野地里打闷棍,也许劫了财,也许劫了色,得了,可也不会带来快感,带不来成就感。他斗,出上计,使上法,用智慧。多少年了,败在他手下的人不计其数,他几乎没有什么对手了。没有什么对手了,他就很寂寞。曲不唱口拙,技不使手生。一天不斗,懈怠了,说不定,哪一天,出来一个高手,一出招就把你斗趴下了。

人一做官,别的什么都不怕,就怕被人斗趴下。别的什么都不缺,最缺的就是心眼,而且是坏心眼。可是,心眼多了,尤其是坏心眼多了,就有人不喜欢,就像毛姑姑,喜欢他的书卷气,不喜欢他的酒色财气,更不喜欢他十足的官气。这是她离自己越来越远的原因。可是她离自己越远,他就越想走近她。在他的心目中,她是神,是动力之源。这也是蜜如山吸引他的一个原因。

李安庆陪着刘湘民去看鹦鹉。鹦鹉养在宾馆的百艳园,这个园子,以前专门养花。养了上百种花,一年四季花开不败。后来,人家送刘湘民的活物多了,经过刘湘民的同意,李安庆便辟出一个角,放养活物。

园子里有一处花亭,花亭正中挂着一个大笼子。毛姑姑送他的鹦鹉就在笼子里。可是他没有听到鹦鹉的叫声。鹦鹉病恹恹地躺在笼子里,眼睛红红的，人来也懒得动一下。

“这昨天还好好的，今天是怎么了？今天谁值班？”看到鹦鹉的病模样，李安庆出了一身一脸的汗。本想让市长开心呢，这一下，更败了他的兴头。这不是找不自在吗？

“今天是毛美丽值班。”值班经理说。

“算了，不看了，回房间吧。”刘湘民一脸的不悦，他转回头，大步向房间走。

“刘市长，我一定问清楚，给你汇报。”李安庆在后面紧跟着。他明白这只鹦鹉在刘湘民心中的分量。早不病晚不病，怎么这会儿病了？这不是要他的命吗？

“你不用给我汇报。你让那个养鸟的人直接给我汇报。”刘湘民说。

“是，是，我一会儿就让她过来。”李安庆走着路，点着头。在刘湘民面前，他已经养成了顺从的习惯。因为顺从让他得到了很多实惠。还有，他在刘湘民面前奴性十足，不代表他在其他人面前也奴性十足。那要看谁。有一些人，求到他面前，他就成了爷，也一样会拉硬弓。因为只有拉硬弓才会让别人屈服，别人屈服了，他才有利可图。不管给谁干，无利不起早。他觉得，与以前相比，他变成了另外一个人。不过，这一变，感觉好极了。通过这一变，他的表演才华炉火纯青了。人生不就是一场表演嘛，只有会表演，才有你的好。不会表演，那只有当个看客。看客只是掏钱的主儿，当了看客，就是一辈子受穷的命。这是他感激刘湘民的重要原因。如果没有刘湘民，他李安庆充其量也不过是个有碗饭吃的看客。看客只能看看热闹，哪里有机会成为热闹中的一分子，哪里能熟知这官场中的玄机？那样，他也就没有机会做人上人了，那生活的品质也就不一样了。刘湘民在蜜如是大领导，换句话说是蜜如的皇上，他比不了。最起码，在蜜如山宾馆，他也是一位皇上，一位小皇上。一百多人的饭碗在他手上捏着呢。不管有没有大印，只要管着人的饭碗，那就是皇上。可是，大皇上来了，他这个小皇上就成了奴才，就要把大皇上伺候好了。要是不把大皇上伺候好，他这个小皇上也好不了。

大皇上发话了，他就明白了大皇上的心思。这个毛美丽是新来的，是毛姑姑让他安置到宾馆上班的一个黄头丫头。如果让毛姑姑知道了，毛姑姑会不会生气呢？毛姑姑可是一个有脾气的人。听人说，她的脾气要是好一点的话，她就有可能与刘湘民结婚，成为市长太太。可是就是因为有脾气，两个人没有成。毛姑姑到现在还是一个人过。可是，事情到这个地步，他也没有办法。他明白刘湘民的心思，他的任务就是让他高兴，让他舒心。至于其他的事情，他也管不了那么多。许多事情，不都是走一步看一步嘛，到什么山唱什么歌。

九、泡泡游戏

天一寸一寸地黑下来了，人的心也一寸一寸地阴下来。

在城市里，人感觉不出天是怎么黑的。他们往往认为灯亮了，天就黑了。只有出了城，人才能感觉到天是怎么黑的，夜是怎么来的。黑暗一点一点浸透人心的感觉让人的脊背产生凉飕飕的感觉，那是一种近乎绝望的感觉。

刘湘民在黑暗的房间里坐着。他在等人，等一个能给他的生活带来光亮的人。他还等一个女人，等一个来伺候他的女人。

他心里不断生起凉意，他的思维被那种凉控制着、浸透着，好像世界末日快要来临了。在常人那里，那样的感觉一定让人生不如死。但是对于他来说，那种感觉带给他一种快感。那样的感觉常常激发他体内一种隐秘的能量，那种能量带着他不断爬上人生更高的境界。有时候，他期望着那种感觉的来临，好像剑客出剑的那一刹那，一切浴火重生，变成另外一种样子。可是那种感觉也不是说来就来的，也需要机遇，需要在时间之中淬砺。对于他的生命来说，那感觉来临的时刻是伟大光荣的时刻。所以，当那样的时间来临的时候，他喜欢一动不动地享受那样的时间。他的身体不动，但是他的思想在动，他体味着那凉意，让许多事情不断地在记忆里复活。

他喜欢许多事情在记忆里复活的感觉。在他的生命里，在他的经历里，这样的感觉太重要了，每当有这种感觉，他都会产生绝处逢生的人生大喜悦。

特别是他在等着什么人的时候，他喜欢享受那样的喜悦。仿佛那喜悦就是要来的人给他带来的。在那样的时间里，他觉得坐着等一个人是世界上最美妙的事情。因为，他需要那个要来的人给他带来希望。

儿时，他喜欢坐在铺满阳光的山石上等着父亲从集市上归来。他盼着父亲给他带回让他惊喜的玩意儿。长大了，他更喜欢在月光下坐着等一个人，如果有风吹着，那就更美了，他等的那一个人是让他一想起来就心动的女人。他在一日一日的等待中成了一个男人，他在一年一年的等待中成了一个能人，成了官身。好像，他所有的一切都是等来的。在这个世界上，也许是有一些事情在等着人。一个人，从母亲温暖的子宫里出来，就有一些事情在等着他，是那些事情让一个人变成另外一个人。

他起身，打开房间里的小灯，看着灯光一丝一丝地飘着，飘在地毯上，飘在窗下的金鱼缸上，飘在他的身上。他挥挥手，想掸去点什么，可是什么也没有掸去。太安静了，他又有一些焦灼。他等的人怎么还没有来呢？

金鱼缸里，有几条红尾巴的金鱼，它们游来游去，张着嘴巴吐出一串一串的气泡。吐泡泡的游戏，他与毛姑姑做过，那是在春天的田野里，到处开满了黄灿灿的油菜花。每一朵花都像村姑的脸，迎着风，美丽地笑着。毛姑姑拿着一个瓶子，那是他用过的一只墨水瓶，墨水用完了，他本要扔掉的，被毛姑姑要去了，没想毛姑姑就用来盛了肥皂水，用吹管在田野里吹泡泡。泡泡飘在太阳光里，一闪一闪的，一亮一亮的，然而风一吹，那泡泡就破灭了。毛姑姑的头发很长，黑而亮，在风中飘散着，引起他很多遐想。有一次，他做了一个梦，在梦中，他躺在毛姑姑赤裸的怀里，像一个孩子一样咬毛姑姑蜜枣一样的奶子。他美得直摇头，摇着摇着，就醒了，醒来很长时间，他还在摇头。那时候，他就想，什么时候能真的吃一回毛姑姑的奶子就好了。他想着想着，机会就来了。那一年，大夏天，正割麦子，大家都在地里忙呢，毛姑姑被安排看麦仓。有一天上午,看着毛姑姑进了一个麦仓,他便跟了进去。他从背后搂住了毛姑姑。毛姑姑起初被吓了一跳,看到是他,也就安静了下来。他把毛姑姑单薄的衣服扒开了一条缝,毛姑姑的奶子很白,就像初升的月亮一样白,奶头豆子一样大,硬硬的,很有弹性。他说:"想吃。"毛姑姑说:"回家吃你妈的。"他说:"我妈的松,没有你的好,我就吃你的,你就是我的小妈。"毛姑姑骂:"你妈的松,还不是让你吃的。这么大一点个人就这么赖,长大了还不知变成什么妖怪呢!"他说:"我就要吃你的奶,我要一辈子吃你的奶。"他是认真的,认真得有些胡闹。放在一般人身上,可能痛斥一顿他也就罢手了。可是毛姑姑毕竟是毛姑姑,毛姑姑喜欢纵着他,毛姑姑是个在心里珍藏着他的人,毛姑姑才不会痛斥他呢。他的请求,毛姑姑是不会拒绝的,毛姑姑面带微笑说:"看你的急样子,猴一样。"他说:"只要能吃奶,我就做猴子。"毛姑姑说:"不要急,慢慢来。有多少奶吃不到你肚子里去?"他就等着,看着毛姑姑用两个手指摸一下,就开一枚扣子,摸一下就开一枚扣子。毛姑姑的衣服从容不迫地开了。山里面有风,吹进了麦仓,透进来麦子清香的味道。看着毛姑姑的身子光在面前,他忘了那麦子的香味。麦子再香,长在地里,可是他想吃的东西就在眼前了。麦子再香,也只能喂饱肚子,可是现在有更好的东西可以喂饱他的灵魂。他用牙咬着毛姑姑的奶子,一点一点地咬。毛姑姑发出一声一声呻吟,那声音如同山风吹动琴弦发出的乐音。那是人间最美、最隐秘的音乐,那更是一个独享,不给任何人分享的音乐。哪怕你拿金山来,拿银山来,拿江山来也不换。他听着那音乐,身体变得柔软,可是下面就硬了,就直了。他把毛姑姑放倒在麦子里,说:"我的下面也想吃了。"毛姑姑闭着眼说:"你吃吧,你吃吧。我的一切都是为你准备的。你把我的一切都吃了吧。"可是这时候,外面传来了说话声,两个人一下子醒了过来。毛姑姑穿上衣服,先走了。直到没有人言语了,他才偷偷地跑回了家。从那起,他再也没有见过毛姑姑吹泡泡。他请毛姑姑吹,毛姑姑也不吹了。有一次,他送了毛姑姑两个墨水瓶子,里面盛着满满的肥皂水,可以吹很多泡泡,可以带来很多欢乐。没想到毛姑姑顺手就扔掉了。他问毛姑姑为什么扔掉。毛姑姑说："泡泡一吹出来就碎了，明知要碎掉，还要去吹，浪费精气神，有什么意思呢。要吹，你让你爹给你吹去，你让你爹给你找别的女人吹去。"

毛姑姑的话透着一种怨气。不过，那时候，他根本没有听出来毛姑姑的话到底是什么意思。他也不明白那么好的一个女人为什么突然间就不好了。他更不明白，她怎么会对父亲那么仇恨。

他真的找过其他女人吹泡泡，燕莎也陪着他吹过泡泡。可是怎么也找不到那么美的感觉了。有一次，他去燕莎那儿，两个人做爱，他有些累，便想起了往事。燕莎为了讨他的欢心，特意拿了肥皂水在房间里吹泡泡。她光着身子，追着泡泡跑，一对大奶子摇晃着，就像白兰瓜挂在藤上，撑不住，要掉下来一样。燕莎看着一串串泡泡在空中飘，望着同样裸着身子躺在床上的他说："你说，好玩不好玩，好玩不好玩？"

他不吭声，他觉得索然无趣。燕莎明白他不高兴，就不再吹了。她躺在他的身边说："你觉得怎么好玩你就说话啊，不说话，弄得人心里怪没底的。"

女人的话激起了他的好奇心，他说："我来吹，不过说好了，我想往哪儿吹就往哪儿吹啊。"

燕莎说："好啊。你是这个城市的皇上，你想往哪儿吹就往哪儿吹了。"

他就把瓶子拿来，把吹管别在了嘴上，他让燕莎躺好……那泡泡一碰到燕莎的皮肤就碎了。一会儿，燕莎身上就沾了很多的泡泡水。燕莎闭上眼睛说："你就吹吧，尽情地吹吧，好舒服啊。"

听了燕莎的话，他把瓶子与吹管一丢说："不吹了，没意思。"

燕莎说："怎么了？"

他笑着说："让我伺候你，老子不干。要想舒服，你就自己吹。"

想到这些，他不由得笑了。不就是吹泡泡吗？男人与女人在一起不就图个快活，谁吹不行啊，自己为什么那么认真呢？人活几十年，其实好光景不多。有好光景在，就得快快乐乐地活着，人生能有几回乐啊。可是燕莎不在，有谁能给他吹泡泡呢？他很想有人能跟他玩一回吹泡泡的游戏。

有人敲门。他应了一声，就有人进来了。他望着金鱼缸，没有回头。虽然没有回头，可他知道是谁敲的门，是谁进来了。他更知道敲门的是一个人，进来的是另外一个人。敲门的是一个男人，进来的是一个女人。严格地说，是一个女孩子。

“鹦鹉的眼睛怎么红的？”他说。

“昨天还好好的，今天早上我用一张一百元的钞票逗它玩，中午，它的眼睛就红了。”女孩子站在绣着大丽花的地毯上，手足失措的样子。她原本是逗那只鸟玩的，那只鸟是姑姑在山里捡的，是姑姑养大的。那本来就是她家的玩意儿，本想着怎么逗都没事的，谁想着就逗出事来了呢。

“你怎么就想起用钱逗它呢？”刘湘民回过头来，看到一个十八九岁的姑娘站在他的面前，他的脑海里突然浮现出了毛姑姑的样子。

“这只鸟是姑姑的，我很喜欢，以前逗惯了。”那姑娘说。

“小丫头，你来，你过来，到我的身边来。”刘湘民说。

毛美丽就到了他的身边。

“你会吹泡泡吗？”刘湘民问。

“吹泡泡？”毛美丽不知道眼前这个半大老头是什么意思。

“对，吹泡泡。呼——一口气，吹过去，泡泡就会在空中飘起来，一串一串的，很漂亮。”刘湘民站了起来，走到案台前。

案台上，有一个空瓶子，他拿起来，往里面放了一点洗衣粉，灌了水，摇了摇。他找了一个吹管，往瓶子里蘸了蘸，放在嘴里一吹，房间里便飞舞着亮晶晶的泡泡。

“来，你来。”他把瓶子与吹管递给毛美丽。

毛美丽试着吹了一下，一串泡泡飞了出来。刘湘民笑了。看着刘湘民高兴了，毛美丽使劲地吹起来，一会儿，屋子里飘满了泡泡。

瓶子里的水很快被吹完了，毛美丽示意刘湘民，让他再去灌水。刘湘民把瓶子接过来,放在案台上。他闭上了眼睛,他的脑海里出现了一堆金黄的麦子,毛姑姑一步一步地向他走了过来。她走得沉稳而轻盈,简直像鱼在水中游,像一条美人鱼游向一片幸福的海。

他说:“毛姑姑,你来了,你来了就把衣服脱了吧。”

“你怎么知道姑姑呢?”毛美丽惊讶了,她问道。

她很纳闷,在这个地方很少有人知道毛姑姑的底细。毛姑姑可是自己姑姑的小名啊,他怎么知道姑姑的名字?他是一个什么人呢?他为什么有让人心里怕怕的感觉呢?

“你是毛姑姑的什么人?”刘湘民问。

“毛姑姑就是我姑姑啊。我从小跟着她长大的。”毛美丽说。

“噢,我知道了。”刘湘民明白了,原来眼前这个姑娘是毛姑姑身边的人,怪不得自己看见她会情不自禁地想起毛姑姑。他以前听毛姑姑讲过她收养了一个孩子,可他从来没有见过那孩子长什么样。原来,这个孩子就是毛姑姑收养的孩子。这样一个孩子怎么会被安排来伺候他呢?他心里有一点恼火,觉得李安庆是在胡闹。可是转念一想,或许李安庆并不知情,人家如果不知道情况怎么能怪罪人家呢?

“毛姑姑,她好吧?”他问道。

这句话问得毛美丽不知所措,她不知道如何回答。

“你是姑姑什么人啊?我凭什么告诉你啊?”毛美丽说。

他觉得毛美丽有几分放肆,又有几分可爱,真的有几分像毛姑姑。

“你让我来,就是为了吹几个泡泡啊。要是没有其他的事,我就回去了。”毛美丽说。

“不要急嘛。在这里陪着我说说话。”刘湘民说。

“跟你一个小老头,有什么好说的?你要真寂寞得慌,哪一天,你去找姑姑,她天天也一个人待着,怪没有意思的。”毛美丽说。

“你就跟我说说你姑姑,随便说什么都成。我好好地听着。”刘湘民闭上了眼睛。

“你让我想想,我该从哪里说起。”毛美丽说。

可就在这个时候,响起不合时宜的敲门声。

“谁?”刘湘民不耐烦地喝问。

“市长,是我,市里出乱子了,要你回去。”门外传来了许忠的声音。

看来不是一般的事情。否则他们不会这个时候找他的。他心里想着,几步就到了门口。他打开门,许忠站在门外,见他出来,压低了声音说:

“刘市长,市政府值班室打来电话,让你尽快回去。许多出租车不拉客了,现在整个蜜如都乱了。”

刘湘民一听,打了一个寒战。他压低了声音说:“抓紧时间回去。”

本想到蜜如山听一听风,散一散心,再找神仙打通一些思想上的关节,可一切都还没有开始弄,他就不得不起程回去了。

不是让讲毛姑姑的故事吗,怎么就走了?

毛美丽望着那威严的男人匆匆地走掉,而她像一件华美的衣服一样被留在了屋里。她有些纳闷,怎么就走了呢? 真是不好玩。

毛美丽正无聊,李安庆趁机溜进了房间。大皇上走了,在这个地方,他就是最大的人物了。一个人怎么样才是一个大人物呢? 他没事的时候就琢磨这个问题。一个人活在这个世界上,活得大气的人就是大人物。怎么样才能活得大气呢? 只有占有的东西越多才有条件活得大气。在他管辖的一亩三分地里,所有的东西都是给刘湘民准备的,可是刘湘民享用过的东西,他也会不失时机地享用。刘湘民占有过的东西,他也会尽可能地占有。刘湘民没能享用,没有占有的东西,他更是要想方设法不失时机地占为己有。老板没有享用过的青春肉体,对于他来说充满了诱惑。他觉得不能放过占有的机会,所以,刘湘民刚一离开,他就来了。他就像一个鬼魅一样走进了刘湘民刚刚离去的房间。

“老板,你安排我见的是什么人啊,一点儿都不好玩。”毛美丽收起了吹泡泡的工具，她以为她的工作已经结束了。

“他是不好玩。你要想玩，我来陪你玩好了。美丽，你过来，我帮你玩。”李安庆喘着粗气说。

“不好，我不跟你玩。”毛美丽想跑，可是李安庆用身体堵住了门。

“在这里，我说的话就是圣旨。美丽，你要不听话，我就把你扔到山里去喂蛇。”李安庆吓唬涉世不深的毛美丽。

毛美丽真的被吓住了。在这地方，她听人说李安庆有许多惩罚人的手段。有一个托了很多关系才到这里上班的女孩子，因为谈恋爱，经常跟一个男孩子约会。这本来是很正当的事，谁想李安庆发现以后，他就想法刁难那个女孩子，甚至威胁人家说，要开除人家。姑娘好不容易才找到饭碗，要真的被开除了，回家是没法交代的。他盯上了那个女孩子，有一次，两个人正约会时，被他抓住了。他要把那个男孩子送到派出所去，那个女孩千求万求他才放那个男孩走了。那个女孩回到宾馆以后，他找了两个老女人扒光了那个女孩子的衣服，使了很多下作的办法折磨那个女孩子。为了息事宁人，保住饭碗，女孩屈服于他，陪他睡了几次才把事情了了。毛美丽虽然刚来，可这样的事还是听说了，她可不想像那个女孩子一样遭罪。

“你说吧，让我做什么？”毛美丽说。

“我们一起吹泡泡玩。”李安庆想玩老板玩过的游戏。

“吹泡泡就吹泡泡。”毛美丽说。

“我们脱了衣服玩吹泡泡。”李安庆说。

“那，你先脱吧。”毛美丽闭上眼睛，她不想看李安庆。她听许多女孩子说过，李安庆的身上长着许多毛，就像野猪身上长的毛一样又长又硬，还很难看。她可不想脏了自己的眼睛。

第四章
私密生长

一、虚幻生活

刘湘民走，燕莎没有像往常一样去追他。以前，不管发生什么情况，她都会追他。如果说他是风，那她就是一个追风的人。可是现在，她不想追了。她累了。她终于明白，她做的是一件世界上最累的事情。

她不明白她的这个男人怎么会不可救药地爱上风。哪怕是做爱，他也要听着风声，没有风，好像不能活一样。在北京的日子里，他最开心的事情就是去不同的地方听风。他们一起到故宫听过风，到中央电视台的楼顶听过风，到香山山顶听过风。有一天夜里，在西山上，望着灯火辉煌的北京城，两个人敞开了心怀。

她说:“你说说,你为什么喜欢风呢?无影无形的东西。”

他说:“不同地方的风是不一样的,山里的风硬,城里的风软,海边的风腥,河边的风淡,田里的风甜。不一样的风带给人的感受是不一样的。”

男人的话形而上,让她产生了虚无的感觉。如果顺着男人的思路下去,累,也无趣。于是,她换了一种思想。她对男人说:“有一种风,你能总结出来特点我就服气你了。”

他问:“什么风?”

她笑道:“枕头风。”

他说:“那是世界上最厉害的风。”

她说:“回答正确。可以奖励。”

他说:“奖什么?”

她乐了:“要什么奖什么。”

他说:“在风中吃蜜蜜。”

她说:“坏。”

可说着话,就把他往自己的怀里拉。

男人不坏,女人不爱,她就喜欢他的坏。可现在,她对这个男人有一些爱不起来了。

她起了床,熬了一锅红枣粥。她要奖励一下自己。每当碰到不如意的事情,她都会这样做。她很得意自己有厨艺方面的天分,在一碗红枣粥前,她又把自己与刘湘民的关系做了一番盘点。

对待这个男人,以前,不管是在工作中还是在生活里,只要他稍有一些不如意,她就会千方百计让他高兴。可是这一次,当刘湘民说出他活得像一只避孕套以后,她就轻看了这个男人。男人是什么?不管在哪一个社会地位上,男人就是作难的人。被困难难住的男人还是男人吗?一个男人被困难困住了,那他面临的将是失败。一个男人成功,就要把成功的态势保持下去。男人是不能失败的,一旦败下阵来,一切都会发生变化。烦躁不安的刘湘民让她很是不安。她觉得戏真到要收场的时候了。有了这样的感觉,她就不想再追刘湘民了。她对这个男人有些失望了。

她不想追了,从北京追到蜜如,她从一个不起眼的职业经理人追成了亿万富婆。有了钱是好事,可是她也失去了青春,失去了一个女人最宝贵的东西。她觉得,她所拥有的一切都是她拿最宝贵的东西换的。想到这里,她的心理也就平衡了。

虽然拥有了亿万身家,可是多少年来,她感觉活得一点都不真实,她一直像影子一样活着,像一个影子活在刘湘民的身后,活在刘湘民的黑夜里,活在刘湘民最脆弱的黑夜里。在那样的黑夜里,她像一个奶妈一样慰藉着那个男人。

可是就是这样一个男人,她又离不了,不但在感情上她不能没有刘湘民,在事业上也不能没有刘湘民,没有了刘湘民,她在蜜如寸步难行。在这个城市里,她所有的一切都是这个男人给的。她想,一个人,不管是男人还是女人,是不是都是表面坚强而内心脆弱呢?特别是,女人怎么就离不开男人呢?

她想了想,在她的生命里,从小到大,她也从来没有离开过男人。她生命的每一个阶段,都会有一个相对应的男人出现在她的生活里,照料她的生活。她是依靠男人成长起来的女人。

她觉得,她是一个孤儿。在二十岁以前,她不知道自己的父亲是谁,也不知道自己的母亲长什么样子。有记忆以来,她都是在蜜如山里跟着一个孤老太太生活。小时候,她听那个孤老太太说,她妈妈是蜜如山里长得最漂亮的女人,她的父亲是一个大人物。可是母亲是如何的漂亮,她没有见过;父亲是如何一个大人物,她也没有见过。她是一个在话语里活着的人,是一个活在虚幻里的女孩子。

她没有见过亲人,可是她的生活中从来没有缺少过什么东西,那些吃的、用的、穿的,都是最好的,她只要有想要的东西,哪怕是一本童话书,她只用跟那位老奶奶一说,过不了几天,那些东西就会出现在她的床头或者桌案上。她从没有见有人来送,可总有弄好的东西在等着她。她觉得自己像生活在童话世界里一样。那时候,她觉得她就是世界上最幸福的人。看到她幸福满足的样子,老奶奶经常叹气。她不知道老奶奶为什么会那样忧伤。

那时,她总想方设法捉弄那个忧伤满怀的老人。可是无论她怎么捉弄,老人从不生气。有一次,已经到了要吃晚饭的时分,她突发奇想要藏起来。可是院子里、屋子里根本没有好藏身的地方。以前她藏过的地方,老人总是不费吹灰之力就能把她找出来,然后逼着她吃饭、写作业。那一次,她攀着窗户藏到了房梁上,无论老人怎么呼喊她的名字,她都不作声,老人急得老泪纵横。看着老人可怜的样子,她终于忍耐不住,冲着她学了两声猫叫。老人听到声音,抬眼一看,发现她趴在房梁上,吓得一屁股坐在了地上。她觉得自己闯了莫大的祸,麻利地攀着窗户回到地面上,把老人扶了起来。

老人站起来,看着她亭亭玉立在自己的面前,不由得发出了一声喟叹:"我老了,管不住你了,要是你在父母亲的身边就不会这么野了。"

老人的喟然长叹也让她学会了想事,她的父母亲在哪里呢?她的父母亲是谁呢?老人没告诉她,大山没有告诉她,夜空里的星星眨着聪明的眼睛,可是也什么都不告诉她。她在梦里,也梦不见她想见到的人。

要上中学了,那位老奶奶老了,老得已经带不动她了。这个时候,来了一个中年妇女,带着她到了县城,带着她上了县城最好的中学。像以前一样,她什么也不用考虑,她的生活被安排得好好的。可是这样莫名其妙的生活让她变得很脆弱,也很敏感,她想弄明白自己到底是什么人。有一天晚上,她问那位中年妇女,为什么带她来到县城,为什么能安排她上县城最好的学校。那位中年妇女赔着笑脸说:"我的大小姐,我只负责照顾你的生活。其他的,你不要问我,我什么也不知道。"

看着中年妇女谦卑的笑容,她仿佛明白了什么,可是又什么也不明白。她不明白她的身世,不明白为什么会过上优裕的生活。虽然没有亲人,可是她的物质生活比那些有父亲有母亲的人还好。可是就是这样的生活让她不安,让她纠结。她越想弄明白的事情,结果越来越糊涂。她想到那位带她长大的奶奶。她想起了那位老奶奶在她很小时给她说过的话,她意识到了那些话的重要性。也许,那位老奶奶能帮她搞清楚一些事情。她在一个星期天抽空回到了山里。她走到了那位老奶奶的院子里,那个小院子是她成长的地方。院子还在,窗户前那株老枣树还在,可是那位老奶奶已不在了。

那位老奶奶在她去县城上学不久就生病离开了人世。那是她生命中一个重要的人啊,老奶奶陪她度过了人生的童年,给了她诗意的生活。可是老奶奶说不在就不在了,没有人告诉她什么。如果知道老奶奶生病的消息,她会放下功课回来,守在她身边的。哪怕只有一天,哪怕只有一个小时陪着她走一段人生最后时光,也算她没有辜负老人家啊。可是没有,没有人告诉她。她走的时候,老人已经很老了,老得走路都需要扶着墙了。她记得老人送她的情景,老人站在墙边,看着她离去,而她不停地回望着老人。那时候,正是秋天,常春藤已经黄在墙上了,窗户前那株老枣树早已没有枣子,光溜溜地枯在那里。

没有想到那竟然是她跟老人的最后一面。有一个知情者告诉她,老人在临走时最想见的人就是她。在老人的心目中,她就是老人唯一的亲人。可是,直到咽下最后一口气,老人也没有见上她一面。知情人的话打动了她,她决定去老人的坟上,为她烧上一把纸钱。

那是春天了,一天中午时分,在知情人的引导下,她找到了老人的坟,她给老人烧了很多纸钱。引路者走后,空寂的山上只有她一个人了,她放声大哭。她哭孤独的老人走得凄凉,她哭自己竟似被拴在一根无形的绳上,她不知道未来等着她的是什么。她哭祭完老奶奶以后,走到一处山坡上,突然看到满坡的油菜花绚丽地绽放,花香浓郁,把空气都染得沉重起来。她迷失在花丛之中,在太阳光里,她的脑海里一片空白。她觉得有人在向她招手,当她也举起手臂,却发现什么人也没有,只有空气中飘动的花香缠绕着她。她只有一步一步地往回走,一步一步地走出空地,一步一步地走出村庄,走出了大山,回到了城里。从山里回来以后,她一个星期都没有从回忆之中醒过来。当她从想象的时空回到现实之中，发现照顾她生活的那个中年妇女已经不在了，取而代之的是一个陌生的女人。

那个陌生的女人对她说："闺女啊，你最好不要乱跑乱动，你一动就会害得人没有饭碗的。"

那个陌生女人的话很无奈，带着几分哀求的口气。听了陌生女人的话，她才明白，她和照顾她的人不是亲人，更不是朋友的关系。她只是她们的主顾，是她们的工作与饭碗。可是谁在背后主使着这一切呢，谁在养着她呢？没有人告诉她，她也没人可问。后来，她干脆就不再关心她身外的世界，一心扑在课业之中。什么事情，就怕用功，特别是天资聪明的人，很快，她因为学习成绩好而成为学校的小名人。

很快，她由一个女孩成长了起来，她迎来了青春期。青春期的女孩子大都喜欢追求浪漫的生活，那是一个女孩子向一个女人过渡的重要一环。那是由生命内在力量决定的，是外力无法改变的。像其他女孩一样，她恋爱了。爱情这东西就是一种毒，不管是男人还是女人，只要中了这种毒，连走路都像走在夜里，走在梦中，走在迷幻的世界里一样。这样的人，只要梦不醒，任何人想让其进入现实世界的努力都是白费力气。

她恋爱了。在读过许多言情书，与许多女孩子谈论过青春与恋爱的话题以后，在一个个男孩与男人在心中像过电影样闪过以后，她恋爱了。

她爱上了一个搞艺术的人，一个画画的青年艺术家。那个人是教她美术课的老师。那是个有着艺术气质的男人，很讨女人的喜欢，也真的有很多半成熟的女孩子与成熟的女人喜欢他。有关他的绯闻经常在学校里传播。有一个女孩子，他教她时，她迷他，后来女孩考上师范，去蜜如城里上学了，还经常回来找他，听说还为他打过胎。不过，他们最终也没有成。像这样的故事，很多，她听得耳朵都起茧子了。可不知道为什么，她还是喜欢他。她渴望一场浪漫的故事在她的生活中上演。或许，怀春的少女天生便容易与艺术结缘吧。或许，浪漫的怀想是一个少女心中最自私的隐秘吧。在诸多条件的引诱下，她不可救药地爱上了她的美术老师。

她喜欢上他的课，虽然他的课不是主课，只是学生课业中的点缀，但是她仍然喜欢上他的课。这就是爱屋及乌的力量，她做不了自己的主。她无法控制自己的心灵，也根本不想控制自己的心灵。她让自己的心插上想象的翅膀，尽情地在爱的天空中飞翔。

不管是男人还是女人，爱情对于他们来说是美好的东西，也是有害的东西。如果是单相思，那就是一服毒药了。对于突然来临的爱情，她的心里就像中了毒一样难受。她不想让爱折磨自己，她要享受爱情雨露的滋润。她主动出击，向他发出了求爱的信号。男追女隔着重重山，女追男只隔一层薄薄的纸。美术老师是在一个黄昏接到了女孩赤裸裸的求爱信。那时候，太阳刚刚落下去，发了一天烧的天空透着暧昧的光辉。他读着那封信，每一句话都热辣辣的，他仿佛感受到了女孩一颗火热的心在跳动。他的身心也像在热水中泡着一样，他尽情地享受着被爱的感觉。搞艺术的人，搞恋爱是基本功，如果不会恋爱，会被人笑的，不会爱的人无从谈论什么艺术。他决定接受这个勇敢女孩的爱。直到深夜，他房间里灯还在亮着，他给女孩写了一封回信。那是一封充满诗情画意的回信，不但有文字的表述，他还画了一幅有关爱情的图画。女孩在收到回信以后，心情非常激动，她躲在宿舍里，偷偷摸摸地读那封情意绵绵的回信。她觉得那是世界上最美的作品，而她是世界上最幸福的女孩，不，是最幸福的女人。在她的思想深处，她渴望成为男人喜欢的女人。成熟对于一个女人来说就是美，也只有成熟的女人对于这个世界才是一种诱惑。成熟的女人才最有可能成为这个世界的主人。但是一个人不是渴望成熟就能成熟的，成熟需要一个过程，需要千百种历练。而爱情就是让一个女孩子成熟的最重要课程。她觉得爱情课是一个女孩子人生中最重要的一课。

很快，他们就约会了。

每个周六夜晚，是高三学生的休息时间，也成了她最盼望的时间。在这个时候，他们总能找到隐蔽的地方约会。房前屋后操场小树林野麦地，都去过了，可没有一处是安全的。他们需要安全而隐蔽的地方尽情地表达爱情。县城最隐蔽的地方是一个破败的公园，一到夜晚就没人愿意去那里。在黑夜里，那是野猫野狗与野鸟的天堂。在隐秘处，这里响一下，那里动一下，吓人。可就是那个地方变成了他们的天堂。吓人的地方也是人不愿去的地方，是爱情可以藏身的地方。他们约在那里美了几回。可很快那美就没有了。那个可以让爱情藏身的地方让恋爱中的女孩受到了几乎致命的惊吓。那是春天的一个夜晚，天上只有几颗星星，因为天黑，她带着手电筒去那个破败的公园寻找她的爱与温情。当她走到约定的地方，她没有找到要找的人。她又等了一会儿，那个人还是没有来。她有些失望了。她起了身，打着手电筒往公园的深处走。她想，他是不是藏在什么地方了呢？这样的情况不是没有，以前他也曾经变换过地方跟她捉一会儿迷藏。那一次，她觉得他也许还是藏在一个地方等着她去找他。在那样的黑夜里，捉迷藏可不是一件好玩的事情。如果找到他，她一定要给他惩罚。想着走着，她突然听到了一个奇怪的声音，就像夜猫子受伤以后发出的凄凉叫声。她用手电照过去，吓得惊叫连连。她发现她深爱的人四肢被捆绑着吊在一棵歪脖子桃树上。他的脸上血迹斑斑，嘴被一团破布堵着，动也不敢动。仿佛一动那树枝就会断掉，而他可能会从树上摔在地上摔死。看到手电光射过来，他努力呻吟着，眼睛瞪得吓死人。她不知道发生了什么事情，不明白她心爱的人为什么会被人吊在树上。可是她也不敢声张，她使出了吃奶的劲才把那人从树上弄到了地上。她给心爱的人解开了绳子。过了好大一会儿，她心爱的人手脚才缓过劲来。可是，那人没有说一句感激的话。他眼睛里透出了凶光，扬起手，狠狠地扇了她一记耳光，还恶毒地骂道："你个小狐狸精，认识你算我倒了八辈子的血霉。"她被那个大耳光打蒙了。她不明白他为什么不分青红皂白地打她。她十分委屈，可是还没等她问那人话，那人从地上爬起来就消失在夜色之中了。第二天，她想找他问个究竟，可是怎么也找不到他了。又等了几天，还是找不见他。她去教务处问，教务处一个老师告诉他，那个美术老师被调到乡下去了。至于去了哪个乡，没有人告诉她。好好的怎么就被调走了呢？她觉得奇怪。更让她奇怪的是，一个周末，她回到家里，发现照顾她生活的那个中年妇女也不见了，取而代之的是一个上了年纪的老太太。不管她问什么话，那个老太太只是一味摇头。逼得急了，她就指着嘴巴发出咿咿呀呀的怪音。原来，老太太是一个哑巴。她喜欢的人被打，被赶走了，照顾她的人也被换掉了，她觉得她的生活像被无形的手控制着，无论怎样她都做不了主。她很想弄清楚这背后到底有什么文章，她想得发疯发狂。

她想对了，她的生活真的被无形的手控制着。她的一举一动都有人在关注着。什么事，熬到了一定的程度，就会有人出来揭开谜底了。她到底盼到了那一天。那是一个星期天，她刚刚起床，哑巴老太就进入她的房间，递给了她一张纸条。她展开那张纸条，纸条上写着一段话：

你是不是觉得你的生活很奇怪？如果你想知道你的身世，我可以把你的身世谜底揭开。请你在晚上八点钟到老城墙上找我。我只等到八点，过时不候。

一个一直照顾你生活的人

她当然想知道她的身世。在这个世界上，别人都有父母有亲人。而她像生活在真空中，这个世界上所有的一切都像隔层膜一样。一个人，她明明是可以抓住的，可说离她远，就远得丁点信息也没有了。她喜欢的事，努努力就可以做到的，可眨眼间就永远没有希望了。她恨死这样的生活了。她经常有生不如死的感觉。她觉得这个世界冷酷无情。

她按照纸条上所约的时间到了老城墙上。老城墙上空空的，只有风在吹。那风吹得她的心里冷冷的，她的心在冷冷的风里慢慢空了。她打心里生出一种绝望的感觉。天暗了下来，约定的时间也一点一点地走来了。空气中传来了脚步声，那是一种孤独而寂寥的声音。每一步都是那么的决绝，响在人的心里，让人更觉得世界的冷与无情。

"你来了。很好。"脚步声停了,一个人站在她面前不远的地方。

那是一个黑影。在夜里,影影绰绰,她只看到一个黑影。那是一个让人心里发怵的黑影。她努力想看清那个人的脸,可一切都是徒劳。那个人在黑夜里戴着墨色眼镜。看来,他根本不想让她知道他是什么人。

"你是什么人?"她这句话问得十分多余,可是她也只有这样问。

"我是照顾你生活的人。"那个黑影子用低沉而沙哑的声音说。

"我是什么人?"她这句话问得仍然十分多余,但是她不得不问。

"你是一个被铺好路的人。"那个人答得十分含糊。

"为什么会这样?"她悲怆地喊。可是她的声音被风湮没,消散在夜空里。

"每个人都有每个人的路。"那人说。

"你不要回答得这么含糊。这样,我见你和不见你有什么区别?"她说。

"有区别没有区别是你的感觉,之所以要见面,是我想给你一个忠告,在你人生的每个阶段里,做好你该做的事情,不要去做不该做的事情。"那个人冷冷地说。

"什么是该做的事情,什么是不该做的事情?我想跟人交朋友,我想跟人谈恋爱。其他人能做的事情,为什么我不能做?"她气愤地问。

"不能。因为你不是一般人。"那人仍然冷冷回答。

"为什么?"她逼问。

"因为你的路已经被铺好了。你想做的事如果不符合安排好的步骤,只能给他人或者是你自己带来伤害与麻烦。话呢,我只能说到这个程度了。你已经不是小孩子,你已经有判断力了,所有的事,你自己看着办吧。"说完,那个人转过了身。

"你到底是什么人?"她绝望地蹲在地上,使出浑身的力气喊道。

"我是受人之托安排你生活的人。说白了,我也只是个雇工,保护你是我分内的事情。"那人说。

"这么说我的男朋友是你绑的,是你赶走的?"她问。

“那件事是不是我做的并不重要。不过,我告诉你,他不是你什么男朋友,他是一个骗子,是一个已经骗了许多女孩子的色情狂,他只是得到了他应该得到的惩罚。”那人说。

“你,你才是个骗子,你都不敢让我看清楚你是谁!”她抬高了声音。显然,男人的话刺激了她的神经。

“告诉你,从小到大,已经有许多人为你的成长付出了时间和精力,我只是其中之一。等你上了大学,我的任务也就完成了。你上大学以后,会有人接替我安排你的生活。到时候,有人会告诉你一切的。你好自为之吧。”

那个人消失了,消失在黑沉沉的夜里。他的话也沉重地印在了她的心里。她明白了,那人约她见面的目的就是告诫她要约束自己,不要放纵。她听从了那个人的劝告,关上了自己的心门。

日子一天一天在沉闷中过去了。她考上了大学,因之,她有了解放的感觉。她考上了北京的一所大学,她来到了北京。她盼望有一天能收到一张纸条,那样她身世的谜底就可以揭开了。可她没有盼到什么字条,有一个人出现在她的面前。有一天中午,她去图书馆找一本书,才出宿舍,就有一个高个子男人挡住了她的去路。

“你是姚丽娜吧?”

那个男人也戴着墨色眼镜,好像做了什么见不得阳光的事情一样。

她抬起头,阳光正照着她的眼睛。她眯着眼睛说:“我是姚丽娜。你是谁?你有什么事?”

“你跟我走,你父亲要见你。晚了就来不及了。”那个男人几乎是强行把她拉上了停在路边的一辆轿车里。

她的心乱成了一团。

“我是你父亲的大秘书。你的父亲得了重病,现在医院里,他最后的心愿就是看到你。我们快点走。”在车里,那个男人一边给她解释,一边催促司机开车。

父亲,父亲终于出现了。她终于要见到父亲了。她终于能弄清自己的身世了。可是她有一种不祥的预感。那是一个女人的直觉,那种直觉往往很准,或许,自己弄清身世的同时,父亲也就要离开这个世界了。

他们赶得很急,可就算如此,当他们赶到医院,见到病人,那人已经到了回光返照的时刻,早已没有了说话的气力。

那是一个病得只剩一把骨头的男人,一个病得连话都说不出的男人。见了她,那人流了泪。他的手指动了动,指向病床头的柜角。在柜角,有一张纸。纸上用毛笔写着两个又大又黑的字:燕莎。

"首长,你是不是让丽娜改名叫燕莎?"大秘书几乎是趴在老人的嘴边。

老人说不出话,他又努力地指了指柜子。大秘书打开了柜子,里面放着一个蓝皮笔记本。大秘书把那个本子打开看了一下,里面有一张纸条,写着:

> 在我去世以后,请把这个本子交给我的女儿燕莎。这里面记着她的身世,这个本子可以让她明明白白地活在这个世界上。
>
> 燕双来

大秘书看到那张纸条,当即把那个笔记本交给了姚丽娜。从那天起,姚丽娜在这个世界上消失了,一个叫燕莎的女人活在这个世界上了。

看到女儿拿到笔记本,那个叫燕双来的男人就闭上了眼睛。那是一个英雄了一世的男人,可是在死神面前,英雄也与众生平等。看到那个男人在自己的面前离开这个世界,她没有掉一滴眼泪。她只觉得憋闷,如果她有一颗原子弹,她想把这个憋闷的世界给炸掉。

一个男人,给了她一个名字,给了她一个笔记本,然后就不再管她了。接下来无边无际的路,要她一个人去走。她觉得上天对她真的是太残酷了,她想哭都不知道该怎么哭,该哭些什么。

二、蓝色笔记

在一个午后，她来到学校的一处草地上，打开了那个蓝色的笔记本。那是一本很老很旧的笔记本，蓝色的皮已经被摸得发毛发亮，可以想象它在主人心里是何等的重要。

莎莎我女：

我是爸爸。当你拿到这本笔记的时候，爸爸或许已经不在人间了。

这本笔记里记着我的历史，记着你的人生。当然，这里也有你母亲的记录。它能帮你弄明白你的父亲是一个什么样的人，你的母亲又是一个什么样的人。这样，你的人生也就清清楚楚了。还有，我把我对人生、社会以及世界的理解也有选择地写在这个本子里了。我希望对你能有一点帮助。

说到这里，我得解释一下，我并不是奢望用我的人生经验指导你的人生。唉，人，一旦来到这个世界上，就各有各的命运，谁也替代不了谁。在一定意义上，谁也指导不了谁。最多的，先知者对后知者只能起到引导与启示的作用。

你是一个苦命的孩子，从小就没有了母亲，也感觉不到父亲的存在。故而，我根本就不配指导你什么，我只寄希望我的人生经验能对你多多少少有一些启示，那样我也就瞑目了。

我先说说我吧。

我不是蜜如人，我是一个地地道道的北京人，是一个干部家庭出身的人。当我年轻的时候，我们的国家发生了一场大动乱。那一场动乱让整个世界都感到震惊，它几乎影响了所有的中国人，改变了千千万万中国人的命运。许多家庭在那场动乱中分崩离析。当然，我的家庭也不例外。

我的父亲20世纪30年代就参加了革命，是一名德高望重的老干部，更是一个耿直的人。可就因为耿直，他被人以莫须有的罪名关进了监狱，有病也得不到有效的医治，没有多久，他就死掉了。他死了，只有一个编号，剩下一小袋灰，连自己的名字都不允许留下，更不让家属去吊唁。在这里，我就不告诉你他是谁了。我只告诉你，他是一个好人，一个正直的人，一个对这个世界做出奉献的人。那场运动以后，国家给他平了反，恢复了名誉，他的名字被写进了中学生的历史教科书。你如果留心一下，凭自己的能力就能把他从历史的深处找出来。

莎莎我女，给你说这些我并不是炫耀什么，也不是倾诉什么。我只想说明一个问题，你父亲出身于一个红色的革命家庭，你的血管中也流着红色的血液，你不是一个来历不明的人。你应该为你是革命者的后代感到骄傲。

莎莎我女，作为一个红色家庭出身的年轻人，我很早就参加了工作。那场动乱开始的时候，我已经是一个有一定级别的干部了。你的爷爷的事也波及了我，那些迫害你爷爷的人并没有因为他的死而心生内疚，他们要斩草除根，丝毫不放松对我的迫害。小乱进城，大乱进山。为了躲避那场灾难，我在父亲秘书的帮助下以插队的名义躲进了蜜如山里。在那里，我认识了你的母亲。

莎莎我女，我仔仔细细地说说你的母亲吧。山里条件差，她没有照过相。你只有通过我对她的描述想象她的样子。

我可以负责任地告诉你，你的母亲，她是蜜如山里最漂亮的女人，也是我心中最美丽的女人。不，应该说，她是我心中最美丽的女神，她是我一生都感念的女人。没有她的保全，我可能早就烂在那座大山的泥沼里了。

莎莎我女，你的母亲，她有一个美丽的名字，叫姚丽娜。为了记着她的样子、她的恩情，自我在这个世界上找到你以后，我也给你起了与她相同的名字。在我的心目中,这不是一个普通的名字,它是生命的传承与信念的延续。

你的外公也是一个善良的人,是山里面的好人。在山里,他因持一颗公平心能断百家事而得到大家的拥护,大家推举他做村长,一做就是二十年。当他知道我的身份以后,并没有歧视我,反而是主动地把我保护了起来。有一次,为了我的事,他摆了一桌饭,把村里说话算数的老年人都请了来。在饭桌上,他对那些老人说,我不是一个坏人,而是一个被坏人冤枉的好人。那些老人说,好人应该得到好报。因了他的照顾,我在村里干最轻的活儿,吃最好的饭。村里人把我护了起来,但凡有什么风吹草动的,我都会知道。如果有对我不利的人进村里来,他们就会迅速安排我躲到山里去。那时候,我觉得上天对我真的是万分的眷顾。

和我一同逃到山里的,有一个人,也是北京一个干部家庭出身的年轻人,叫李家印。他躲到相距不远的一个村庄里。有一天,从北京来了一个调查组,到他插队的那个村庄把他给抓走了。当时,抓了他,就到我插队的地方抓我。村里知道消息以后,就让你母亲带着我进山了。你外公对他们说我在一年前就掉下悬崖摔死了。他们不相信,到处搜。那时候,你的母亲带着我在山里最隐蔽的地方藏了十多天,直到他们走掉,我们才敢回家。也就在那个时候,我爱上了你的母亲。在这个世界上,一个女人做出了一般男人都不敢做的事情,她还不值得人去爱吗?可是你的外公极力反对我们的相爱。有一天晚上,你的外公跟我谈话,他说我是一个落难的公子,被恶风刮进了穷苦的山里,等风头一过就会飞黄腾达的。他劝我不要因为儿女私情而影响了前程。可是我跟你的母亲没有因为你外公的反对而停止相爱。想一想,那才是我这一辈子过的最美好的日子呢,我和你的母亲,那山中最美丽的女人,天天在高天明月之下,花花草草之中,耳鬓厮磨在一起。大约就是那个时候,你来了。可是你母亲把这一切都瞒得死死的。因为,这个时候又发生了一些事情,逼着她不得不做出牺牲。

那个被抓走的李家印，为了自保把我供了出来，他说我好好地活在这个人世间。那些人再一次组织人马在一个夜里突然来到山里敲开了你外公的家门。你外公见势不妙，为了给我留出来逃走的时间，竭力与他们周旋。我跟你的母亲就从后门逃了出来。我们出了村，你的母亲在后面掩护着我往山里跑。我跑着跑着，就听不到她的声音了。我在山里待了七八天，都快成野人了，实在熬不住了，才冒死回到了家里。

家里空了。你的外公跟母亲都不见了。整个村庄的人陪着我去寻找你的外公与母亲。后来，我们在一个山沟里找到了你的外公，可他已经奄奄一息了。见到我，他努力地挤出了几句话，他说："好孩子，丽娜已经怀了你的孩子。找到她，到山里去，到别人找不到你们的深山里去，好好地过日子。"说完这些话没有多久，你外公就永远地闭上了眼睛。我埋了你的外公就去山里找你母亲。一直找了一年，也没有找到她。村里人劝我，让我离开那个地方。他们说，深山之中，有很多能害人性命的大畜生，一个人一旦在山里走失了，可能就永远也回不来了。我又在山里等了一年，还是没有你母亲的消息。那个时候，那场可怕的运动已经结束了。北京的家人到山里找到我，说组织上要给我父亲平反，我必须回到北京去办理有关事宜。这样，我到你外公坟前磕了几个头，告别了那个村庄。我走时，村里很多人出来送我。他们对我说，只要丽娜回到村里，就会想办法通知我。我也对他们说，只要有机会，我也会回到村里来，尽自己的能力回报他们的恩德。回到北京，待所有的事情打理过以后，有一个领导找我谈话，问我以后有什么想法。那位领导曾在我父亲的手下工作过，受过我父亲的大恩惠，很乐意在自己能力范围内帮我一下。我告诉他，若有可能，我想到蜜如工作。那个领导很是奇怪我的想法。他提醒我，如果离开北京到那么个小地方，有可能一辈子也回不了北京了。我说，一个人怎么活都是一生，我只想尽自己的能力回报一下那个地方。那位领导满足了我的愿望。不久，我就被派到蜜如做了组织部长。到蜜如任职以后，我还时常回北京去探望那位领导。有一次,他问及我的年龄,我如实回答了他。他说:"成个家吧,为自己留条后路。"他给我介绍了一个干部家庭出身的女孩。我听从了他的话,很快,我就结婚了。可是后来突然就有了你母亲与你的消息。有一天,我进山去视察农村的三通工程项目,特意去我插队的那个村庄看了看。我一进村庄,有几个年纪稍大的人就把我认了出来。听说我是为他们修路修桥通电而来,他们对我很是热情。有一位老大妈走上前给我说了几句话,把我惊住了。她说丽娜后来回来了,而且生了一个孩子。不过,孩子生下来不久,她又进山了,从此再也没有回来。她把我领到收养你的那位老人家里,你那时睡着,活脱脱你母亲的样子。你母亲给我留了信,让我别再去找她,还嘱托我照顾好你的生活。

莎莎我女,读到这里你基本上把你的身份搞清楚了吧?在政治生活中,父亲的一生仿佛是成功的。但若论起亲情与人伦,父亲绝对不是一个称职的父亲。但是一个在政治的道路上行进的人是不允许退却与疑惑的,否则他很快会被社会埋葬。父亲的官越做越大,而你也越长越大。你是父亲的念想,也是父亲心中的一个结。父亲不知道如何才能很好地安置你的人生。父亲只能在物质上满足你的需求,只能在心里思念着你,如同在心里思念着你的母亲。

莎莎我女,父亲多么想给你一个健全的家,多么想给你提供一个健康的成长环境啊,可是父亲做不到。

你上学了。我只能偷偷地去看看你。我只能安排人照顾好你的生活。而别的我都无能为力。有时候,我很痛恨苍天不公,为什么让我能见到亲女而不能相认呢?

莎莎我女,你上中学了,长大了,都到恋爱的年龄了。可是没有人给你有效的指导,一切只能靠你自己去体悟。

你长大了,父亲越来越老了。父亲对你的思念也一日比一日重了,可是父亲只能把如山一样重的思念放在心里。

莎莎我女，你上大学了。而父亲也病入膏肓了。不管是白天还是黑夜，父亲经常做梦，梦见又回到了蜜如山中，梦见找到了你的母亲。太阳出来时，我跟她一起上山劳动。太阳下山了，我跟她一起回家，我们过着无忧无虑的生活。那是多么美好的生活，可是这样的生活只能在梦中出现啊。

莎莎我女，父亲就要离开这个世界了。我唯一放心不下的就是你了。在这个世界上，你没有亲人了。所有的路都要靠你自己去走。我只希望你碰上一个好男人，嫁给他，做一个相夫教子的好女人。如果你能过上这样的生活，就是你的福了，也是父亲在天上的福啊。

莎莎我女，父亲在天上看着你。祝你有福！

父亲的记录很多，每次打开那蓝色的笔记本，她都有所发现，有所思，有所悟。那个笔记本不但记着她的命运，更记着她许多亲人的命运。他们在这个世界上生活过，可又都在这个世界上消失了。只留下了她一个人，在这个世界上孤独地活着。每次看她都忍不住会哭。她想，自己怎么会是这样的命运呢？

一天，大秘书来了。他交给了她一个存折，存折上一共有五十万人民币。

“这是你父亲给你留的钱。拿着吧，以后还有无穷无尽的岁月要过呢。”大秘书对她说。

“我父亲，他是一个什么样的人呢？”她问大秘书。

“你父亲不是给了你一个笔记本吗？很多事情都在那个笔记本里写着呢。”大秘书没有正面回答她的话。

“我看了，我只清楚了自己的身世，但我读不懂父亲是一个什么样的人。”她说。

“不懂也好，省得伤心。不过，我不得不告诉你，你父亲家里的人是不愿意认你的。所以，在这个世界上你已经没有亲人了。如果你愿意，你可以拿我当你的哥哥。这也是你父亲的意思，他让我尽自己的能力关照你的生活。”大秘书说。

“这一切,父亲在笔记本里都说了。我也不稀罕他们来认我。我有我的命,我的路。一个人,是什么命就认什么命,该走什么路就走什么路。”她倔强地说。

“你父亲不在了,我也要走了。”大秘书说。

“你去哪里？去干什么?”大秘书的话让她顿生无助感。

“我能干什么,不还是给人当秘书？你父亲的一位朋友点名让我跟他,我答应了。以后,你有什么事情就去找我。”

大秘书给了她一个字条,是他的新地址。她把那个地址牢牢地记在心里。因为,那是她跟这个世界最重要的联系了。

三、追风之路

“空不是没有,也不是有,空就是空。”这是大觉寺的印空法师送她的话,她记下了,并常用它去灭心里面生出来的烦恼。可是她又是一个占有欲超强的女人,她又怎么能降得住心中升起的万般烦恼呢?

她想,不管有多么丰富的物质世界可以享受,一个人要是一生都活在别人的影子里,无疑就是悲剧。她的血脉里流的是好强的血,她天生就是一个不服输的女人。可是好强的女人也是让人生畏的女人,她会让她身边的男人害怕,所以男人才会逃掉了。不管发生什么样的事情,也不管未来等着她的还有什么,她都认为,对待这个世界,她必须把自己武装到牙齿,不然,她很容易被这世界吞掉。这个世界,在她还是一个胚胎的时候就已经开始伤害她了,更何况她出落成了如花一样的美女,世界对她的伤害会更加花样翻新、绵绵不绝。她在伤害中成长,她在伤害中美丽,她在伤害中思想。一个女人,思想有多深,对世界的威胁就有多大,当她成了这个世界的一服毒药,她才觉得她的身心原来可以很自由地伸展在这个世界上。

在这个世界上，有许多成功的人，他们站在社会的聚光灯下，炫耀着自己光辉的形象。其中也有许多女人，她们在五彩灯下摇曳着各自的美丽。她想走入那些成功女人的行列。可是她并不想知道那些女人是如何成功的，她只想了解她自己，只想研究她自己，只想培养她自己。她觉得一个女人的身体就是她在这个世界上谋取利益、获得成功最厉害也最直接的武器。

从一个一无所有的女人到一个身价上亿的女人，她的财富都是通过男人得到的。她从一个私生女成为一朵交际花得益于一个男人不断的推介。他就是大秘书。

大秘书告诉她，女人要想生活得好，就得让优秀的男人成为自己的服务员。

大秘书特别强调了“优秀”两个字。

大秘书说，在一个信息爆炸的时代，拥有知识已经改变不了人的命运，只有拥有智慧人才能成为这个世界深水中的游鱼，自由地利用这个世界上的资源，把自己推上成功的山峰。

大秘书的理论让她明白，跟智慧人物混世界不一定会成为有智慧的人，但跟笨蛋混日子的人一定会成为一个笨蛋。一个女人，征服一个笨蛋男人只需用身体或者用身体的一部分就行了。但是一个女人要想征服一个智慧男人仅仅用身体是不够的。对于一个智慧男人来说，女人的身体只是调节身心的工具，用过了就会扔到一边。一个女人要想征服一个智慧男人，不但要拥有好的身体卖相，更要拥有丰富的思想卖相。这个世界上没有无缘无故的成功，却有莫名其妙的失败。当男人累，当女人也累，当一个成功的女人更累。男人征服世界然后拥有女人，女人征服男人然后拥有世界，女人要想征服男人必须与时俱进。

她听着大秘书的那些话有一种醍醐灌顶的感觉。她想，这个世界上怎么会有这样的道理呢？这个世界怎么会有这样会讲道理的人呢？这个人怎么又会讲出这样的道理呢？这样的道理与她所接受的教育完全不一样。这样的道理让她觉得她以前所受的教育一文不值。在他的面前,她就像一张苍白的薄纸,没有一点内容。

现在,她不想再当影子了。

她觉得,她完全有条件可以活自己了。人,可以一时当别人的影子,但一辈子当别人的影子就惨了。再有钱,那影子也快乐不起来。只有做人,做自己的主人,让钱为自己服务,那样才会快乐。也许正因为有这样的想法,她才没有去追刘湘民。

她安安心心地睡到自然醒才起了床。吃过饭,她耐心地打扮过以后就出了门。走出门,便见她红色的宝马车安静地停在停车场。看见车,她的心里升起一种满足的感觉。她喜欢那辆车,她更喜欢那辆车的色彩。那辆车给她带来过许多好运。在那辆车里,她跟这个城市的市长演出过许多浪漫的故事。在那车里,她搞定过许多大大小小的生意。更让她得意的是,果岭别墅度假区项目的合同也是在那辆车里签的。那是一个美妙的夜晚,那是一个让她一想起来就激动不已的夜晚。那一晚决定了她一生的命运。那一晚她打败了所有的敌人。配合她的不但是人,还有那辆红色的宝马车。

那晚,她把果岭所在那个区的区长约了出来。就在车里,那个区长接了一个神秘的电话,就乖乖在合同上签字了。那个区长下车的时候,作为额外的奖励,她还在他脸上印了一个红唇印。看着那个区长踉踉跄跄地消失在夜色之中,她发出了得意的笑声。

红色的宝马车不但是身份的象征,是财富的象征,更是权威的象征。

每一天早上,当她从梦中醒来,她知道公司里有许多人在等着她,有许多文件在等着她签字,有许多事情在等着她拿主意。几百号人的公司,各种各样的事情头绪纷繁复杂,她不在,许多事情没有人敢做主,就得停在那里。她喜欢忙碌的生活,那样的生活让她觉得充实,让她觉得自己还真实地生活在这个世界上。

开了三十分钟的车就到了市里,她抬了抬屁股,活动一下身子,又使劲坐在舒适的坐垫上。作为一个成功的女人,她不但喜欢调戏这个城市的主人,更喜欢调戏这个城市本身,调戏生活在这个城市里的人们,要他们把口袋里的钱掏出来,装进她的口袋里。这是男人爱玩的游戏。但这种游戏也不是男人的专利。就像做皇帝,武则天还玩了一把呢,不一样玩得改朝换代,玩得事业兴旺,玩得男人心惊肉跳,玩得历史一波三折?就算不能与武则天比,但自己打造一个金钱帝国,关起门来做女皇,过一把瘾总可以吧。她喜欢当有钱人,被人当祖奶奶看待。

十五年前,蜜如市房地产市场萌动。民间资本嗅到腥味,蜂拥而至,不管是住宅项目还是商业项目,重要的山头在很短的时间内被一一分割,再有人想介入,门槛就高了,难进了。就算想方设法进来了,利润也就薄了。事情也就变得没有味道了。

她考察过这个城市的房地产市场以后,发现如果没有政治强人支持,就算拿着大把的钱来,按常规发展,也做不了老大。做房地产,干的是玩钱的活儿,做不了老大,就当不了爷。做生意要是当不了爷,那就是一只乌龟,谁都敢拿脚踹,拿刀砍,拿火烧,拿水淹。不逼你缩着脑袋过活,人就不会罢休。一家房地产公司,不管大小,只要做项目,就要跟一百多个行业部门打交道。一百多个行业部门,那就是一百多个爷,哪一个爷侍候不好,都能断你的财路,让你寸步难行。要是一一打点到了,那自己口袋里也就没有多少钱了。

要做爷,就得傍更大的爷。只要傍住更大的爷,那一百多个爷不过是草鸡,是孙子了。

那一次在老乡会上经大秘书介绍认识刘湘民后她就上了心。她不但成了刘湘民与大秘书之间的传话人,更成了刘湘民在北京的代理人。他想认识更多朋友时,她不失时机地给他介绍京城一些有头有脸的人物。他需要用钱,她就及时地送上一定数额的红票子。在京城的日子,她尽量让这个人活得有滋有味。一个人,一个男人也只有活得舒坦了才会觉得自己是个人物。

朋友劝她,他不过是一个小地方的常务副市长,像这样的人,北京多如牛毛,她没有必要对他那么好。她不以为意。是,他的官的确小,但别的人官再大,跟她一毛钱的关系都没有。再说了,官场风云变幻,尤其是一个地方的官场,一颗螺丝钉松动了,就有一串螺丝钉能松动松动。当官嘛,大家都想动动,清淡一点儿的地方向有油水的地方动,小官希望自己的官当得大一点。只要动,就有希望,谁知道哪一天那不起眼的小云彩就变成大云彩,就会下起大暴雨呢。再说了,有大秘书在后面把着舵呢,他是自己的靠山,他不会骗自己的,她相信总有一天天上会掉下来馅饼来。

天上果真掉馅饼了。那饼正砸在刘湘民的头上。他长成一块大云彩了,大得一降温就能下一阵暴雨了。她要的就是那一块大云彩,她及时地降住了那块大云彩。女人的身体是特殊的武器,她又是善于利用这件武器的。如果没有好身体,她还不知在哪儿给人刷盘子洗碗呢。大学毕业以后,虽说有大秘书罩着自己,但如要去国家部委任职或者是到国有大企业拿高薪仍然是十分困难的事情。毕竟,人家不是自己的亲哥哥,能在情感上照顾自己,能在具体事上帮助自己就不错了,自己不能得寸进尺地提要求。有一次,大秘书也问了她的意愿,表示愿意尽自己的能力帮助她。但是她苦笑了一下说:“如果老头子活着,一切都好办。他不在了,你帮我,被他家人知道了,不知道会给你惹出多少事端呢。”她这么一说,大秘书不语了。见大秘书不语了,她又安慰大秘书说:“北京这么大,难道我就找不到一个安身立命的地方吗?”这句话一出,大秘书就明白了,她要漂在北京,对工作没有过分的要求。大秘书的心也就安了,他说:“在商界我有一些朋友,你如果想在商业上发展,我可以介绍你认识他们。”她也是年轻气盛,说:“我先试着找工作吧。你能护我到什么时候呢?如果真找不到好的工作,我自然会去找你。到那个时候,你再帮我也不晚。你是我的一张大牌,我一走上社会就把你打出去,到以后碰到真正的困难怎么办呢?”这一番话,把大秘书逗乐了,也让他对这个涉世不深的女人刮目相看。大秘书想,环境还真能造就人,如果这样一个女子生活在安乐窝里,不知道是如何弱不禁风呢。

在北京像她这样只有青春没有资本的年轻人车载斗量，像她这样想出人头地的年轻人更是不计其数。可是怎么才能出人头地呢？她想了千百遍，只有自己的身体是最好的资源。她只有利用自己的身体去跟这个世界拼一下。想透亮了，她开始找工作。也是跟其他刚毕业的大学生一样，历经了多次失败，她才在一个家具公司找到了一份工作。那个家具公司的老板是一个年近八十岁的老头子了。是人老心红的那种人，看到她，他的一双浊眼便亮了起来，仿佛要冒出火来。她心想，那么老了，也就是想想了吧。因为都有目的性，两个人很快便有了身体上的接触。

老头子的家具公司只是一个门脸，是一个幌子。实际上，老头子是玩古董的，一辈子，在圈子里玩得风生水起，是一个有钱的主儿。老了，对钱没有欲望了，就想滋滋润润地过完余生。她也是打听到了底细才决定委屈自己的。不过，她仍然是存了私心的，她觉得要把自己的好给自己喜欢的人才不愧来世界上一遭，不能便宜那个要死的老头子。这个时候，她想到母亲，或许当年母亲就有这样的心思吧。她觉出了母亲的伟大与勇敢，一个女人哪怕是死，也要把自己的好给一个真正的男人。自然而然，她想到了大秘书。父亲不在了，大秘书本来可以不管她的。但是大秘书仍然罩着她，这样的男人才是真正的伟丈夫。她决定把自己的好送给这个男人。她试了几次，却没有成功。有一次，他们一起去一家酒吧里喝了些酒，回到她的住处，两个人都滚到床上了，大秘书却刹住车了。他一下子从床上滚下来，蹲到了地上，流着泪水说："不能，我不能这样。"她靠在床上，酒醒了几分："哥，你是不是嫌我不好啊？"大秘书说："妹啊，你很好。"她说："那你为什么这样呢？"大秘书说："想是一回事，可做又是一回事。我答应过你父亲要照看你的，我不能这样照看啊。这样做，这样做我就太对不起他老人家了。他在天上，他在天上看着我呢。没有他老人家就没有我的今天，我不能做对不起他的事情啊。"一听这话，燕莎便恨起父亲来，活着时，他控制着自己的成长。死了，去另一个世界了，还控制着自己的幸福。她苦笑着下了床，把大秘书拉了起来，说："哥，我喜欢你呢。你放心，我不逼你做了,我把你放在心里好了吧。你摸摸我的心口,你在我的心里面跳呢。”她把大秘书的手放在胸口上,大秘书的手贴在她的胸口上一动不动。贴了一会儿,大秘书说:“好妹妹,我把你也放在心里。以后,我要是冷了,就想想你。”一句话,把她的泪水也说了出来,她无奈地摇了摇头说:“好吧。”大秘书走后,她使劲地扇了自己几个耳光,恨自己愚,自己笨。一个女人,一个漂亮的女人,送都送不出去,还凭什么在这个世界上招摇?一个女人,不能优美地活在这个世界上,活与不活又有什么区别呢?

有一天下班,老古董商不让她走,老头子把她抱在自己的怀里,用手指划着她的背说:“美人啊,古董是老的好,这女人还是小的好,嫩的好。我老了老了,能有你陪着也算不白活了。”她冷冷地说:“爷啊,你行不行啊?”老古董商说:“丫头啊,爷可以吃药啊。爷都这么大年岁了,美一回是一回。”老古董商这样一说,她不愿意了,试着要挣脱那老头子的怀抱,说:“这样不行。”老古董商说:“怎么不行?”她说:“你美了,你不白活了,我可要白活了,以后谁还会要我啊。”老古董商一听,乐了,说:“丫头,我不会亏待你,我可以给你钱啊。我死后,我把钱都给你。你有了钱就知道这个世界的好处了。有了钱,要你的人怕要排到长城边呢。”老头子这么一说,她知道已经达到目的了,她等的就是这一句话。可是光有一句话还不行,一句话就把自己交出去了,那她就不是笨,而是傻了。她说:“你不能这么轻巧地说一句话就把我拿走吧。你得给我一个保证。”老古董商说:“应该,应该,做生意还得白纸黑字写个合同呢。何况是这事,这是大事,你等我几天,我给你一个保证。”她说:“那我也等几天再交给你吧。”老古董商说:“不急,我不急,心急吃不得热豆腐,等几天就等几天吧。”老古董商就把她放了。

那一天夜里,在北京的街头,她一个人走了很久,也想了很久,她拿定了主意,还是不能把自己给那个老古董商。第二天,她给大秘书打了个电话,说:“春天了,大觉寺的白玉兰花怕是开了?”大秘书说:“星期天,我陪你去。”这就算约定了。

大觉寺在西郊的阳台山麓，大秘书带她去过几次。在她的印象里，大觉寺的白玉兰花能开得像碗口一样大，每当花开，幽香满院。大秘书告诉过她，父亲生前最爱去的地方就是大觉寺。父亲去大觉寺不专为看白玉兰花，更重要的是找印空法师喝茶谈禅。印空法师在俗世叫李家印，父亲的笔记本里记的有这么一个人名，不知道是不是一个人，她一直想找机会跟大秘书印证一下。印空法师在俗世时也做过官，不知何因悟了道，看破红尘接了佛缘剃度在大觉寺，做了世外之人。大秘书跟他很亲。她认识印空法师也是大秘书介绍的。认识那天，印空法师见了她，不语，只是笑，笑得高深莫测，好像把她的前世今生看破了一样。后来，两个人熟了。她想，何不去求他一语呢，或许就如了自己的愿了。存了这份心思，她才给大秘书打了一个电话。

星期天，天气晴好。大秘书开车载她到了大觉寺。停好车，大秘书从后备厢里拿出了一套书在手上。一进门，一个小沙弥迎上前说："印空师父已经在禅堂候了。"大秘书说："谢了。"两个人径直来到了禅堂里。见了，大秘书把手上那套书递给了印空法师。印空法师接了，放在一边的书架子上，满脸堆着笑问："看了？"大秘书说："没。"印空法师说："一切闻，一切非闻，一切非闻非不闻。施主，你的学问怕又精进不少。"她听不懂，问："法师，你说的话是什么意思？"印空法师说："女施主请喝茶。"她明白，印空法师是要她离开了，他想与大秘书单独在一起聊天了。她说："法师，你们先聊着，我去看白玉兰了。你得闲了，我有话问你。"说完，她就去院里看白玉兰了。可是，她心里有事，根本就没有心思去看什么白玉兰。等了一会儿，大秘书出来了，喊了她一声："你不是有话要问印空法师吗？让你进去呢。"她说："你呢？你不一块儿吗？"大秘书说："你进吧，这么好的白玉兰，我也看看。"她就进去见印空法师了。

"法师，我想求你一句话。"她正正经经地坐印空法师对面，与之四目相接。

"因何事，因何人？"印空法师说。

"心中事，离去的人。"她说。

"我明白了。不过,这世间事,最难了断就是心中事、离去的人。我送你一个字,你慢慢去悟,或许能遂了心愿。"印空法师说。

"何字?"她问。

"离。"印空法师说。

"这离字何意?"她问。

"离字有大功夫,无大功夫就无从谈离。离,有亦离,无亦离,亦有亦无离,非有非无亦离。"印空法师解释道。

她听着印空法师的话,那时,幽幽地,白玉兰的花香荡漾在禅房里。她仿佛明白了一切,又仿佛一切都不清楚。她如同在梦中游走一样。这时候,大秘书进来了,大秘书附在她的耳边说:"时光不早了,法师要闭关了,我们回去吧。"她说:"我听你的,你说回就回吧。就是来看花的,看过了,就应该回的,还打扰了法师那么长时间,怪不好意思的。"

两个人就告辞出来了。回城的时候,两个人心照不宣,都没有说多少话。

"印空法师是不是出卖父亲的那个人?"她没话找话。

"嘿嘿,那都是上代人的恩怨了。再说了,那个时代,谁不出卖谁啊?不过,印空法师是有良知的,他后来仍然是你父亲的好朋友。"大秘书说。

听大秘书这么说,她的心里透亮了,不再问什么了。快到家时,大秘书沉吟了一会儿,说:"有一个朋友,是一位副市长,要来看我,到时候,你认识一下。"她说:"好,我听你的安排。"下了车,看着大秘书开车走了,她蹲到地上,痛哭失声。她反复思想印空法师的话,自己真的要离开他生活吗?哭完了,就想通了。他让见谁就见谁吧,让给谁就给谁吧,只要不给那个老古董商就行了。

她需要的保证书,老古董商办到了。老古董商跟她领了一张结婚证书。她贡献给老古董商部分青春与局部的美好,而老头子把所有的家产给了她。估了估,也算不亏。没有多久,那个老古董商就美死了。老头子死后,她就换了一个身份,到一家房地产公司打工。从置业顾问做起,用了三年,做到了副总经理的位置。后来，一家房地产公司聘请她做总经理。做总经理，有不菲的年薪，还有一些股份，她就去那家房地产公司做了总经理。

按理说，不到三十岁一个女人，混到这个份儿上，已经算是人上人了。可是她的心大，她想当王，哪怕只是个草头王。可是在北京，就算她拼上八辈子，她也不可能拥有一个山头。全国各地的能人都往北京跑，能占的地方早被人占住了，哪里还给她留上一点半点地盘？因此，她想着往外走。想着往外走，她就想到了刘湘民，想到了这个大秘书送给她的男人。她又一次使用了自己最具有杀伤力的武器。很快，她就用身体降住了刘湘民。刘湘民前脚回蜜如当代市长，她后脚就到蜜如注册了蜜如市燕莎房地产有限公司。

到蜜如，注册了公司，她就四处去看地。她要把生米做成熟饭了，再去找大厨师拌凉菜。看来看去，她看中了果岭那块地。在一个内行眼里，那是一块能生金长银的宝地。能拿到那一块地，她的努力就没有白费。有可能，一下子就发了，一下子就做王了。想到这里，她激动不已。可是，她看到了那块地的价值，别人也看到了那块地的价值。在一个狼多肉少的社会里，一块肉放在那里不知道有多少狼盯着呢。不说那些没有名头的在私下里算计，就说有头有脸的主儿也不知道有几个在盯着呢。就她掌握的情况，不论是在省内到处扩张的杨斌，还是专门在蜜如发展的罗家辉，他们都在打那块地的主意。为了得到果岭那块地，杨斌花一百多万买了一辆奔驰放在公司里，专供市委、市政府一些领导办私事用。谁家的儿子结婚，谁家嫁闺女，一个电话，他乐乐呵呵就去了。不但让用车，他还会想法送人无法拒绝的礼品。那礼品也许不是钱，但让人感觉着情深义重，让人无法拒绝，又不愿意拒绝。所以，在市里，他的人脉关系很好，他对那块地有势在必得的意思。罗家辉呢，是做公益的高手。公益这种事，不是谁想做就能做的，他已经捐建了十所罗家辉艺术小学。这种事对一个有实力的地产企业来说，是放一个小蚯蚓在鱼钩上，不钓出红尾巴大鲤鱼来是不罢休的。很明显，两个人都在走曲线求地的路。

她有信心与他们争。她可以把蜜如最大的山头搬到她床头上。搞公关，女人是最厉害的工具,没有什么力量比女人床头的力量更强大了。一个有功力、有魅力的女人能顶十万雄兵。还有什么比这条路更直接、便捷呢？与床头之路比起来,不管是杨斌还是罗家辉,他们的套路无疑都成了小儿科。

为了收集与那块地有关的信息,她专程从杨斌的公司挖了一个策划部经理。像搞地下工作一样,一切在暗箱里操作着。等那一块地要公开挂牌了,她觉得该收线了,再不收线,鱼就跑了。她先让人交了参与拍卖的押金,决意参加对那块地的角逐。一天晚上,已经吃过晚饭了,夜生活还没有开始,她打通了刘湘民的电话。

“尊敬的刘市长,你是不是把我忘了?”她用柔媚的声音挑逗着对方。

“哪敢,我就是把我自己忘了,也不敢把你个大美人给忘了。”刘湘民刚结束一个饭局,才坐到车上。突然接到了燕莎的电话,他心里很舒服。

“那你猜一猜我在哪里?”她说。

“你不会来蜜如了吧?”刘湘民说。

“你真成神仙了,一猜就中了。”她说。

“你这个人,你也不说一声,让我好好接待接待你。”刘湘民说。

“我已经来一些时日了,你的公事忙,不敢打扰你不是?”她说。

“你看你,我们是什么关系,还说什么打扰不打扰的,太见外了。你现在哪里？我现在就去见你。”刘湘民说。

两个人就约定在一处很隐秘的宾馆见。燕莎先到了,进入房间,她有一种焦躁的情绪。刘湘民已经是这个城市的市长了,身边肯定少不了这样那样的美女,这种男人有余地轻忽自己的,他会不会已经不认那壶酒钱了呢?

门响了。门开了。一个身影闪了进来。那是她要见的男人,是她把身家性命都赌上了的男人。

“燕莎,你到蜜如是出差还是旅游?”一见面,刘湘民问她。

“你这个大市长,官僚啊。我把公司都搬到蜜如了,你还不知道？现在,我可是你管辖的人了。”燕莎装作有气无力的样子说。

“什么？你把公司搬到蜜如了？什么时候搬的？你怎么不给我打个招呼？”刘湘民惊讶地说。

“你太忙，又没什么大事找你。”燕莎说。

“那你现在找我有事？”刘湘民说。

“什么事不事的，我来都来了，以后有麻烦你的时候。”燕莎说。

“你这样也对啊。不过，有什么事，你该说就说，不要客气。只要我能做到的，我尽量帮你。”刘湘民说。

“你都当市长了，在蜜如还有你做不到的事情？既然你都问了，我也就不再藏着掖着了，我的置业公司已经注册了，有公司没有地，那就是一个壳。每天人吃马喂的，耗的可都是钱。”燕莎说。

“我明白了，你是想拿地。”刘湘民说。

“是啊。又让你说中了。你成诸葛亮了。”女人说。

“什么诸葛亮，人家批发给我高帽子，你也弄这个？说说，你要什么地。”男人说。

“果岭的地，我想要。”燕莎说。

“那块地很多人都想要，我一个人说了不算。”刘湘民说。

“我知道，但是最有能力要的人也只有两个，杨斌与罗家辉。你只要摆平了他们两个，剩下的人，我就不怕了。”燕莎说。

“这恐怕不好吧。”刘湘民说。

“这有什么不好。那块地我去看了，有一个地方可以专门给你建一个休闲的地方。”她淡淡地说。

“给我建一个休闲的地方，什么样的地方？”他问。

“你不是喜欢听风吗？果岭里有一个天坑，我想把它开发出来，建一个地坑院，我给它起了个名字，叫八卦天坑。建好了，你可以在里面吃，在里面睡，在里面光着屁股奔跑，在里面听风。你想一想，在那个环境里，你还有什么放不开的，你还有什么疙瘩解不开呢？你活到那个份儿上，就是古代的皇帝也比不上呢。人嘛,不就是在找一种活着的感觉?北京再好,那也不是你的地盘啊。”燕莎话中有话,有提醒与敲打的意思。不过,言语间,她一直在微笑,那笑很狐媚,刘湘民的骨头有些酥了。

“湘民,我的城门可是随时为你开的啊。”燕莎用肉麻的声音挑逗刘湘民,那是再坚强的男人也抵挡不了的声音。

“那我就进城看看,一切等看了再说。”刘湘民也想通了,这个女人,就是一个标标准准的妖。一个妖女想做到的事情总会有办法。再说了,有大秘书在她的后面给撑腰,自己不帮她,她也会通过其他人达到目的的。反正已经是自己的女人了,如果让她去求别人,那不如让她求自己好。而且,他喜欢这样的妖女,这样的妖女就像一本邪书,虽然不可以在阳光下观看,但只要看懂了,弄通了,在非常之时就可以起到非常的作用。在阅尽春色之后,他更喜欢跟这样的妖女人上床。这样的妖女人一上床,一种特殊的劲道,一种特殊的味道自然而然就出来了,那是普通女人所没有的劲道与味道。跟妖女上床以后,他才明白,古今中外那些伟大的人物为什么会喜欢那些个妖女人了,明白那些个伟大的人物为什么宁舍江山不舍那些个妖女人了。跟这种劲道的妖女人上床,一个男人才更像男人,男人才成为更地道的男人。

城门就开了。

刘湘民拿出了安全套。

她说:“我来时,吃了药,安全。”

刘湘民说:“安全?”

她点点头:“我敢骗你吗?再说,我有必要骗你吗?”

刘湘民说:“也是。”

刘湘民把安全套丢到了床头,刘湘民进城了。燕莎想,只有让刘湘民丢掉了安全套,事才能办成。

在北京,无论自己如何尽心地伺候这个男人,他都是一个客人。一个客人看上北京城里的女人,匆匆忙忙偷一回,会觉得滋味不同,但并没有心思去品味到底有什么不同。这一次不一样,是在他自己的地盘上,得让他无所顾忌地玩。

他真的就像一个孩子,虽然是故地重游,可总想游出点惊喜来,游出点情趣来。一条街,一条街,他慢慢地逛,慢慢地看。哪个地方有可口的菜,可以享其口,饱其腹;哪个地方有美景,可以悦其目,他要一清二楚才行。她配合着他,引导着他,她很自信。她不是只有好身体、好容貌,还有好手段。她的手,她的舌,她的眼,她的腿,她的每一寸肌肤都是出色的武器。她知道如何使好那些武器,她更知道那些武器能给她带来什么。

刘湘民出城了。

他说:“以前,我不过是一个农民。”

她说:“人是可以改变的。”

他说:“怎么变?”

她说:“上学啊。”

他说:“笑话,我一个市长,上什么学啊?”

她笑了:“你是真不懂,还是装不懂?在你这一亩三分田里,你不知道上过多少学了?”

她的话,把他搞糊涂了:“你什么意思?”

她说:“女人是最好的大学啊。”

他说:“你啊,妖精。不过,话说得有道理。”

她说:“那你读过多少大学了?”

他说:“你以为呢,我是刚摸着大学的门。”

她说:“坏。只是摸吗?”

他说:“进了,进了,进城门了,进大学的门了。”

她说:“那你怎么回报我?”

他说:“那块地给你。”

她就这样拿到了果岭的地。一块地被一个外地来的公司拿去了。一块宝地被一个不知名的公司莫名其妙地拿了去。大家不知道这里面究竟有什么猫腻，也不知道这个外地公司的水有多深。后来，当城市中心那块地又被这个女人拿去以后，这个城市里的地产商像被狼咬了一样难受。那时候，果岭别墅项目已经成型了。燕莎的公司已经成为这个城市中举足轻重的大公司了。她手里已经有几亿资金可以运转了。本来，她可以与其他公司采用同样的手段在市场上公平竞争，可是她不愿意那样做。一个人，可以做空手套白狼的生意，不做白不做。世界上最好的生意就是空手套白狼，不扎本钱就能挣大钱，这样的生意不做，别人不骂，她也会骂自己是白痴。

他帮她运作到了果岭的地，让她挣了大把的钱。她挣的钱可以让她自由自在地生活了。他只想让她成为供自己休息的一片港湾，而不是成为让自己心惊肉跳的急流险滩。当她提出要城市中心的地以后，他觉得这个女人有些过分，她已经很有钱了，要那么多干什么？再多，不就是个数字吗？但是他明白，她决定做的事情，如果做不成她是不甘心的，他只好再次成全这个女人。但是她要拿城市中心的地做什么呢？她要有能力做好才行啊。他对她的能力还是有所怀疑。有些事情，不是光靠关系、光靠钱就能做好的啊。

她说："我想给这个城市建几栋上档次的写字楼。案名都想好了，叫城市之门。"

他说："这个名字好。"

她说："实际上，我是为你着想，我要让后世的人知道这个土里土气的小城市是在你手上发生改变的。这种事，我不做，没人为你去做。"

他心里想，这个女人真的成精了，得了便宜还卖乖。可是他没有把心里想的话表露出来。他不动声色地说："谢谢。安排人去准备资料吧。"

她明白，事成了。虽然是交易，但是快乐、刺激。玩房地产，就是玩钱。这世上哪还有比玩钱更刺激的事呢。玩钱，得有水平。就算是有水平，一不留神，还会被钱玩呢。玩房地产，一旦被钱玩了，那么，人也就被套牢了。进入房地产行业以后，燕莎悟到很多道理，只有把玩人、玩事、玩钱三者有机地结合起来,才能把钱玩到至高境界。要玩,就要玩到至高境界。自从拴住了刘湘民,燕莎感觉,自己在向人生的至高境界迈进了。

燕莎一进办公室,她的助理,“城市之门”项目经理胡北群就给她拿过来一大沓报纸杂志。胡北群是在地产圈里打拼多年的知名人士。他在省会一家房地产公司里做过策划部经理。后来跟杨斌做了一块地。不过,项目没做完就出事了。他跟杨斌一个女人粘在了一起。在商场,老板的女人是不能胡乱碰的,就算是被老板处理过的女人也不能乱碰,如果碰了,等待自己的就是被处理的命运。胡北群碰了老板的女人,很快就被处理了。这样的事,在圈子里传得很快,胡北群坏了名声,没有人敢收留他,他就没了吃饭的地方。“城市之门”项目招聘项目经理,他也报了名。本来只是抱着试一试的态度,没想到老板燕莎亲自面试了他。

起初,燕莎还怀疑他是人家派过来做卧底的,可是经过了解,知道了他离职的原因,觉得这个人对自己有用,就用了他。胡北群做事很卖力。只做了一年,“城市之门”就成了名盘。一提起蜜如,就知道有“城市之门”。“城市之门”还真成了蜜如的一张名片,一期还没有开盘,钱就进得像流水一样。胡北群帮燕莎赚了钱,燕莎也知道论功行赏,升他做了董事长助理,还涨了年薪。

“那几个老板,都有什么动作?”燕莎问她的董事长助理。在某种意义,胡北群也是她的耳目,他为她提供业内一些重要人物的动态。

“杨斌在郊区拿到了一块地,听说要做别墅。”胡北群回应道。

“罗家辉呢,他有什么动静?”她又问另一个冤家对头的消息。

“他在做一个堂会,叫艺术公社。”胡北群说。

“艺术公社,什么意思?”她问。

“他喜欢听戏。”胡北群解释了一下。

“我明白了。不过,大路朝天,各走半边。他们只要不做与‘城市之门’相同的产品那就让他们去做吧。‘城市之门’第二轮推广方案出来了吗?”她问。

“方案有了,可是宣传推广的难度系数高,怕是我们公司的人做不好。”胡北群试探着说。

“那就请人啊，做推广不要怕花钱。那能花几个小钱啊。”她说。

“那我就请人来写文案。蜜如来了一个高手，现在晚报供职。前一段时间，他给罗家辉写了一篇文章，罗家辉非常赞赏。我知道，罗家辉是一个文字高手，他说好，就错不了。后来，我把那篇文章找来读了读，真的很好。”胡北群说。

“什么人，叫什么名字？”她追问。

“张世林。”胡北群说。

“张世林，这个名字，听起来很熟悉啊。”她皱了一下眉头。

“他的文章经常登在报纸上，你可能看见过他的名字。”胡北群轻描淡写地说。

“可能吧。对了，你去请他吃顿饭，要把这样的人争取过来为我们所用。”她用命令的语气说。

“好，我去安排。”胡北群不习惯她这样的语气，但他很会克制自己的情绪。

“对了，‘城市之门’广场上的那根电线杆市政局把它拆除了没有？”

胡北群刚要出去，又被燕莎喊住。怎么回答她呢，那本是一件小事，可是人为地搞得很麻烦，他摸了摸头皮说：“燕总，这件事是不是我们搞复杂了？本来是一件小事，我们做了也就做了。”

“说得轻巧，这件事，我们不能让步。要是我服输了，以后不管是谁都敢来卡我们了。那样，我们还做不做生意了？”燕莎说。

“可是，燕总，那根电线杆一旦倒掉了，砸到人就不好了。”胡北群说。

“你让人做个标识，告诉人不要走近就是了。”

燕莎拿出了小镜子。她有一个习惯，做完一个决定就拿出小镜子照照脸上的妆。公司给她汇报工作的人一见她拿小镜子，就会自觉地退出她的办公室。

胡北群走后，燕莎坐在老板椅上，半天没有动。她在想，刘湘民现在干什么呢？她觉得，不管怎么样，她还是离不开这个男人。在这个城市里，如果离开了这个男人，她很难躲得开市场上那些冲她而来的明枪暗箭。如果那样，别说获得商业上的利益了，就连保全自己也是困难的。她说不定什么时候就中枪了，说不定什么时候就死了。

第五章
驯风记

一、陌生的合伙人

水温42℃。

水温42℃可以杀死身体表皮携带的细菌。这是一个常识,这也是马立经常使用的一个常识。还有，泡在42℃的水里身体会感到非常舒服。

一个人泡澡,身体舒服了,心也就放松了,那是人在这个世间一种很美妙的享受。马立早已是一个讲究生活质量的人,马立洗澡的时候习惯将水温调到42℃。

经历过长时间的奔波,在蒙头蒙脑睡过一觉以后,马立将自己投入冒着白色水汽的浴缸之中。马立投宿的酒店是一家新改造的快捷酒店,洗浴设备采用了比较先进的波浪形浴缸，马立进入房间发现这种浴缸以后十分惊喜。不过，他并没有马上享受那种他喜欢的波浪形浴缸，有享受的事情要慢慢做啊。他把行李放到行李架上，烧了一壶开水，倒上一杯，趁热喝了几口以后才给蜜如市房地产管理局值班室打了电话，向他们通报了自己的位置。他告诉值班人员，他需要一位文笔好，对蜜如房地产市场相对了解的人协助他开展调研工作。值班人员一听是建设部下面建筑研究所来的专家，哪里敢怠慢啊，第一时间向局领导做了汇报。没用多大工夫，电话就回过来了，蜜如房地产管理局的值班人员告诉马立，说已经把他到蜜如的事情汇报给了相关局领导。相关局领导很重视，因此，局里将在最短的时间里派人与他联系，协助他开展工作。

接了房地产管理局值班人员的电话，马立放了心。他放了水，泡了个热水澡。马立从浴缸里起来，穿上睡衣，正准备打开电视时，听到了敲门声。他下意识地觉得是房地产管理局的人来了。马立打开门，果然，门外一前一后站着两个人，前面是一个戴着蓝框眼镜的年轻人。在蓝框眼镜的身后，紧跟着一个皮肤黧黑的小伙子。那人个子不高，胖胖的，长着一双小眼睛。那小眼睛闪着光，很贼。门一开，马立高高的个子出现在蓝框眼镜眼前，迫使他向后仰了仰身。蓝框眼镜目光向上，有些结巴地说："你是建设部来的马领导？"

马立第一次被这样称呼，有些不习惯，想笑，不过没有笑出声来，他轻咳了一声，说："我是建设部来的马立。不过，我不是什么领导，我只是普通的专家，来蜜如做课题而已。你可以叫我马老师。"

蓝框眼镜见马立很平和，也放松了许多："我是蜜如市房地产管理局办公室秘书，我叫冷泠，叫我小冷就行了。这位是晚报社房地产部的记者张世林。接到你的电话，局领导很重视这件事情，专门向报社借了张世林同志协助你的工作。以后，我们两个就是你的助手。张世林负责协助你开展调研工作，我负责你在蜜如的生活问题。"

"欢迎建设部的专家来蜜如做客。"冷泠身后，张世林向前一步伸出了手。

"进屋，进屋。没想到你们来得这么快。我还没有来得及穿衣服呢。"马立与张世林握了握手,把人往房间里让。

坐了一会儿,冷冷的手机响了。接听了手机,他就站起了身,不好意思地笑了笑说:“马专家,你跟世林好好聊聊,他可是蜜如房产地圈的名人、能人,可以说是一张房地产的活地图,你们俩一定会有共同语言。我跟世林是好哥儿们,你不用跟他客气,我得先回局里一趟,办公室的活儿,不是人干的,哪个领导的事都得伺候,你多包涵。”

马立也站起身说:“冷秘书,你先忙,我有事再找你。况且,我这活儿也不是一天两天就结束得了的,我们有时间了,再聊。”

冷冷走后,张世林与马立出现了一个短暂的冷场。

“昨天晚上,我是走到酒店的。不知道为什么,这里的出租车都不拉人了。”马立先挑起了话头。

“嘿嘿,这种事在蜜如不稀罕。你要是感兴趣的话,可以去调查调查,说不定对你写地产调研报告也有帮助。”

张世林的脸上闪现出狡黠的神色,虽然那神色转瞬就消失了,马立还是捕捉到了一些信息,他下意识地感觉到张世林的话很有深意。

“出租车拉不拉人,跟房地产市场有什么关系?你说的事情风马牛不相及嘛。”马立问。

“在蜜如,有些事情就是这个样子,看着不相干的事,实际上却有机地联系在一起。如果你真想做一点调查,了解一点真相的话,我可以帮你。如果你只是应付一下工作,那我也会应付了事。拿一份钱,干一份活儿,我完成我的任务,然后我们就分道扬镳。”

仿佛把世事都看透了样,张世林说话,透着玩世不恭的味道。马立觉得这个人有个性,也有些好笑。世界如此之大,世事繁复,有谁能看透呢?

眼前这个人更像一个有经验的猎人,他想猎获一个猎物,可是他的能力远远不够,他需要一个搭档,他采取以退为进的方法,诱惑着他想要的这个搭档。

“真相,什么真相?”马立感觉出了张世林在引诱他,引诱他走向一个不可知的世界,不过他对这种引诱没有抗拒。他以自苦的方式来到蜜如就是希望能有点什么奇遇,这样他的生活也不会过于单调。可是,除了搭上肖冰的顺风车,认识位美女算是意外之喜以外,其他的什么也没有发生。到达蜜如以后,肖冰就像一片薄冰融化到了水里,不知道还有没有机会再见到她。

"你们高高在上,只会看报告,并不真正了解房地产行业的真相。你们看到的报告都是下面精心编好呈递上去的,你们依据这样的报告发表的论文、发布的文件其实都是空中楼阁,根本解决不了中国房地产的实际问题。如果你要一份真实的有价值的样本,你必须耐住性子去了解这个城市房地产的真相。你只有掌握了真相,写出的东西才有分量,如若这样的文章能到达政府高层,才真正能对解决中国房地产问题起一定的作用。"

张世林的话透出,他的心里早就有一套想法。马立对眼前这个年轻人产生了兴趣。

"这种没有什么好处的事情,你难道不怕找错对象吗?"马立说。

"一些事情做了,你可以实现一个专家的价值,我也可以实现一个记者的价值。不过,你不愿意做,谁也不会拿枪逼你去做。"张世林望着马立说。

"你要是这样说,我还非做不可了?"马立说。

"当然,你可以不做。不过,我相信我的眼睛。"张世林的目光变得坚毅起来。

"你就这么自信?第一次相见你就敢坦露心迹?"马立笑了,他觉得眼前这个年轻人很有点意思。

"我说过了,我相信我的眼睛。"张世林很坚定。

"击掌。我同意跟你合作了。"

马立举起了手,亮出手掌,张世林也举起了手,亮出了掌。两只手掌啪一声击在了一起。

"出租车,出租车罢工是怎么一回事?"马立问。

"这里面有文章,就看我们怎么去挖了。"张世林眨了眨小眼睛,近乎武断地说。

二、空驰事件

“我们不是拒载,我们只是不拉客。”

满街都是空驰的出租车。满街跑着的出租车灯箱广告上大都打上了这样的话语。这不是广告语,而是一句别有用心的话语。这样别有用心的话语让所有打车的人哭笑不得。不拉客不就是拒载吗?出租车的这种行为让一些市民很是不解,也让那些急于出行与急于办事的人十分愤恨。一些躁性子的人干脆跟出租车司机发生了过激的冲突。面对市民的声讨,一些出租车司机开始动摇了。可是他们的动摇遭到了一些莫名其妙的恐吓。有一个出租车司机没有理睬什么恐吓,在火车站拉了一个乘客,那乘客才一上车就从人群中飞出来一块红砖头结结实实地砸在了挡风玻璃上。挡风玻璃烂了一个大洞,乘客吓得开门溜下了车。那个出租车司机相信恐吓不只是恐吓而是具体的行为了,他骂了一声倒霉,挂上了“今日休息”的牌子,想找地方去修修车。在路上,他把自己的倒霉事通过电台向朋友说了。有好心人告诉他说:“最好是先不要修什么车了,出租车如果停驶,就不只是烂块玻璃的事了,弄不好,四个轮子都找不见了。”他相信好心人说的是真话。什么事,只要乱起来,想到的想不到的都有可能发生。他听从好心人的劝告,就弄了一张硬纸板糊在前车挡风玻璃上,慢慢悠悠地在街上转。在路上,他看到了一辆前脸受损的出租车出现在他的视线之内,会车时,他问司机是不是跟人撞车了。那司机气愤地骂了一句:“要是自己撞的,我也就认了。还不是想赚俩油钱,就被人下了黑手。”那司机骂完又笑了,指着他的挡风玻璃说:“你的玻璃也是被人砸的吧?我们彼此彼此。”

“这到底是怎么了?”酒店一个房间的窗户被打开了,马立与张世林站在窗前,他们看到了街上出租车的怪现象。

“我说过了,这里面有文章。”张世林说。

“网上已经有消息了,这起事件被称为出租车集体空驰事件,这一下蜜如在全国都会扬名的。据说,这起事件与蜜如燕莎房地产公司有关。消息说,有一辆出租车在‘城市之门’广场行驶时,被一根突然倒下的电线杆砸到,出租车司机受重伤不治身亡。家属到房地产公司讨说法时又被保安打伤。这件事,激起了全市出租车司机的公愤,他们联合起来要空驰三天,要求市政府主持公道,严惩打人凶手,合理赔偿死者家属损失。”张世林说。

“如果市政府没有答复,出租车空驰事件会继续下去吗?毕竟,出租车司机也有家有口,也要吃饭的。”马立问。

“不知道。不过,市政府不会让这种事件继续下去的,这种事情影响太坏了,一旦引起省里或者中央领导的注意,问罪下来,市里领导会吃不消的。况且,这一事件已经打乱了城市正常的运转秩序。”张世林说。

“既然这件事与房地产公司有关系,我们的调查能不能从这件事开始呢?”马立问。

“可以,我完全同意。”张世林说。

“还有一件事我要征求你的意见,我想在明天出版的晚报上刊登一则你到蜜如调研的新闻。”张世林说。

“为什么?”马立不明白张世林的意图。

“这则新闻如果能引起一些人的注意,对于我们开展工作会有一些帮助。”张世林说。

“只要对工作有帮助,那随便你。”马立说。

“我们现在去一趟‘城市之门’广场看看那根与出租车发生冲突的电线杆,然后找个地方喝两杯。”张世林说。

“我看这样安排很好。不过,我们打不上车啊。”马立说。

“出租车空驰,我的车可不空驰啊。不过,你放心,不收费啊。”张世林风趣地说。

"你有车,就更方便了。我不用事事麻烦房管局的人了。"马立说。

"你啊,不要对他们抱太大希望。他们最多给你接接风,就会让你自生自灭的。虽然你是专家,但他们会认为你是来找麻烦的。"张世林说。

"那冷冷呢,他不是局里派来专门协助我开展工作的吗?"马立不解地问。

"他不是把我们丢下跑了吗?你是人家的包袱,不是人家的福音。我的大专家。"张世林的话带着几分嘲讽。

"怎么会这样呢?"

马立像犯了水土不服症。这哪里是他曾经熟悉的故乡?这分明是一座莫名其妙的城市。在这个突然变得莫名其妙的城市里,他的心情也一下子变得灰暗起来。

"好了,不说这些让人不高兴的事情了。我们去看那根电线杆吧。"马立说。

三、间接问答

"电线杆,你们要找电线杆,大街上到处都是,我们这儿是卖房子的,不卖电线杆。"

"城市之门"广场上的那根电线杆不见了。当马立询问电线杆下落时,"城市之门"项目部每个人都这样回答他,而且态度相当冷淡。

曾经客观存在的电线杆不在了。这里面又隐藏着什么样的故事呢?

"电线杆的事归哪个部门管?"马立问。

"应该归市政局管。"张世林说。

"那我们就去市政局问问电线杆的下落。这不是一根平常的电线杆。"马立说。

出租车还在空驰。那些车辆,亮着绿灯,可就是不停车。路边与街角站着许多不知真相的打车人,他们一次一次满怀希望举起手,当一辆一辆出租车从他们身边驶过，他们一次又一次失望地垂下手臂。他们嘴里不满地嘟囔着，却不明白到底发生了什么事情。

公交车开始繁忙起来了。公交公司不断加派临时车辆缓解突然而来的交通压力。不管是普通公交车还是空调公交车，到处都挤满了人。

车多了，许多地方开始堵车。车动不了，车上的人心里也开始烦乱起来。

车上的人一多，事也就多了。有些男人的手机本来在皮带上挂着，得空一摸，手机不见了，只剩下了空空的皮套子。有些女孩子胸前抱着文件袋，只顾护着文件袋，结果放松了警惕，偶尔低头，发现挎着的背包烂了长长的口子。这些意外引起了那些男人不满的咆哮与那些女孩子的尖叫。报警，忙碌。可最终也找不到是谁偷了男人的手机，是谁用刀划烂了女孩的背包。丢了东西的，只好自认倒霉，男人就往车厢里喷着唾沫星子说："妈的，旧的不去，新的不来。只当打牌输了。"有一些女孩子抱怨着小偷没有良心，警察无能，心疼背包，发出嘤嘤的哭声。大家好像并不关心这些个小事情，他们集体对该死的道路施以诅咒。开始，只是诅咒路，后来意识到诅咒道路并不对，路是人修的，于是，人们便开始诅咒人，诅咒市政局长与交通局长，骂他们白吃了老百姓的干饭。感觉骂局长不解恨了，人们又开始诅咒市长与更高的长官。在一辆车上，人们的诅咒惹怒了公交车司机，他说："你们在这里骂市政局长、交通局长、市长的娘，累死你们他们也听不到，更解决不了什么问题，倒让我心里烦得慌，请大家文明一点。"公交车司机的话平息了一些人的诅咒，但也让一些好生事的年轻人不快，有人说："市政局长、交通局长、市长，他们哪一个是你家亲戚，你不让骂?"公交车司机说："好好，你们骂吧，你们就在车上好好骂吧。我找个地方去歇一会儿。"公交车司机拔下车钥匙到路边看人下象棋去了。这一下，那些跟公交车司机找碴的年轻人就成了众矢之的，年纪大的人开始声讨他们的不是。前面的车动了一点地方，后面的车过不去，就拼命地鸣喇叭，在几个老年人的召唤之下，那公交车司机才重新回到岗位，公交车才得以蜗牛样向前推进。

大路不好走，张世林开着车拣小路去市政局。车闪到一个小路上，马立看到路边一个牌子上，大大的书法体写着“来钱澡堂”。他心想，自己的兄弟不就叫来钱吗？转念一想，自己兄弟还在打工呢，根本不可能自己做生意。不过，那字写得真是好。

“那是蜜如市长刘湘民的书法。这个城市最大的洗浴中心‘在水伊方’也是他题的牌子。”见马立看路边的牌子，张世林给他解释。张世林这么一说，马立就留了个心，把“来钱澡堂”的地址记了下来。

小路的车也比平时多，一路上，有几起事故发生，迫使张世林不得不一再改道。到达市政局，已近中午了。市政局办公室只有一位身材修长的中年女士在值班。她说：“为了保证孩子准点吃饭，准点上学，有许多人已经提前下班了。”说着话的当儿，她焦灼地看了看墙上的表，显然，她也在等点下班。

“我是晚报社的记者，我想问一下，街上的电线杆归哪个部门管理？”张世林向那女人出示了记者证。

“你们，跟我来吧。”那女人并没有看张世林的记者证，她摇曳着向前走，高跟鞋敲击地板发出的笃的笃的声响，那声响好像就是对张世林的回答。那意思是，她只负责带路，其他的概不负责。

马立与张世林跟着那女人来到了市政设施管理处的办公室。办公室里有一个长着络腮胡子的中年男人正在瞪着大眼睛看报纸。

“老胡，这两位是晚报社的记者，他们想了解一下电线杆的事情。”女人站在门口说，“记者同志，这位是市政设施管理处的胡副处长，你们有什么专业的问题可以问他。”

女人说完，向两个人点了点头，身体飘摇着转过身，高跟鞋的笃的笃敲击着地板走远了。

“你们是晚报的记者？你们想问什么电线杆伤人的问题？你们可以去找局里的新闻发言人啊。好笑，我还有问题想问你们呢。”胡副处长打量着他们。显然，他对两个人的突然造访并不欢迎。

“请问胡副处长有什么问题想问我们，我知道的一定尽量满足你。”当记者的，什么采访对象没见过，张世林并不介意胡副处长近乎无礼的话。他走进屋里，坐在了沙发里。他是老记者了，见人下菜的本事早就练成了。他知道如何对付不同的受访人，他更知道如何从不同的受访人那里得到自己想要的东西。看到张世林坐在了沙发上，马立也坐在了另一个沙发上。胡副处长误以为他也是晚报的记者，他也只好将错就错了。

“好，你说得好。那我就问记者同志一个问题，如果你回答得好，别说你问电线杆的事，你就是问煤气罐的事我也告诉你。”胡副处长看了看张世林，他给张世林出了一道难题。

“那你问吧。”张世林眯着眼睛笑道，仿佛知道这个特别的读者要问什么似的，或者已经习惯面对这样的人，早已是见惯不怪了。

“你回答我，出租车空驰的事报纸上为什么没有消息？这个城市都乱成一锅粥了，你们的报纸为什么不报道？”胡副处长这个问题问得极为刁钻。

“胡副处长，这个问题你问得好。我们正是为了这件事来的。我告诉你为什么没有报道，因为这件事情很复杂，我们必须把事情搞清楚才能够发布消息，如果不了解真相就发布消息，不但是对市民不负责，也有悖于新闻人的职业操守，结果只能把这座城市搞得更乱。你也不想这个城市更乱吧？这是对你提问的回答，不知道你满意不满意。”张世林透出几丝微笑说。

“你说的有几分道理。说实话，如果你们没有消息，不报道，我以后就不再读你们报纸了。”胡副处长眨着眼睛，他想让眼睛也休息一会儿。

“有关‘城市之门’广场上电线杆伤人的事，我们想找你了解一下，因为它跟这场风波有关系。”张世林说。

“记者同志，说实话，电线杆是怎么伤人的，事情发生的时候我确实不在现场。但是那根电线杆确实是一根有来历的电线杆，是一根惹祸的电线杆，更是一根让人讨厌的电线杆。你们如果要了解电线杆是如何伤人的，我告诉你们的，只能作为间接的材料。”胡副处长说。

“那也行，这件事我们会问更多人的。”张世林觉得他们的运气并不坏，对于一项调查来说，间接的材料也很重要，也可以直逼问题的真相。

电线杆是由水泥与钢筋组成的，它是供电系统供电的辅助设施。“城市之门”项目土地上的障碍物拆迁以后，许多电线杆就没了用处。不过，那些没有用处的电线杆却成了交通障碍。为了配合“城市之门”的建设，市政局与供电局拆除了许多电线杆，可在“城市之门”广场正中的一根电线杆却因为五百块钱拆迁费在很长一段时间内悬而不决。事情本来是好解决的，可是在发生了一件让人意想不到的事情以后，电线杆的拆除问题就不再是五百块拆迁费的问题了，它一度成为市长办公会上被提起的事情。原来，那根电线杆不在道路上，原则上不归市政局管了，市政局可以拆也可以不拆。市政设施处有人把这件事情汇报给了市政局长。市政局长听了汇报，拿出了一个处理意见。他的意思是让“城市之门”项目出钱，市政设施处出人把事办了。以前遇见这样的事也是这样处理的。局长是按照以前的例子拿出的处理意见。谁想到老革命会碰见新问题呢？得了局长的指示，市政设施处一个头带着工人开着车就到“城市之门”与之协商。当项目经理把这件事情汇报给燕莎，燕莎直接把事给拍死了。她认为，如果这件事“城市之门”出了钱，那以后出钱的地方就多了。董事长不让出钱，“城市之门”项目就没有出钱。市政工人当然不愿意白干活儿，他们开着车离开了“城市之门”广场，把那根电线杆就留在那儿了。

市政工人来而复去激怒了燕莎，她打电话给刘湘民，添油加醋就把市政局长给告了。刘湘民挂掉电话就让人通知市政局长到市政府汇报工作。市政局长是一个老同志了，就要办理退休手续了，什么事情睁一只眼闭一只眼也就过去了。突然接到市政府办公室的电话，让他去给市长汇报工作，他不知道发现了什么事情，也不知道什么事情做得不好，一路上，心里面怦怦地跳。他准时到达市政府办公室以后，却有人通知他，让他在外面等半个小时。这一下，他心里更没有底了。刘湘民有一个不成文的规矩，凡是找有错误的局委负责人谈话，不管是谁，都得等半个小时。即便他在办公室一点事没有，他也不接见他们。这种规矩比惩罚还厉害,相当于大耳刮子直接扇在了脸上。在等待过程中,他的心跳得更快了。半个小时以后,大眼镜秘书通知他进屋汇报工作时,发现他靠在墙上,头向上仰着,直翻白眼珠子,知道出事了,连忙让人打电话给“120”急救中心,叫来了救护车。

市政局长得了急性脑血栓,工作没有汇报成,直接就被送到了医院。

“就因为一根电线杆,就因为五百块钱,我们市政局就摊上了这样的事。记者同志,你说说看,我们跟谁说理去?”胡副处长气愤地说。

“局长怎么样了,局长后来怎么样了?”张世林问。

“抢救及时,命保住了,却成了植物人。局长可怜啊,马上就退休享清福了。”胡副处长说,“这件事发生以后,那根电线杆就更没有人愿意去拆了。经过市长办公会研究,责令‘城市之门’自行拆除。可是‘城市之门’一直拖着没有拆。这件事情就一直搁置在那里了。”

“怎么能这样呢?不就一根电线杆嘛,拆除费用也不过几百块钱,扯来扯去结果又扯出了人命。那电线杆后来是你们拆除的吗?”马立觉得发生这样的事情不可思议。

“后来,我们就没有再碰那根电线杆,那哪里是一根电线杆,那分明是阎王爷的水火棍。”胡副处长无奈地苦笑了一下。

“这样说,那根电线杆是‘城市之门’的人拆的了?”张世林说。

“没有证据,我可不敢下这样的结论。但是从理论上说,这根电线杆作为一桩命案的物证,对谁不利,谁就会想办法拆掉。”胡副处长说。

马立与张世林感觉到在胡副处长这里得不到有价值的线索了,两个人便起身告辞了。胡副处长送两个人走出市政局大楼时,脸上突然露出了忧戚之色,他紧握住张世林的手说:“张记者,刚才我们谈的事,千万不敢写到报纸上去。你不能把我卖了。你要往报纸上一写,我的饭碗说不定就砸了。”

张世林眨着小眼睛笑着说:“胡副处长,你放心,我拿人格向你担保,我不会出卖你的。”

“这就好，这就好。以后有机会我请二位喝两杯。”胡副处长脸上的忧戚之色瞬间消失了，他笑着摇了摇张世林的手。

告别胡副处长，坐到车上，两个人的心情一点也不轻松，他们不知道下一步要去哪个地方。

“马老师，你觉得我们做这一件事情有意义吗？”张世林问马立。

“你动摇了？不过，也没有关系，并没有人强迫我们去做什么。”马立神情淡然地说。

“是，是没有人强迫我。可是作为一名记者，一件事情摆在面前，不去了解真相就是失职。”张世林从马立的话里听出了弦外之音。他不想让这个来自北京的建筑专家小看了自己。马立与自己初相识，做这样一件没有什么头绪的事情，自己如果动摇了，那马立更没有坚持去做的理由。在某种意义上，这件事的确跟马立没有多大的关系。但是一个人一旦卷入某一个事件之中，他就身不由己了。因为他自己也成了这一事件的一部分，他会被事件发展所产生的大力裹挟着向前走。无论前面是山冈还是深渊，他都止不了脚步。马立想把事情做下去，他有一种莫名其妙的兴奋感。

尊重胡副处长的意愿，张世林没有把调查电线杆的事写成文章发表在报纸上。不知道为什么，他却把马立到蜜如调研房地产现状的事情发表在了报纸上，而且放在地产版的头题位置。好像这个来自高层的专家是带着秘密使命来到这个小城，他成了许多人关注的对象。关注他的人中，有政府官员，有记者，当然也有房地产开发商。除此之外，还有一个女人也在关注着他。这个女人就是在路上偶遇并把他带到蜜如的房地产策划人肖冰。这些人形成一个有力的链条，他们相互作用，不断地产生着力量，他们影响着马立的言行，甚至说是决定着马力在蜜如的行动，带动着马立不由自主地向一个方向走去。

四、隔空传话

拂开大草原的草

吸着它特殊的香味

我向它索要精神上相应的讯息

索要人们的最丰饶而亲密的伴侣关系

要求那语言、行动和本性的叶片高高耸起

那些在磅礴大气中的,粗犷、新鲜、阳光闪耀而富于营养的

那些以自己的步态笔挺地、自由地、庄严地行走,领先而从不落后的

那些一贯地威武不屈,有着美好刚健和洁净无瑕的肌肤的

那些在总统和总督们面前也漫不经心,好像要说"你是谁?"的

那些怀着土生土长的感情,朴素而从不拘束、从不驯服的

那些美利坚内地的——叶片啊!

马立在房间里读完《拂开大草原的草》后,接到了地理学博士打来的电话。

"老公,我看到了你的留言条。你猜一下,我现在身在何方?"地理学博士声音亢奋,好像在大草原上呼吸着青草的气息。他也听出来了,她以这样的口气说话,肯定不是一个人待在家里。

"我哪里能猜出你在哪里啊?但我敢肯定你不在家里。"马立说。

"聪明的老公,我是不在家里。但你再聪明也猜不出我在哪个地方。让我告诉你吧,我在新疆,这个地方真是太美了。这是一个人一生中必须要到的地方。在天山汗腾格峰脚下,这里有美丽而冷峻的夏塔古道。你知道吗?这个古道是丝绸之路上最险峻的隘道,也是伊犁通往南疆的捷径。这里有《西游记》中描述过的火焰山;还有木札尔冰川,在夏天仍然是白雪皑皑。这个地方,你的脚步只要不停地走,就可以看到不一样的好风景。"

地理学博士像散文家一样煽情地向马立描述她看到的美景,那些让她亢奋的美景。这是她一贯的作风,在她激动的时候,在她无法控制自己感情的时候,她会习惯性地跟马立打电话,每一次通话都要尽情地宣泄自己的情感。每

一次,马立都会耐心地听她叙述。因为像这样的电话也不是经常有,这是他们保持沟通的一种方式。每次接听她这样的电话,马立的心中都会生起温热的感觉。

“没有比腿更长的路。你就慢慢走吧,去看不一样的好风光。”马立说。

“遵命,老公。不过,有个问题问一下啊,你在蜜如有什么好看的、好玩的?”地理学博士说。

“这儿哪有什么好看的、好玩的?我从小在这里长大,熟悉这个地方的每一个沟沟坎坎。好风景总在陌生的远方,熟悉的地方没有美景。”马立说。

“那我再问你啊,你是不是一个人在房间里?”地理学博士追问。

“是啊,我一个人。”马立说。

“你不要老是一个人啊,需要解决生理问题的时候也要解放思想去解决一下生理上的问题,别把身体憋坏了。”地理学博士坏坏地调侃相隔着千山万水的老公。

这时候,马立听到了敲门的声音。他说:“有人来了,我挂电话了。”

“是不是女人找上门了啊?”一听马立这样说,地理学博士调戏道。

“哪都像你想象的那样。”马立说。

“那再见吧,老公。”地理学博士说。

打开门,马立傻眼了,真的是一个女人站在门外。很熟悉,是那个拉他到蜜如的肖冰。

肖冰一手拿着一束红色的玫瑰,一手拿着一张《蜜如晚报》站在走廊上,马立猛一下没有明白她唱的是那一出。

“怎么是你?”马立惊讶地问。

“怎么,不欢迎吗?”肖冰的脸上挂着笑,她好像要的就是这样一种效果。

“不是,不是。我没有想到你能找到这里。”马立说。

“你都上报纸了,我是做房地产策划的,跟报社的地产记者很熟,通过他们很容易就能找到你。”肖冰说。

“噢，是这样。”马立想到了张世林，一定是他把自己来蜜如调研房地产市场的事披露在了报纸上，也一定是他告诉了肖冰自己的落脚地。

“怎么，不让我进去吗？”肖冰说。

“请进，请进。你可是我的贵客，要不是你捎我，说不定我还在路上漂着呢。”马立说。

肖冰进了门，她把玫瑰放在了桌子上，把报纸递给了马立。她并没有按照马立的示意坐在一边的椅子上，而是一屁股坐在了床上，好像她与马立是多年的老朋友。

“看看报纸上的你吧。”她说。

肖冰的声音透出一种小女人的娇媚，那声音透进了马立的心里，他感到心头有震颤的感觉。马立接过报纸，在地产版的头题位置，标题为《建设部专家马立来我市调研》的新闻赫然闪进他的眼帘。

“你这么大的专家来蜜如，可是这个城市地产圈的一件大事啊。”肖冰说。

“美女，你别开玩笑了，多大点事啊，值得这么宣传，太夸张了。”马立随手把报纸扔在了床上。

通过这样的报道，让他感觉到，他来蜜如真的就成了一件大事。他若再附和，眼前这个在地产圈子里混饭吃的美女就能把事情传得天花乱坠，那么他想按照自己的意愿在这个城市待下去就会成为一件奢侈的事情。

“像你这样的人物，如果在北京，地方大，可能也没什么，但这是在蜜如。蜜如就这么巴掌大一个地方，建设部的专家来了，大家又都不清楚来干什么，那就是一个谜。”肖冰说。

“我只是一个普通专家，来这里做一个普通的课题。顺便呢，回家看看。”马立说。

“你这样说，我相信，但我相信不代表所有人都相信啊。我告诉你啊，现在大家都想接近你，但谁也不敢贸然来打扰你。”肖冰说。

“这样说，你莫不是哪家的探子来探听消息的？”马立打趣肖冰说。

“你说对了,我就是一个探子。不过,我不是别人的探子,我是我自己的探子。我来,也是为了我自己的事而来。”肖冰扭动着身体,说话语速放得很慢。一个女人,一个漂亮的女人,说话一慢,就给人很亲很近的感觉,那是一种近乎暧昧的感觉。

“你自己的事?你有什么事我能帮忙的?”马立说。

“当然不是,我是来请你的。我策划了一个房地产论坛。这个城市有头有脸的地产商都会参加,我们也想办法请了市政府相关的领导。既然碰上你了,我就想把这个论坛的层次搞上去,想请你参加,去给我站站台、压压场。”肖冰郑重其事地说。

“我有这么重要吗?”马立明白了这个小巧女人的来意,他有点欲擒故纵的意思。

“这个论坛已经准备很久了,那一天在车上我就想开口请你的,不过,那时候,我感觉我们还不是很熟,不敢贸然开口。”肖冰说。

“那我们现在很熟了?”马立反问肖冰。

“你觉得呢?”肖冰一点也不示弱。

“我是在问你嘛。”马立又逼了一步,房间里的空气紧了一下。

“当然。是我拉你来蜜如的,我觉得已经跟你很熟了。如果你不觉得我们是熟人,也无所谓啊。请不请你,是我的事情。参加不参加论坛是你的事情。参加了是我的面子,不参加也不是什么不幸的事情。我把请柬跟出场费放在这儿了。出场费是一万元,如果你到场了,我再加你一万。”

话说到这份儿上,已经不是请了,而是在逼宫了。马立本来就是想逗逗她,没有想到她会来这一手。肖冰的话并没有激怒马立。他拿起肖冰放在床头的红包,塞到了肖冰的手提包里面。

“怎么,真不给我面子啊?”肖冰的情绪有些激动。

“不是不给你面子。出场费不是两万吗?到时候,你一次性给我,少一张,我可都是要生气的啊。还有,我要讲话的地方,你要用最好看的花把它包起来。我喜欢在花海中讲话的感觉。”她的话激起了马立与之交往下去的欲望，他用手压了压肖冰的肩膀，肖冰就顺势又坐在了床上。

“这么说，你答应了？”肖冰的语调变得柔和起来，似眨眼间换了一个人一样。

“当然。不过，我不是看你让我搭你的顺风车到蜜如的分儿上答应你的。我就是干这个的，当专家有出场的机会不出场也是一种失职，对不起自己的专业技能。你说呢？”马立调侃道，实际上，他给了肖冰一个台阶。

“要是那样的话更好了，我就不用那份人情了，你欠着我，一旦我有其他事求你，你再还给我。”肖冰说。

“好，就这样说了。”马立说。

“那我走了。到时间，我在会场等着你。”肖冰说。

“好，恕不远送了。”马立说着话，打开房门，礼送肖冰出门。

“关于蜜如的来历，你没有骗我。我回来就到地方志办公室找了一本《蜜如志》仔仔细细看了。蜜如以前真叫蜜乳。”

肖冰走到门外，不失时机丢给马立这样一句话。

“那又能说明什么呢？”马立说。

“说明，说明你不是一个坏人吧。”肖冰压低了声音，挤出了一句话。

就要走了，见马立站在门前，那女人又向他抛了几个媚眼。看着她离开，马立心里有突遭电击的感觉，他想，女人，漂亮的女人就是有力的武器。再有本事的男人被这种武器攻击，也是很难招架得住的。回到房间里，他的心久久不能平静，很明显，肖冰是一个有心机的女人，他虽然不明白她的最终来意，不知道她的底牌，但是她绝对不是来叙情谊的，也就是偶尔同车走了一段路，可是她说来就来了，不请自来地造访了他。他一到蜜如，先是被张世林拖入一项调查，接下来就接到了肖冰带有挑衅色彩的邀请。他觉得有些事情不是想象的那样简单，他不知道接下来还会发生什么事情，但无论发生什么事情，他都难逃干系了，他已经置身其中。虽然，他不知道自己是什么角色。

五、来钱澡堂

“来钱澡堂”真的是自家兄弟的生意。来钱真的当老板了。“来钱澡堂”是来钱跟二毛合伙做的生意。

一个人待在房间里无聊，马立就想到了那个牌子。晚上，他按照地址找了过去。不过，他没有见到来钱。来钱去“在水伊方”值班了。

马立见到了二毛。马立走进“来钱澡堂”的前厅，二毛正在前台值班。前台还有一个姑娘，是收银的。一眼就能看出她是从农村才出来的，说话模仿秀一样，满嘴的土腥味。二毛呢，教训着她什么。不过，有点像调情。那样子像穷了八辈子的土老帽儿，兜里突然有俩钱，又不知道如何花，烧得慌，摇头晃脑的，嘚瑟着。马立进来，他以为是洗澡的，是顾客，嚷着让那妞招待。

“请问，这里的老板贵姓?”马立问。

这一问，二毛知道人家是来找人的。

“你是弄啥的?”二毛问。他不认识眼前这个人，不过，看着不像一般人，他不敢造次。

“你们这里是不是有一个叫马来钱的?”马立接着问。

“有叫马来钱的，你是谁?”这一问把二毛问愣了。

“我也姓马，来钱是不是到你这儿干活儿了?”马立问。

“你不会是富贵哥吧?”二毛说。来钱给他讲过，他有一个哥，叫富贵，是一个大专家，在北京有差使。

“这么说，你们这儿的来钱真的是我兄弟?”马立说。

“哎呀，我的哥哟，啥风把你吹来了？我叫二毛，是来钱的哥儿们，这个洗澡的店是我跟来钱的合伙生意。桃枝，快，给咱哥倒水。咱哥可是从北京回来的。”二毛忙从前台里出来了，眼前这主，可是个贵重人，他得好好地招呼着才行。他唤着前台那个姑娘，也是他的未婚妻，给马立倒水。

通过二毛介绍，马立才知道，本来一直打工的来钱遇到了点奇遇才自己做了老板。

同样来自山里，在蜜如混社会，没有把二毛弄到“在水伊方”上班一直是来钱的心病。但凡休息，看到二毛不冷不热的脸，来钱心里就不舒服。想一想，两个人的关系还得缓和，从山里面出来，处个人不容易。可是怎么才能缓和两个人的关系呢？再去看守所探望扬州师傅，来钱就把心里的话倒出来了。扬州师傅给他出了个主意，让他把那张“搓背图”给二毛看，让他也学习那独特的搓背技术。来钱觉得扬州师傅的主意不错，就把那张图给二毛看了。二毛一看，也觉得是个宝贝，便照着图上的内容学习。二毛有不懂的地方，来钱还手把手地教他。没过多久，二毛搓背的水平也高了。他知道来钱搓背的本事是有高人指点，不完全是他的功劳。他不过是来钱的领路人。他问来钱，来钱也不瞒他，说了实情。这样一来，二毛也想见见来钱背后的高人。在征得扬州师傅的同意后，来钱就带二毛见了扬州师傅。扬州师傅见了二毛，觉得他也是个不错的孩子。二毛对扬州师傅的印象也很好，也替扬州师傅抱不平。扬州师傅从两个人那里得到了许多安慰。

扬州师傅有见识，是来钱和二毛的主心骨。来钱和二毛也生怕有一天，突然就见不着师傅了，因此，俩人去得勤。三个人之间的感情也越来越深。有一次，两个人又去看守所，扬州师傅告诉他们，给人打工不是长久之计，建议两个人合伙开个小澡堂。如果他们两个人愿意合作的话，他可以助一臂之力。二毛是个聪明人，一下子就理解了扬州师傅的意思。他对扬州师傅拍了胸脯，愿意跟来钱合作开澡堂。扬州师傅听了，就告诉他们，在一家银行里，还存着一个箱子，箱子里有一些钱，可以拿给他们当本钱用。要开澡堂了，也租了场地，但没个名字，就不好去工商局备案。愁了几天，来钱就想到了刘湘民。一次，给刘湘民搓背时，他跟刘湘民说自己想开个澡堂。刘湘民早就想帮他一下，但不知道帮什么，见来钱有了需求，也很高兴。他问来钱需要什么样的帮助。来钱说，其他的都不需要，只要求刘湘民给个字号。刘湘民一听，乐了，对来钱说:“你这个师傅啊,真是的,你的名字就是现成的字号啊。”来钱一听懂了,也真是的,叫“来钱澡堂”多好。自己也长一个脑袋,怎么就想不起这个名字呢。后来,刘湘民写了“来钱澡堂”四个字,让大眼镜秘书交给了来钱。“来钱澡堂”的牌子一挂起来就成了蜜如城里的新闻。市长帮打工仔创业的故事不但在民间广泛传播,还被拍成了宣传片在电视台播放。

“二毛,你还得照顾生意,来钱回来你让他去找我。”得知弟弟来钱要值班到第二天早上,马立不想等下去了,他把自己的住址写在一张纸上,交到了二毛的手上。

“哥,来钱不在,我在也一样,你先洗洗澡,然后,我带你吃点好的。”二毛说。

“不了,我还有事要忙,走了。”说完了,马立就往外走。二毛送到门外,看着他拐过一个街角,看不见人了,才回了澡堂。

六、大事件与白毛汗

出租车空驰事件原本也不是什么大不了的事情。那事靠时间就能解决问题。出租车可以一天不拉客两天不拉客,哪里可能十天半月不拉客?开出租车的要靠一辆车养家糊口呢,十天半月不拉客吃什么喝什么啊。所以,出租车空驰事件不是什么大不了的事情。但是,这个事情上了市长办公会,那性质就变了,由一个社会问题变成了一个政治问题。

一件事情性质变了,被大人物关注了,也就成大事情了。

很长一段时间以来,对于开会,刘湘民有一种莫名的厌倦。但是不管多厌倦,他都要打起精神去开这些会。对于政府的一把手来说,开会是行使职权的一种途径与手段。放弃开会就意味着放弃某种权力。有些会,他必须参加,就像这一次处理出租车空驰事件的会。他很清楚事件的原委。他如果不亲自处理这件事,那看似平常的事就会变成一个导火索,就有可能引燃起熊熊大火来。那火如果烧起来,会比小时候老家老房子起火来得猛烈。那是一把可以烧掉他江山的大火。江山没有了,不但美女与美梦没有了,甚至连立足之地也没有了。

参加会议的人一个个到了。交通委主任到了,公安局长到了,市政府的主要领导到了,所有跟这事有关联的人都到了。他又让人们等了一会儿,才到了会议室。

会议由市政府的秘书长主持。秘书长上了年纪,是一个老资格了,当然,也是老油条了。正式开会之前,他先批评了市交通委主任。秘书长批评交通委主任是有原因的。秘书长的身体本来就有点毛病,一直在疗养院里休息。这样的事情,按理说交通委应该负责解决掉的,可是因为交通委没有解决掉,就拿到了市长办公会上来议。这样一来,他就不得不回来主持会议。因为不回来就意味着让掉了主持会议的权力,这是一件很可怕的事情。为了保护自己主持会议的权力,他就得带病回来主持会议。所以,他不想便宜了交通委主任。他也是久经官场的人了,他深知批评是一种艺术,也是一种权力。把批评的艺术掌握到位也就拥有了批评的权力。当他得知刘湘民也是从山里回来参加会议以后,他明白,老板也是被迫参加这个会的,老板心里也一定有气。老板不高兴,他趁机找人杀上一刀,老板不但不会生气,还会在心里表扬他会办事。从进会议室开始,他就暗暗观察刘湘民,发现他一直绷着脸,他明白可以放心大胆地去批评交通委主任。他批得很厉害,几乎是声讨了。交通委主任低着头,他恨自己没有长个铁头,如果自己的头够结实,他才不管地上有没有缝隙,他会一头拱到地上,把地板拱烂了把自己的脸藏起来。

“好了。开会吧。”见火候差不多了,刘湘民止住了秘书长。

不管怎么说,交通委主任也是一个正处级干部,管着这个城市的交通,要想事件得到解决,还要靠他去干活儿呢。他如果出工不出力,有再好的决策也是个零。刘湘民止住了秘书长的批评,就变相地把交通委主任从危机里扯了出来。秘书长见老板发了话,也见好就收,宣布会议开始。

交通委主任感激地望了望刘湘民，开始介绍事件的原委。虽然知道事件大致情况，但刘湘民听着听着，弦就绷紧了。

作为主管纪检工作的市委常委，叶晨刚也参加了出租车空驰事件的专题会。跟刘湘民一样，他听着交通委主任的汇报，也紧张了起来。因为，他在听交通委主任汇报的同时，他的一个秘密调查小组的负责人也把查到的信息发到了他的手机上。他一边听汇报，一边看信息。读着一条一条信息，他有些坐不住了，他出了一身的白毛汗。起初，他以为出租车空驰事件只是因为市交通委管理上出了问题，并没有放在心上。可是他接到了一个神秘的举报电话，说这件事情背后大有文章。他觉得不可掉以轻心，便秘密地派出了一个小组去调查这件事情。他没有想到出租车空驰事件竟然跟一桩人命案有关系，而这桩人命案竟然跟一根电线杆有关。更让人匪夷所思的是，这根电线杆会跟一个叫燕莎的房地产公司女老板扯上关系。他知道，那个女老板是市长刘湘民一手扶持起来的。这里面到底又有着什么样的文章呢？他想着想着，突然有一种大山压顶的感觉。这种感觉是十五年前开始有的。后来，每当有大案要案发生的时候他都会产生那种感觉。

十五年前，他在一个县里当纪委书记，在查处一件案子时，查到了地方一个企业家头上。那个企业很有一些势力，那个企业家也颇有一些手段。那时候，他家里人受到了来自各方面的威胁与压力。可在那种情况下，他只能选择把案子查下去，否则，他只有离开纪检行业，去做其他事情。他明白，人家的目的也是逼着他离开，可是他一旦离开，不查了，就意味着他认输了。一个男人，一个有血性的男人，是不甘心失败的，更何况职责所在，根本不容他后退半步。他只有顶着压力去查那个案子。在一个雨夜，他出差回来，才到家门口，一个黑影从暗处出来，拿刀冲他一通乱砍。这事后来水落石出，一些人得到了应有的惩罚，他也落了一个大毛病：每当有大事，他就会不停地出汗，这是他身体上的一个秘密，一个不为外人所知的秘密。

因为心里着急，汗水爬上了他的额头，他的脸色也变得难看起来。会议室里,许多人看到了他的变化。

“叶书记,你是不是不舒服?”一个服务人员走到他的身边悄悄地问他。

“给我一杯水。”他说。

服务人员端来了一杯温开水,他一饮而尽。可是喝过水后,他的身体仍然没有好转的迹象。

“交通委必须让出租车先停止空驰,不管发生了什么事,这样给政府叫板,影响不好。经过解劝,仍然拒绝拉客的出租车可以吊销营运资格。公安局的同志要积极配合工作,如果有人故意扰乱社会秩序,公安部门可以根据相关治安条例进行处理。这样,双管齐下,我不相信管不好这件事。还有,我把丑话说到前面,如果出租车空驰事件造成不良社会影响,交通委主任与公安局长要负责任。会先开到这儿,安排人送叶书记到医院检查身体。”

刘湘民也看到了叶晨刚的变化,他可不想让叶晨刚在他的会上出问题。哪怕他出了会议室再出问题,那也跟他刘湘民没关系了。所以,他果断地给会议拍了板,对如何处理出租车空驰事件定下了基调。

交通委主任跟公安局长上了街,纪委书记叶晨刚进了医院。刘湘民明白,会议结束了,可是许多事情才刚刚开始,需要他处理的事情还有很多很多。他更明白,他的生命走到了一个十字路口,他面临着很严重的政治危机。他需要冷静下来,需要找到能够帮他处理问题的人。他觉得只有回到山里,回到蜜如湖边才有可能产生灵感,找到处理问题的办法。再说了,山里还有一个神仙,那是帮了他半生的人,现在他仍然需要他的提醒与帮助。可是现在,他在哪里呢?他是不是已经回到家里在等待着自己了呢?回山里去,抓紧时间回山里去。他心里有个声音在召唤他。他给老许打了一个电话,要他做好回山里的准备。

七、鲜花废墟

蜜如城里的鲜花店很少,五六家的样子,分布在市委与市政府大院附近。

不逢年，不逢节，花店的生意很淡。可突然订单就来了，一家地产策划公司把几家花店的花全部买了下来。

一段时间以来，在蜜如城，很多人都在为一场地产嘉年华奔忙。不管是地产商还是地产策划人，不管是政界的人还是媒体的人，大家为了一个共同的目的走到了一起。

不管是什么样的会议，只要出席会议的人上了档次，那会议也就跟着上了档次。这一场地产嘉年华也不例外，一个地方性的地产论坛因为请到了在国内外有影响的专家马立先生而上了档次，当然也具有了一定的新闻价值。可是更出乎人们意料的是市纪委书记叶晨刚也出现在了论坛现场。本来，这个论坛只请了主管城建的副市长，叶晨刚的到来使得主管城建的副市长成了陪会者。他出现在一片花海的论坛一事，引起了人们的猜疑，三三两两的人躲在会议室的一些角落里窃窃私语，好像参加这个会议的人中有人会被这个纪委书记当场带走一样。

“你们好像不欢迎我啊。我可是特意参加这个会的啊。请大家放心，我是来当学生的。地产这个行当，我不懂，天天看报纸、电视煽呼得热闹，我也来凑个热闹。”礼仪小姐引领叶晨刚进入会场，他感觉气氛有些异样，便故作轻松地对身边的人说。

来这个论坛之前，叶晨刚是做过一些工作的。他根本没有心思待在医院里。他找了个自己信得过的人买了一张电话卡，给省纪委书记打了一个长长的电话，把蜜如的情况做了汇报。省纪委书记听了，半天没有吭声。见省纪委书记不吭声，他急了，说：“老板，你得表个态啊。”省纪委书记说：“这样的事，不是我个人表个态就能动的，也不是在电话里能说清楚的。你尽快来省里一趟，做一个专题汇报。动一个开发商，你自己做主就行了。但是要动一个市长，是大事，要省纪委常委们集体讨论才能决定。”

省纪委书记这么一说，他也意识到，箭在弦上，这个程序他必须要走。他叫来了医院的院长，要求院方制造他在医院就诊的假象，无论谁来探望，一律挡驾。他安排的事,院长唯命是从。一切就绪,他就偷偷到省纪委,就蜜如的问题做了专题汇报。汇报会开了一夜,结果是可以动刘湘民。会议决议给这次行动定名为“驯风行动”,具体工作由他全面负责,由省纪委派出一位室主任带领一个小组协助开展工作。这样,他等于拿到了尚方宝剑。他很兴奋,觉得可以大干一场了。

“你来好,你来好,求之不得。”主管城建的副市长与叶晨刚寒暄着,把他往主位上让,这也是官场上的规矩,不管是什么会,官大的都要坐主位。

“这几位大老板,我可是在新闻媒体经常看到,见真人是第一次,你们谁给我介绍一下。”叶晨刚瞄了一眼主管城建的副市长。

主管城建的副市长起身道:“小肖,你人头熟,你给叶书记介绍吧。”

肖冰就从人群的最后面来到了叶晨刚面前。她很紧张,她也是一个见过世面的人了,可是眼前这位毕竟是一位纪委书记,这样的人管着人的自由呢,如果他觉得谁有问题,那么谁的自由也就可能真要出问题。在蜜如,许多人已经被他送到了四面不透风的地方。

“小肖,你不要怕嘛,叶书记又不是老虎,你只管大胆介绍。”地产商杨斌给肖冰鼓劲说。

“这位先生说得对,你就从他开始介绍吧。”叶晨刚说。

“叶书记,我叫杨斌。我给叶书记打包票,我的企业是阳光作业,社会上那些乱七八糟的事我从来不干。”杨斌信誓旦旦地说。

杨斌这几年发福比较快,胖。人一胖,说话就喘,还爱出汗,他自我介绍完,一头的汗,像从蒸房里出来的一样。

“杨总的大名,我是知道的,你在郊区做着一个别墅项目,我经常从你们项目边上过,你们绿化做得好。”叶晨刚说。

“谢谢领导关心,以后有什么工作要我做的,请您尽管安排,尽管安排。”杨斌有些诚惶诚恐地说。

“叶书记,这位是罗家辉,罗总。”为了表示对这位地产老板的尊重,肖冰特意走到了高而瘦的罗家辉身边。

“罗总是名人。你的艺术公社搞得怎么样？我也喜欢戏剧，特别是地方戏。”叶晨刚笑着对罗家辉说。

“叶书记喜欢地方小戏我是知道的，您有空的话，我们还希望您来指点工作呢。”罗家辉说。

“什么指点啊。这么说你们都拿我当外人了。有时间，我一定找你交流、切磋。还有啊，你那个艺术剧院要是小庙，那就没有所谓的艺术殿堂了。听说去唱戏的都是省内省外的名角，票友也都是有头有脸的人物。”叶晨刚说。

“哪里哪里，小打小闹，玩玩而已。”听话听音，罗家辉听出来了，这个纪委书记的话有弦外之音。

肖冰每介绍一个人，叶晨刚都会说一些轻松的话，慢慢地，人们好像忘掉了他的身份，会议厅里紧张的气氛松弛了下来。

“这位是马立先生，马先生供职在北京，是国家建筑科学研究所的权威专家，在国内外都很有名。”肖冰说。

“马立，你也是蜜如人。我在老乡联谊会名录上见过你的名字。这一次参加论坛，也算是荣归故里吧？”叶晨刚说。

“哪里哪里，叶书记，我这一次的主要任务是要完成单位一个调研项目。参加论坛是被这一位美丽的小姐绑架来的。”马立调侃肖冰道。

“噢，那她怎么不绑架我啊？绑架你说明你有价值嘛。”叶晨刚接过话头调侃马立，很有点英雄救美的意思。

“叶书记，谢谢你给说了句公道话啊。这位专家总是防着人，好像人吃他似的。”见叶晨刚给自己说话，肖冰便顺着杆子往上爬。

“肖小姐，论坛可以开始了吧？我想早一点听听这位大专家的高论呢。”叶晨刚说。

“叶书记，还有一个嘉宾没有来。我们再等五分钟，等五分钟就开始。”肖冰见叶晨刚催着开会，便有些着急，她几乎是在求叶晨刚。

还有什么人没有来呢？要让所有的人等。这时候，门开了。一个女人在礼仪小姐的带领下进入了会场。这个女人，叶晨刚认识，她就是燕莎，她就是他要找的人。

这个女人马立也认识，她就是姚丽娜。虽然岁月在她的脸上蒙上了一层纱，他还是一眼认出了她。怪不得她在北京的地产圈子里消失了，原来，她到蜜如来了。在那女人的身后跟着她的助理胡北群。看到这一个人，杨斌跟罗家辉心照不宣地露出了笑意。胡北群早已被他们收买了。燕莎的一举一动，他们都了如指掌。收买胡北群，是罗家辉的主意，是他劝杨斌以利益为重，让胡北群重新为他们所用。在商场上，男男女女、情情爱爱的事情又算得了什么呢？两个人商定，只要打败了燕莎，两个人就联手把“城市之门”吃掉。

人到齐了。论坛就开始了。杨斌跟罗家辉坐到了一起。

“你真的要请这个纪委书记去看戏?”杨斌压低了声音问罗家辉。

“戏已经开始了。不过，没有我们什么事，主角是她。”罗家辉向燕莎努了努嘴。

“是，我知道，这个纪委书记要是打倒了这个女人，也真是省了我们的事了。”杨斌不怀好意地笑了。

“别介，他们唱他们的，我们唱我们的，各是各。”罗家辉说。

“你的意思是纪委书记扳倒了我们的对家，我们俩接着掐?”杨斌脸上的笑容消失了。

“在商言商，只能如此。毕竟，肉只有一块。不过，再去搓背，我可以把来钱师傅让给你。”罗家辉冷冷地说。

“你要是这样，那我只有接招了。来钱师傅我感兴趣，那块地我更感兴趣。”杨斌也冷下了脸子。

因为利益，两个人说翻脸就翻脸了，早已没有了去“在水伊方”洗浴时的融洽与和睦。

论坛开始以后，叶晨刚并没有在主席台上就座。他让主管城建的副市长主持论坛，而他离开了论坛现场。很多人觉得空气中有一种异样的气息，但是他们并不清楚在论坛现场将要发生什么样的事情。

叶晨刚离开论坛现场以后并没有走远，他躲进一个可以观察整个论坛的地方等候着目标的出现。他明白他要做的是一件非同寻常的事情，这事一旦发生，蜜如将发生一场空前的政治地震。他要为即将发生的一切负责。当他看到燕莎与她的助理胡北群出现在论坛以后，他就放下了一半的心。

在论坛上，燕莎只觉心里堵得慌，好像有什么事情要发生一样。马立开讲以后，她的心就开始扑通乱跳。她也认出来了，那个口若悬河的人，就是她的老情人。她不明白，他怎么突然出现在了蜜如。马立演讲的时候，不停地向她张望。显然，马立也认出了她。她明白，只要他一结束演讲，他就会找机会与她相认，可是在这样的场合，她是不能与他相认的。他知道她的底牌，相认就意味着亮出了底牌。她给胡北群发了一条短信，通知他在会场外面等她。她要离开这个是非之地。胡北群很快回了一条短信："车在场外，人在车中。"她很满意助理的反应，她装作上洗手间，悄悄地离开了论坛现场。

"你是燕老板吧？"燕莎已经看见她的红色宝马车了，可就在这个时候，两个穿黑色衣服的年轻人拦住了她的去路。

"你是什么人？"燕莎有些生气，她不明白这两个年轻人拦住她是什么意思。

"我们是省纪委的。请你跟我们走一趟。"其中一个黑衣年轻人说。

"胡北群，胡北群。"燕莎喊道。

"胡北群是你的助理吧。你会见到他的，不过不是在这里。"那个黑衣年轻人冷冷地说。

"这一切，这一切是不是叶晨刚让你们做的？叶晨刚在哪里，让他来见我。我要见叶晨刚。小人，叶晨刚，你个小人，有本事你出来！"燕莎气急败坏地喊。可是除了眼前这两个冷酷的年轻人，没有人听到她的叫喊。

"燕老板，叫喊是没有用处的，你配合一点，我们也好做。走吧，上你自己的车,我来给你开车。你这样对谁都没有坏处。”另一个黑衣年轻人冷冷地边说着话,边做出一个请的姿势。燕莎只好跟他上了那辆红色的宝马车,那是她最喜欢的一辆车,那辆车给她带来了许多好运气。可是现在,她明白,她的气数尽了。

八、色就是色,空就是空

小女人之所以是小女人,就是因为她们的心眼小,精于算计。

当肖冰把马立送回房间以后,她根本不知道这个男人的心理发生了什么样的变化。当他拉着她的手不肯放她走的时候,她不知道眼前这个男人是要向她索取更多的回报,还是对她动了情。可是不管怎么样,眼前这个男人是一个优秀的男人,不是一次性消费品。如果真的跟他发生一点什么故事的话,那么以后,她可以尽情地向他索取了。想到这里,她低下头,任由他的手抚摸自己的身体。可是就在这个时候,马立扔在床头的手机响了。

“美女,把我的手机拿过来,我得先接个电话。”马立真的醉了,他向肖冰迷蒙地笑着,言语轻浮。

肖冰把他的手机拿过来,递给了他。

马立一看来电,不好意思地笑着对肖冰说:“美女,你还得回避一下,是我老婆的电话。”

听马立这样一说,肖冰像被兜头泼了一盆冰水。她挤出一点笑容说:“马老师,那我就不打扰你们聊天了。聊完了,你如果有需要,床头有美容美发的电话,你要什么样的人家就给你送什么样的。”

马立感觉到了肖冰的不悦,但他没得选择。他必须接听地理学博士的电话。

“肖冰,我送你。改天我请你喝茶。”马立挣扎着站起身,打开房门,把肖冰送到了走廊上。然后,他回到屋里,关上了门。

“我的大专家,你怎么这么久才接电话?是不是在干什么坏事啊?”地理学博士说。

“我的老婆啊,干什么坏事啊?我现在就是有干坏事的心,也没有干坏事的劲。今天参加了一个活动,喝多了,身子软得跟棉花团一样,站都站不住。”马立说。

“那你就躺在床上,我给你说说我们遇到的新鲜事。我已经在内蒙古大草原上,像回到千年以前,体验着成吉思汗金戈铁马、圆月弯刀的生活。”地理学博士说。

“哎呀,我亲爱的老婆,你们杂志社还要不要人了?我也想过你们那样的生活,这个世界上的好地方都让你们走过了。”马立躺在了床上,他明白,地理学博士的电话一时半会儿是结束不了的。不过,他喜欢地理学博士这样的电话,他喜欢地理学博士在电话中给他讲故事。

以前,在地理学博士的想象中,草原是一个浪漫的地方,是一个可以安放人身体与灵魂的地方。可是当她深入草原的腹部,真正了解草原以后,她改变了看法。真正的草原与浪漫并没有关系,它的背后是艰难的生活。世界的本质是天、地、人、神的四重合奏,而内蒙古大草原却是天、地、人、神、水的五重歌唱。有水才有草,水是草原最重要的神灵。在一条河边,住着一个女酋长,她是一个边境民族小部落里最后一任女酋长。她的故事感动了地理学博士。

随着铁路与公路进入这个边境民族小部落,部落里人们的活动区域越来越小。为了生活,这个小部落的人不得不以吃驯鹿为生。可是那位女酋长坚决不吃鹿肉。属于她的驯鹿病死老死了,她就给它们举行风葬,让鹿的灵魂在草原上自由地飘荡。

地理学博士的讲述让马立泪流满面,他对地理学博士说:“我很想很想跟你在一起,手拉手走入草原深处,一直走到天荒地老。”

地理学博士说:“你怎么了?你是不是酒喝多了,脑子出毛病了,都作起诗来了。”

本想在电话中叙叙夫妻之情,没有想到地理学博士来了这么一句,把马立又拉回了现实。他有些扫兴地对地理学博士说:“休息吧。草原上风大,小心不要着了凉。”

九、书法家的偈语

本来要去山里面过夜的。就算仍然见不到程大仙,去听一听山里的风对自己也是很好的安慰。可是快要出城时,刘湘民又让老许掉转了车头。

“去墨书山房。”刘湘民说。

墨书山房是书法家协会主席李济的工作室。许忠明白,他想去见李济了。

很长时间没有见李济了。大秘书给他发短信,让他找几幅李济的字,他安排人去讨,可一直没有人给送来,这有些不大正常。

“不打电话吗?”许忠问。

“不用了,直接过去。”他说。

古玩城在老城里面,以前是市政府机关。后来上古玩文化项目,市政府就搬到了新城区。靠近古玩城边上,有一栋三层小楼,古色古香的。那里分布着几个艺术家的工作室。李济的墨书山房占了三楼所有的房间。那里也是他常去休闲的一个地方。

所谓的古玩城,以前只是靠近市政府边上的一个鬼市,存在了几十年,也乱了几十年,是他拍板圈了五百亩地,搞成了一个古玩文化园区。

在古玩文化园区论证阶段,很多人反对搞这样的项目。有人认为,像蜜如这样的城市,搞洗浴业、上房地产项目都可以直接刺激经济的发展,但是搞文化项目,不知道何年何月才能回本见利,搞这样的产业怎么着都不是明智之举。市里的意见不统一,专家的意见也不一致,他也很犹豫。但是箭在弦上,不得不发。为了这事,他跟李济聊了好多次。李济是从底层出来的书法家,对文化产业有一定的认识,但那时候,他刚到市里工作,还没有什么地位,像搞古玩文化园区这样的论证会根本没有资格参加。帮市长拿主意，那是关系着一个城市布局的大事情，他的心里的确是没底。但市长来问计了，他又不能不说。小心翼翼地碰了几次，李济弄明白了自己的作用，自己只是一块磨刀石，他这个市长朋友只是拿他当一块磨刀石磨磨自己的脑袋而已，大主意还是人家拿的。这样一来，他就无所顾忌地放开讲了。他一放开，刘湘民的思路也就开阔了。对于一个城市来讲，不管是房地产业还是其他业态，短时间是可以刺激经济的发展，但没有文化的城市就是没有灵魂的城市。这一下，他明白了，他干的事是在给这个城市造魂呢。在这种情况下，他拿定主意上古玩城项目。不过，他也没有硬来，而是玩了一把太极。他发动媒体采访了许多文化人，让他们讨论项目的前景，讨论古玩城项目对这个城市未来的影响。在文化人中，他是有号召力的，经他提出来的事情，文化人没有不支持的，况且又可以在电视、报纸上曝光，何乐而不为呢？很快，投建古玩城的事他就占了上风，反对的声音也就慢慢小了下来。古玩城项目等于给蜜如的文化人办了一件好事。项目一起来，很多人就在这里扎了根。文化人这个群体，不管在哪里都是不可忽视的力量。蜜如的文化人有了根据地，有一些天天聚在一起琢磨事。但凡是有谱的事，报到他这儿，他都支持，他都推着往前走。有他的支持，许多文化人想都不敢想的事也就成了。没用多久，蜜如古玩城大楼前的照壁上就挂满了各种各样国家级以及省级的大牌子。其中"中国书法之乡""中国作家创作基地""中国影视家拍摄基地"三块国家级的牌子很招眼。那几块牌子不是说挂就能挂上去的，除了要运作，还要有一定的经济实力做支撑。那三块牌子是古玩城招财进宝的金字招牌。有那三块牌子在，蜜如的文化人仿佛都成了有钱人，一个个走路都带着风声。特别是书法家，更是身价倍增，一个一个都不是在写字了，像是在写钱了。作为书法家的头儿，李济俨然成了大师级的人物，写字的价钱论起了平方米，许多外国人都冲他的知名度拎了现金来蜜如买他的字。弄得其他写字的人都眼红得很。李济知道人恨他，干脆把自己关在三楼的工作室里，除了参加全国性的书法活动，蜜如本土的活动基本不参加。这样一来,他更成了蜜如的神秘人物,他的作品就更是一纸难求了。除了少数几个与他有特殊关系的人可以直接进入他的工作室,其他的,没有预约或者是预约没有得到准许他是不见的。在那少数几个人中,刘湘民是可以不经预约直接进入工作室的。所以,当许忠提出要给李济打电话的时候,被刘湘民止住了。

三楼的入口处,挂着两盏中国红灯笼。灯影中,李济已经等在走廊上了。

“等久了吧?”刘湘民问。

“没,听到你的脚步声才出来的。你要的东西我早就准备好了,只是想见见你,就没有让人送去。”李济说。

“要见,你可以随时去找我。”李济这样一说,他释然了。两个人一前一后,进了墨书山房。

“人言可畏,我都不敢下楼了。”李济泡着茶说。

“做人做到你这个地步,不知道是好事还是坏事。”刘湘民说。

“对于一个写字的人来说,无所谓。可是——”李济想了想,把话又咽了回去。

“你听到什么话了吧?”刘湘民说。

“没有。我楼都不下了,哪里还能听到什么话。只是一种感觉罢了。”李济说。

“什么感觉?”刘湘民问。

“心里天天翻江倒海的,好像要出什么事。”李济说。

“树欲静而风不止。没办法,该来的总是要来的。”刘湘民说。

“我给你写了几个字,希望对你能有点用。”李济说。

“什么字? 看看。”刘湘民说。

李济起身从书柜中拿出一个信封,拿出早已写好的一幅字。打开了,是几句偈语:“行也布袋,坐也布袋,放下布袋,轻松自在。”

字是行书,富有古意,出神入化。刘湘民看了,笑:“对我真是有用,谢了。”

这么多年了，第一次听他说谢字。李济听了，不禁神伤。

又聊了几句闲话，刘湘民就拿着东西下楼了。李济送到楼梯口，就没有再往下送。他心想，这个人什么时候能再来这里喝茶呢？

“刘市长，我冤啊。”才走到广场上，一个胖胖的黑影直冲上来。

许忠一见，忙上前拦住了那人。

“刘市长啊，我是古月明啊，我现在连饭都吃不上了，你得管我啊。”那人喊道。

“古县长，你怎么在这里？”刘湘民认出来了，拦他的人是阳城县被双开的原县长古月明。

“刘市长，我只有找你了。也只有你能管我的事，我现在是走投无路了。”古月明喊。

“你的事情，我记下了。等一天，我让老许找你。我还有其他的事急着要办。”刘湘民说。

“好，好。你能记着我的事就行。”古月明得了刘湘民的话就把路让开了。

“市长，去哪儿？”上了车，许忠问。

“不管去哪儿，先离开这儿再说。”隔着车窗玻璃，看着古月明好像鬼魅一样站在灯影里，他的心里升起了一种不祥的感觉。

十、来钱的造访

天微微亮了。

天亮了，马立才明白自己是度过了一个夜晚。他横躺着，几乎就要掉下床去。想起昨天夜里发生的事情，想起地理学博士那漫长的电话，他的脑海里产生了一种幻灭的感觉。他口渴得厉害，想喝水，他的身体发出了一种强烈的信号，在那种信号的指挥下，他脑海中的幻灭感很快就消失了。他挣扎着起了床，动手烧水。水烧好了，他倒了一杯，还没来得及喝，外面传来一阵急促的敲门声，他心想谁这样无理，一大早就来扰人的清静。可是当门外一个声音响起以后，他就哭笑不得了。

“哥，开门，我是来钱啊。”门外的人一边敲门一边高声喊，是很长时间没有见面的兄弟来钱找上门来了。

他打开了门，来钱进屋了。

“来钱，你怎么这个时候来了？”马立问。

“我接着二毛的信就来了。哥，你找我有什么事？”来钱说。

“娘还好吧？”马立给来钱倒了一杯温水。

“你还好意思提娘，你回来了，我应该先知道消息才对。”来钱摆出得理不让人的架势。

“我有工作要做不是？再说了，我知道你在哪里啊，怎么找你啊？”马立说。

“我有手机，有手机，我早告诉过你号的，我给你发过短信的，你是不是没有记我的号啊？啊，哥，我的亲哥啊，我们可是一个娘肚子里出来的亲兄弟啊，你竟然不记我的号。”来钱从兜里掏出一个明晃晃的手机，在马立的面前摇。

“你别摇了，给，你先拿着花。”马立把那个红包丢给来钱，来钱接了红包，就不再摇手机了。

“这肯定是别人给你送的礼，我先替你保存着。而且，我们的生意刚开张，也需要钱。”来钱把红包塞进了兜里，一屁股坐在了床沿上。

“说说娘，说说娘。娘还好吧？”马立问。

“娘好着哩。现在山里搞旅游开发，娘在山里开了一个小卖铺，天天进山里卖些冰糕、冰水啥的。我不让她干，她说咱家里有人在外面干工作，需要积德行善才能保得平安。娘一辈子都向着你。”来钱话说得不依不饶的，搞得马立的心里很不舒服。

“不说娘了，说说你。”马立说。

“我有啥说的，一直在一家洗浴中心当搓背工。这当搓背工啊，虽是侍候人的活儿，可能知道许多稀罕事。到那里的人脱得赤条条的，什么话都不背人。”来钱说。

“那你都听到什么话了？给哥讲讲，让哥听个新鲜。”马立说。

“我只是说说啊，不一定准。就说说出租车不拉客的事情吧，实际上后面有人给撑着呢，跑空车也有人给钱，而且比拉人挣得还多。”来钱说。

“你还听到了什么？接着往下说。”马立急于知道更多。

“有一根电线杆子倒了，把一个出租车司机砸成了重伤，后来，那个司机就死了。空驰这事啊，看着是一个意外事故引起的抗议，实际上是几家房地产公司老板在斗法。那个电线杆子归‘城市之门’所有，死人的事就要归‘城市之门’项目来管，可是‘城市之门’项目推给了市政局处理。另外有两个地产公司的老板就出钱给出租车公司，不让他们拉客，明面上是给死去的出租车司机讨公道，实际上是想斗倒‘城市之门’。”来钱说。

“你怎么知道这些事？”马立的汗毛竖了起来。如果来钱说的是实情，那他已经卷进了这场争斗之中，而且成了争斗中的一枚棋子。

“有两个老板洗澡时说的，开始时我也听不太明白，后来，他们说得多了，我就知道是怎么一回事了。”来钱说。

马立流汗了。如果出租车空驰事件是杨斌与罗家辉在搞鬼，那么他们的对头就是燕莎，也就是当年的姚丽娜。如果这个女人有什么三长两短，那么他就是一个帮凶。他觉得他要尽力去阻止一些事情发生。他要去找张世林，他感觉到张世林也是这个阴谋中的一枚棋子，而且是一枚重要的棋子。

“来钱，你还有其他的事没有？”马立问来钱。

“当然有事，我忙着哩，你以为我是一个闲人啊。跟你说一声，我就不陪你回山里去看娘了。我还得去看黄师傅呢，人家对我有恩呢，该去看人家了，不看不好。等回来，我带你吃蜜如城里面最好吃的小吃，一切我来安排。现在你兄弟也是能挣钱的人了不是？”来钱说。

"行,行,你忙。我知道回家的路。"马立说。

十一、归宿何处

蜜如湖是一个沉静的湖。刘湘民最爱这一片水。不管遇到什么难处,他最想到的一个地方就是蜜如湖。有时候,甚至想,如果自己能有一个善终的话,他最想过的生活就是在这个湖边度过他的晚年。可是,这只是一个梦幻。因为风暴来了。注定,他已经无法躲过这一场人生的劫难。他生命中最为依靠的两个人,名人的手机无法接通了,程大仙也没有了去向。他要找的人找不到,向他求助的人倒有不少。他干脆把手机交给了老许,让他掌握外面的信息。

以前,手握权杖,他总觉得有许多人可以用,有许多人可以依靠。但是当人生的危机来临,他才明白,能靠得住的人很少。可是,只凭自己的力量,他能渡过人生的难关吗?

"刘市长,我们回去吧。"不知道什么时候,老许来到了他的身边。

"老许,不要叫我什么刘市长了。我以后可能再也不是什么市长了,可能连做一个普通人的机会都没有了。"刘湘民说。

"刘市长,不管到什么时候,你都是我的领导,我的恩人。"老许说。

"我身边也只有你了。我可能再也等不到她了,再也见不到她了。"刘湘民说。

"你说的是毛姑姑吧?"老许说。

"嗯。"刘湘民简单地回应着老许。

"刘市长,你不要埋怨毛姑姑。她带着美丽走了,是我送她们走的。"许忠说。

"是出了什么事吗?"刘湘民诧异地问。

"是。李安庆欺负了美丽。"许忠说。

“什么？这个畜生！”刘湘民怒不可遏。

“我已经把他处理了。”许忠故作镇静地说。

“你把他怎么样了？”刘湘民看着许忠，好像看见了肉与血。

“没有把他怎么样，只是，他这一辈子再也欺负不成女孩子了。”许忠苦笑着说。

“好，好，报应，报应。外面还有什么情况？”刘湘民说。

“黄知白打电话，他的洗浴中心被查了。他决定撤资回北京了。”许忠说。

“让他走吧，生意人嘛，哪里有钱赚就去哪里。”他说。

“还有古月明的电话。我不知道如何回复她。”许忠说。

“我们现在还管得了她的事吗？不用回。还有其他的电话吗？”刘湘民问。

“还有叶书记的电话。他问我们在哪里。”许忠说。

“你怎么说的？”刘湘民说。

“我告诉了他我们的位置。”许忠说。

“好，好。你就是不说，他也会找到这里来的。我们就在这里等着他们吧。”刘湘民说。

“其实，还有一条路。”许忠说。

“什么路？”刘湘民问。

“我支应住他们，你去找毛姑姑。”许忠说。

“呵呵，真的是一条好路。不过，我们还是等着他们吧。跟他们回去，有一些事情还有说话的机会；不回去，就永远没有说话的机会了。走，跟我下一次湖。以后，怕是没有机会下湖了。”

刘湘民说着话就往湖里走去，许忠跟在他的后面。可是，他们只走了几步，湖边就传来了急促的脚步声。

“老许，他们来了，我们上去吧。不要让他们有什么误会。”刘湘民淡定地说。

刘湘民站在水里，水凉，是他喜欢的那种凉，那是千百年来一如既往的凉。以后，他想再品味那湖水的凉都成了奢侈的事情，更不用说人世间其他万般的好了。

十二、棋子的坦白

“是的，我是一枚棋子。”

这是马立找到张世林以后，张世林给他做的坦白。

马立想起要找张世林的时候，他的手机已经成了空号，他找到了冷冷，是冷冷带他找到了张世林。再一次见到张世林，他已经变成了双腿瘫痪的残疾人。

在医院里，午后的阳光照着他的面庞，他的眼里仍然有光，不过不是以前的那种贼光，而是一种世事看透的光，是一种淡漠的光，是一种认命的光。这世界真的是很残忍，在很短时间内就改变了一个人的命运。

“是谁，是谁干的？”马立问。

“该干的人干的。”张世林说。

“为什么会这样？”马立问。

“就应该是这样。”张世林装作很平静地说。

张世林给马立讲了一个地产商争地的阴谋。在这一场争斗阴谋之中，很多人都卷了进来。张世林作为一个地方传媒的代言人，他给多个地产商提供他所知道的商业情报。一个人，要为很多人服务，这是一个技术活儿，他玩了一把地产商业的无间道。

利益就那么多。有人受益，就有人受损。张世林把活儿玩砸了。受损的人把怨恨撒到了他的身上。也就是地产论坛结束的那天晚上，张世林开车回家时与一辆没有牌照的垃圾车撞在了一起。当时，他就昏了过去。当他醒过来，已经躺在医院的病房里了。

“那我是不是一枚棋子?”马立问。

“你不是。你只是偶尔路过,你只是偶尔看见。就算你不出现,所有的一切仍会发生。”张世林说。

“可是很多事情与我的生活,与我的生命息息相关。”马立说。

“那是你的命。”张世林说。

“是,你说的有道理,那是我的命。可是你躺在了床上,失去了生命中宝贵的东西,你能说也是命吗?”马立质问张世林。

“我在跟命斗。我是一个穷孩子,我有年迈的父亲,还有三个兄弟,他们都生活在蜜如大山里。他们无法走出那座大山,他们改变不了待在山里的命运。他们很穷,连女人都找不到。所以,他们拼命供我读书,希望我能有一些本事。我走出了大山,改变了命运。可我不能只顾自己,不帮他们。可是靠我写字,我根本帮不了他们什么。”张世林断断续续地说。

“所以,你就出卖自己。”马立说。

“是,你说的是。我是在出卖自己。可是,有的人,想卖还找不到买主呢。何况我卖了那么多钱,我卖的钱可以让我们一家人过上体面的生活,我值了。”张世林说。

“呵呵,我真是的,我还跟你去做调查,我以为在这个世界上还真有为理想工作的人。”马立说。

“理想,我心中一直有理想,可是理想也不能当饭吃啊。”张世林说。

“我为你感到悲哀。”马立说。

“谢谢。这个世界上要悲哀的事情很多,要悲哀的人也有很多,谢谢你想到了我。”张世林苦笑着说。

“冷泠,你也是一枚棋子吗?”马立不愿意再跟张世林说话,他转过头问冷泠。

“我哪里有资格当棋子啊,我只是一个服务人员。马领导,你在蜜如的生活由我负责,你有什么需求,只管给我说。我会向局领导如实汇报,我会尽我的能力为你提供应该提供的服务。”冷冷不高兴马立这样的问话,他摆出了一副公事公办的样子。

“那好,我在蜜如的调研工作就到此为止,你自由了。”马立也公事公办地对冷冷说。

“谢谢。”冷冷如释重负地说。

一切,马立觉得在蜜如所经历的一切像是做了场噩梦,他再也不想待在蜜如城里了。他回到宾馆,退了房,租了一辆车往家里走。

开车的是一个五十多岁的老师傅,马立去租车的时候,他几乎以白送的价钱抢到了这一趟活儿,惹得几个毛头小伙子要揍他。可是他走到蜜如山口就停住了车,不走了。

“年轻人啊,对不住了,你不要埋怨我,我也是受人之托才拉的你。不过,你不要害怕,不过是有一个人想跟你聊聊天而已。你们聊完了,我再把你安安全全地送到家。”那个开车的师傅说。

“谁,是谁想见我?”马立问。

“你是富贵吧,我已经等你很久了。一些事情,我现在只能给你说说了。”

一个人,一个老人从草丛里出来了。马立看他有些眼熟,好像在哪里见过一样。

“我是程大仙啊,我是看着你长大的啊,你长大了,我可是老了。”那人感叹道。

是的,的确是程大仙,马立认出了那个人。可是,他不知道这个人拦住自己想做什么。

“你当年是一个多么不起眼的孩子啊。你多愁善感,小小年纪就把人间的愁与苦写在脸上啊。你小小的心灵就像这蜜如山一样重,你的心思就像蜜如山里千百种植物一样细密啊。说实话,那个时候,所有人都没有拿你当回事啊,就连我也没有拿你当回事啊。但是你通过后天的努力,成了一个大专家。”程大仙说。

“你拦住我只是为了说这样一番话吗?”他想起了当年与程大仙的那番争论。

“当然不是了。有一些话,不找个明白人说说,我怕以后永远也没有机会了。”程大仙说。

“有什么话,你就说吧。只要你不觉得累,我就好好地听你讲。”如果放在从前,马立是没有心情听一个算卦先儿胡扯的,可是现在,他倒想听听这个人到底要说些什么。

“鸟之将死,其鸣也哀;人之将死,其言也善。我就要离开这个世界了,现在,你来了。我就说了,必须先从一个传说说起。你不要心烦,你得慢慢地听。”程大仙说。

“好吧,你慢慢地说吧,我会好好听下去的。”经历了那么多的事情,马立的心已经很静。

“传说很久很久以前,盘古开天辟地以后,天界有神,自有秩序;地界苍茫,缺乏管理。为了保持天地的平衡,上苍派神的传人来到人间管理各个地方。我们这个地方起初并没有人,只有白水黄地。管理我们这儿的是一男两女三位神人。男的叫苍公,女的叫泌娲与蜜娲。苍公是一个长着三只眼睛、有着英俊外表的神,在天上的时候就得到众女神的青睐,经常收到女神们各式各样的情书。泌娲与蜜娲两位女神都暗中喜欢长着三只眼睛的苍公。也许是她们把感情都隐藏起来的原因吧,没有谁知道她们的秘密。如果上苍知道她们的秘密,是不会让她们一起到这一片土地上来的。上苍派了他们打理这一片土地与众多的河流。上苍也有让泌娲与蜜娲相互监督的意思。他不想让他们之间发生感情上的纠葛。神啊,什么都不怕动,就怕动感情。神一动情,万物动容。那是不得了的大事情。

“苍公明白上苍的意思,他是一位恪尽职守的管理者。白天,他用两只眼睛看着万里江山,一只眼睛休息。夜晚,他让两只眼睛休息,用另一只眼睛放哨。泌娲与蜜娲负责给苍公做饭,打理家务。白天,泌娲给苍公送饭,蜜娲看守家园。晚上，蜜娲给苍公送饭，泌娲看守家园。白大过去了，夜晚又过去了。无数个白天过去了，无数个夜晚又过去了。泌娲送饭的时候，可以与苍公在一起，他们聊天，聊无穷无尽的话题。他们的笑声在大地上飘荡，他们的欢乐笑声传到家里让蜜娲在情感上备受煎熬。晚上，蜜娲给苍公送饭的时候，她也陪着苍公聊天，聊无穷无尽的话题。他们的欢乐笑声在夜里传得很远，也让泌娲感到长夜的无情与寂寞。

“幸福的时光无论有多漫长，幸福的拥有者都不觉得那时光漫长。在两个美丽女神的陪伴下，这样的日子过了上百年，可是苍公觉得就像才过了一天一样。这个时候，这一片土地上开始有了人类繁衍生息。苍公下界的时候，上苍就告诉过他，同时也告诉过每个下界的神灵，他们所看守的土地，只要有了人，就算完成了任务，可以根据具体情况升天领受其他的差事。这一片土地上有了人，苍公觉得他已经完成了任务，他要回天上去交差了。可就在这个时候，两个女神再也耐不住情欲的煎熬。在一个白天，在一个阳光明艳的白天，在一个风吹万物的白天，泌娲给苍公送饭的时候神情忧郁。苍公问她为什么忧郁，她用手捂住了苍公的眼睛向他诉说了自己的心事。苍公说，白天无论如何不能做那样的事情。不是不想，而是太想了，但无论怎么想也不能在白天做，因为在他们头上，有很多眼睛在看着他们。他们来到土地上是要造福一方的，不是来享乐的。为了保证下界的神灵尽职尽责，上苍派了许多神灵监视着他们的一举一动。如果让负责监视的神灵看到他们欢乐的行为，神灵就会报告给上苍，他们所做的一切努力都会化成泡影。他们不能为了一时的欢乐失去永生的幸福。所以，他们要做也只能在夜晚来临以后，待黑暗蒙上监视者的眼睛以后再行事。可是夜晚是属于妹妹蜜娲的，为此，泌娲十分嫉恨。夜晚来临了，蜜娲来了，她给苍公带来了可口的饭菜。当苍公吃完饭以后，蜜娲也用手捂住了苍公的眼睛提出了她的请求。可是这时候，泌娲也来了，她拿着苍公的弓箭而来。当她看到妹妹用同样的手段勾引她心爱的苍公，她向妹妹射出了罪恶的一箭，妹妹应声倒在了地上。这个时候，泌娲上前抱住了苍公，她被自己的举动吓坏了,她怎么也不相信自己会因为爱情向妹妹下了毒手。蜜娲看到姐姐与苍公抱在了一起,奄奄一息的她发出了凄厉的诅咒。”程大仙的语速很慢,他的思绪仿佛回到了远古时代。

“蜜娲发了什么样的诅咒?这一块地上发生的事情是不是跟那诅咒有关系呢?”马立问。

“你到底是一个聪明人啊,一下子就把事物联系了起来。蜜娲诅咒道,你们回到天上去吧,你们只管享受你们的快乐去吧。但是,你们的人,你们千辛万苦化育的人,要成为我的奴隶。他们的身体是我的奴隶,他们的灵魂也要受我的奴役。我就要死了。我的四肢会化作山脉,我的头颅将成为山岭,我的身体将变成土地,我的乳沟会化作河流。我的头发会变成山中、土地上,以及河流边的千万种植物。凡种地的人将受无穷的罪,山里的人将吃无边的苦,喝过我水的人将产生无边的欲。那山中千万种植物将产生千万种秘密。千万种秘密纠缠一起,千百年山里人都不能获得安宁。

“苍公与泌娲没有理睬蜜娲的诅咒,他们飞上了天。蜜娲的四肢变成了山脉,蜜娲的头颅成为山岭,蜜娲的身体化作土地,蜜娲的乳沟化作河流,蜜娲的头发变成了山里面、土地上、河流边的千万种植物。蜜娲成了这一片土地上的主人。后来,人们为她立了庙。千百年,这一片土地上的人每年都为她敬献香火牺牲。

“蜜娲是土地之母,是爱之神,但她更是备受情爱伤害的女人。把爱的给爱,把伤害的还给伤害。不管人们如何敬她,她给这一片土地上的人带来生活,带来了爱,也带来了恨。带来了情,也带来了仇。这是这一片土地千百年来动荡不安的原因。

“苍公、泌娲与蜜娲的恋情是一个神话传说,是一个千古流传的悲剧。只要土地还在,只要大山与河流还在,我们的祖辈,我们的父辈,我们以及我们的后辈,所有人的生活都将与这个悲剧密切相关。不管生活得多么安逸与幸福,所有的生命仍无法摆脱自身固有的悲剧。不过,那悲剧也是我们生存下去的动力。

“一个世界，总有一个发展的高地。本来，我们这个地方，应该就是世界发展的高地之一。因为这个地方是最早有人类活动的地方之一。用你们文化人的话说，是中华文明的发祥地之一。可是，我们的先祖，培育这一个地方的先祖动了淫心，坏了神人之间的规矩，我们这一个地方就被女神所诅咒。因为受到了女神的诅咒，这一个地方变成了一个复杂的地方。

“在蜜娲死了以后，上苍并没有放过苍公与泌娲，他们被上苍所罚，投生于人间。上苍罚他们陪伴着被杀死的蜜娲，生生世世，永远不得再上天庭。唉，这是上苍的又一个错误啊。从此以后，这一个地方的子子孙孙便都带着各种各样的罪与罚、福与祸来到了人世间。这一个地方本应是人间福与灵的高地，却变成了情与恨、灾与祸的沦陷之区。

“在这个地方，每一代有平庸之人，又有杰出之辈。不管是平庸之人还是杰出之辈，他们都是万千植物的化身。平庸者是杰出者生存的土壤，是他们用千百万双手托起了杰出者的身躯。杰出者是他们的代言人，要为他们谋求生活的出路。那些杰出的人绝不可背叛他们，换句话说，杰出者绝不能背叛养育他们的土地。不要觉得已经走了千里万里的路，跟这一片山水土地没有关系了，可以去过自己的生活了。其实，走出只是一种形式、一种姿态，任何人也走不出他出生的那一个地方。这样的道理，不是人人都能明白。正因为这样，在这里生长起来的人生活中才充满了悲欢离合、恩怨情仇，这里的生活才变得扑朔迷离、复杂难辨。不过，对于一片山水土地来说，这也不是什么坏事情，这样的事情会产生各种各样的力量推动这个地方往好的方向走。你如果有心，就好好地活着，好好地努力，为这个地方的人造福吧。从此以后，我就消失了。别找我，别想我，就当我从来没有来过这个世界上。我从来也没有见你。”

程大仙说完，就消失在草丛里了。他呆呆地看着，好像一切都是在梦中发生的一样。

“年轻人，上车吧，我不能白收你的钱啊。我答应过你，要把你安安全全地送到家里。我们山里人是最讲诚信的。”开车的老师傅过来，请马立上车。马立木木地就上了车。两个人就开始向深山而去，向家的方向而去。

十三、灯火草

我现在讲有一天我母亲告诉我的事

当我们在一起吃午饭时

说那时她快要成为一个姑娘

同她的父亲住在故乡一个老宅里

一天早餐时一个红印第安女人来到古老的住宅中

她背上背负着一捆做椅垫用的灯火草

她的头发挺直发亮，又粗又黑，而且浓密，半遮着她的脸孔

她的脚步灵活而有弹力，她说话的声音很优美动人

我母亲又惊又喜地望着这个陌生人

她注视着她那张清新的高颧骨的脸和丰满柔韧的四肢

她越看越喜欢她

因为她从没见过这样惊人的美丽而纯朴的女子

她让她坐在壁炉旁的条凳上，给她做吃的东西

她没有给她做，但是给了她纪念和欢喜

那个红印第安妇人整个上午都待在那里，到下午晚些时才走了

啊，我的母亲多么不愿意让她走开

那个礼拜她成天想她，她好几个月都盼望她

她许多个冬天和夏天都记得她

但是那个红印第安妇人再也没有来，也从此没有消息了

《睡觉的人们》是惠特曼《草叶集》初版中最有艺术特色的一首诗，每当读

起它，马立都十分兴奋。

马立回到蜜如山中在等待母亲的时候重读了那首又名《睡眠中的追逐》的长诗。可是这一次，马立心里感觉莫名的沉重。他觉得在这个世界上，人只有在睡眠中才是最美好的，也只有在睡觉的时候才没有那么多的烦恼与忧伤。

山还是那座山，山里还是那些人。他们不知道山外面发生了什么样的事情，他们不知道山外面发生的那些事情跟他们有着什么样的关系。可是马立知道山外面发生的事情深深地伤害了这座大山。

院子还是那座院子，石砌的墙上爬着丝瓜秧，那是母亲经营的生活。悄悄地回到这个他出生、成长的院子里，他只想看看娘。可是娘不在。自从他到城里上班以后，娘就不再喂羊了。可是娘是一个闲不住的人，娘在山里开了一个小卖铺，专门服务到山里旅游的人。娘说那是积德行善的好事情。他回了，可娘到山里去了。他有些累，他不想到山里去找娘了。

已经在娘的院子里了，他想一个人待着等娘。娘早晚都是会回来的，他要给娘一个惊喜。他关上了娘的院门。

黄昏了，娘还没有回来。

月亮升起来了，娘还没有回来。院子里飞满了萤火虫，如一个一个童话占领着他的思想空间。

娘是怎么回事呢？他有些焦急了。就在他焦急的时候，手机响了。是地理学博士打来的。这个地理学博士，她又去什么好地方玩了呢？他接通了电话。

“老公，你猜我在什么地方？”地理学博士说。

“我怎么知道你在什么地方？”他有些不耐烦地说。

“想你也猜不出来。我告诉你吧，我就在蜜如山里，我就在你家大门前。还有，我跟娘在一起呢。你打开门，你打开门就看到我们了。”地理学博士说。

马立很惊喜。他挂掉了电话，阔步向大门走去，那是一扇希望之门。就像当年他迈出那一扇门一样，如今，他再一次向它走去。